D0229699

Zu diesem Buch

«Kepler ist unter den Stars der neuzeitlichen Wissenschaft für mich der achtbarste, weil er sich mit schäbigen Auftragsarbeiten durchschlagen mußte, nebenbei das Geheimnis des Weltganzen zu ergründen versuchte und außerdem noch die Courage hatte zu träumen. Mein Roman handelt von dem Privatdozenten Arnold Seidenschwarz, der an Keplers Modellen Halt sucht und dabei den Boden unter den Füßen verliert.» (Jürgen Alberts)

Aus seiner Studierstube in der Regensburger Kramgasse geht Seidenschwarz jeden Tag in die Bärenschenke, manchmal auf den Jahrmarkt oder ins Stadttheater zum «Wilhelm Tell». Wir schreiben das Jahr 1930. Von Kepler weiß er zunächst nicht viel mehr als den Namen. Was wollen die Leute hören? Sie wollen hören, daß Kepler ein deutsches Genie war. Und was will er selber sagen? Diese ungeheuren Geschwindigkeiten, mit denen wir angeblich durchs Weltall wirbeln, machen ihm angst. Ist nicht die Welt in Regensburg immer noch geozentrisch? Als er mit einer Apfelsine und zehn Eiern das Sonnensystem nachzustellen versucht, wird ihm schwindelig, und er gerät in den freien Fall der Gedanken.

«Authentisches Material mit den Produkten seiner Einbildungskraft verwebend, breitet Alberts seine Geschichte historisch detailgenau und anschaulich aus, ohne die wissenschaftsgeschichtliche Materie zu simplifizieren. Und weil Alberts darüber hinaus spannend und effektvoll erzählen kann, ist sein Roman nicht allein für Sterngucker eine interessante Lektüre.» («Mannheimer Morgen»)

Jürgen Alberts, geboren 1946 in Betzdorf/Sieg, studierte in Tübingen und Bremen und promovierte über die «BILD-Zeitung». Er schrieb zahlreiche Romane, Krimis, Essays, Hörspiele und Fernsehfilme. Für sein semidokumentarisches Buch «Landru» (rororo Nr. 12985) erhielt er 1988 den Preis für den besten deutschsprachigen Kriminalroman. 1992 erschien im Rowohlt Verlag sein katholischer Schelmenroman «Fatima». Jürgen Alberts lebt in Bremen.

Jürgen Alberts

Roman

Rowohlt

Veröffentlicht im Rowohlt Taschenbuch Verlag GmbH,
Reinbek bei Hamburg, August 1993

Umschlaggestaltung Kathrin Kreitmeyer
Gesetzt aus der Garamond (Linotronic 500)
Gesamtherstellung Clausen & Bosse, Leck
Printed in Germany
1090-ISBN 3 499 12986 8

«Wenn alle Menschen statt der Augen grüne Gläser hätten, so würden sie urteilen müssen, die Gegenstände, welche sie dadurch erblickten, *sind* grün – und nie würden sie entscheiden können, ob ihr Auge die Dinge zeigt, wie sie sind, oder ob es nicht etwas zu ihnen hinzutut, was nicht ihnen, sondern dem Auge gehört.»

Heinrich von Kleist in einem Brief
an seine Braut Wilhelmine von Zenge
am 23. März 1801

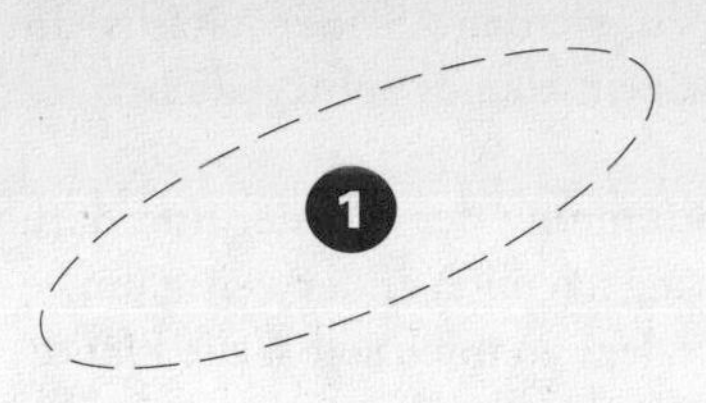

Ob die Medaille silbrig sein wird oder vergoldet, dachte er. Nie zuvor hatte er so freudig gewartet. Er saß im abgedunkelten Bibliothekszimmer Seiner Magnifizenz auf einer schmalen Holzbank. Die Fensterläden des Raumes waren verschlossen, um die wertvollen Bestände vor dem Sonnenlicht zu schützen. Bis zur Decke standen die Folianten, die goldgeprägten Rückentitel schimmerten matt. Durch ein kleines Loch im linken Fensterflügel kam ein Lichtstrahl, der im Lauf der Zeit über die Regale wanderte und ihn mit einem Mal ins Gesicht traf. Er rückte ein wenig nach rechts, wollte nicht geblendet werden. Aber der Sonnenstrahl holte ihn ein.

Am Morgen, auf der Fahrt nach Erlangen, hatte er im Vorgefühl der Ehrung an seinen Vater gedacht, der die Medaille endlich als Beweis hätte anerkennen müssen, daß sein Sohn ein richtiger Wissenschaftler geworden war. Sein Vater hatte Mathematik an der Universität in München gelehrt, ein überzeugter Feind der Geisteswissenschaften, der seinem Sohn zwar erlaubte, klassische Philologie zu studieren, ihn aber oft seine Verachtung spüren ließ. Geisterwissenschaften hatte sein Vater diese Fakultät genannt, Schleiertanz, Schelmenposse, Budenzauber, er konnte gar nicht genügend despektierliche Ausdrücke finden, um den immer gleichen Gedanken zu variieren: Geisteswissenschaftler sind nicht exakt. Vielleicht könnte ich mit der Medaille zu seinem Grab gehen, dachte er und kam sich bei dieser Idee sehr mutig vor.

Nicht der kleine Geldbetrag, der mit der Ehrenmedaille überreicht wurde, erfreute ihn, sondern allein die Belobigung, die Auszeichnung vor den anderen und die Möglichkeit, nun endlich

Extraordinarius zu werden. Seinen Status an der Universität Erlangen beschrieb ein kleines Spottgedicht:

> Gift nimmt der Mörder nur, darum
> bring ich mich anderweitig um.
> Ich lege an mich selbst die Händ
> und werde ein Privatdozent.

Außer Beihilfen und gelegentlichen Stipendien brachte dieser Beruf kein Geld ein, man mußte vermögend sein, um ihn auszuüben. Er hatte die Freiheit, zu lehren und zu warten, bis er außerordentlicher Professor wurde. Die Ehrenmedaille konnte ihn diesem Ziel näher bringen. Zugleich, und das freute ihn besonders, würden die Kollegen im philologischen Seminar neidisch werden. Professor Jahn wird mir gratulieren, dachte er, aber der war auch kein Konkurrent.

Er überlegte, wen er zu der kleinen Feier seines Triumphes einladen sollte. Außer Federl konnte niemand von seinem Stammtisch dabeisein. Vielleicht sein Doktorvater, dem er in einem langen Brief angedeutet hatte, wie gut seine Chancen für diese Ehrung standen. Bei Kriegsbeginn war die Beziehung zwischen ihnen abgebrochen, und es hatte Jahre gedauert, bis er herausfand, daß Professor Reich noch lebte. Er war emeritiert und verzehrte seine bescheidene Pension nicht weit von München. Seidenschwarz hatte ihn zweimal besucht und feststellen müssen, wie das Gedächtnis dieses bewundernswerten Gelehrten innerhalb von Monaten nachließ. Für seine Dissertation über «Leichenreden im 16. und 17. Jahrhundert» erhielt er damals ein Summa cum laude. Seinen Vater hatte das wenig beeindruckt, auch wenn er zweimal «Alle Achtung!» ausrief.

Ein wenig Unruhe überkam ihn. Er malte sich aus, daß der Rektor der Universität die Ehrung vergessen haben könnte. Professor Frisch war eine Kapazität in Organisationsfragen, immer wieder gelang es ihm, hervorragende Gelehrte an die Universität zu holen, Tagungen und Kongresse einzuladen und so den Ruf der Lehranstalt wesentlich zu verbessern.

In seinem Fach, der Medizin, hatte Seine Magnifizenz schon seit langem keinen Vortrag mehr gehalten.

Er stand auf, ging ein paar Schritte hin und her, sein Rücken schmerzte. Er stellte sich die Medaille vor, in einer Schatulle mit rotem Samt, und die Urkunde mit seinem Namen in Fraktur: Dr. Arnold Seidenschwarz. Ob der Zusatz: *habilitiert* auch im Titel vermerkt wäre?

Sein Spottgedicht hörte so auf:

Ohne Geld, stets ohne Ruh,
der Dozent strebt höhren Zielen zu,
am Ende winket (oft als Schluß!)
der Extraordinarius.

Er setzte sich wieder auf die Holzbank, die vor der Bücherwand stand, sie war durchaus ungeeignet für längere Wartezeiten. Sollte ich wirklich die Anstellung erreichen, dachte er, dann wäre ein Umzug nach Erlangen fällig. Er überlegte, welchem Viertel der kleinen Stadt er den Vorzug geben würde.

«Seine Magnifizenz lassen bitten.» Die hagere Sekretärin öffnete einen schmalen Spalt der Tür zum Rektorat.

Ein wenig zu hastig erhob er sich, strich über seinen grauen Anzug. Es war zu spät, einen Blick in den Taschenspiegel zu werfen.

«Er wird gleich bei Ihnen sein», sagte die Sekretärin, die hinter sich die Tür schloß.

Er zog seine Krawatte zurecht, fuhr mit beiden Händen über den Kopf, um seinen schwarzen Haarschopf zu bändigen.

Hinter dem wuchtigen Schreibtisch hingen große Ölporträts der früheren Rektoren, im Ehrenkleid der Universität, mit Hermelinkragen und goldener Kette. Dazu kleinere Porträts der berühmten Vertreter der Erlanger Schule, die wesentlich die evangelische Theologie des 19. Jahrhunderts geprägt hatten, eine Erweckungsbewegung auf hohem geistigem Niveau. Neben dem Schreibtisch stand eine graue, finster dreinblickende Steinbüste des Markgrafen Friedrich von Bayreuth, der die Universität gegründet hatte.

«Sie müssen allen Ernstes entschuldigen, lieber Doktor Seidenschwarz, aber an diesem Morgen brennt es an allen Ecken und Enden. Machen Sie es sich bequem.»

Seine Magnifizenz war mit geschwindem Schritt hereingekommen, er legte zwei Aktenstücke auf den Schreibtisch, nahm in dem Lederfauteuil Platz.

«Es gibt Tage, an denen bin ich der immer schlimmer werdenden bürokratischen Verseuchung hilflos ausgeliefert. Ich hoffe, Sie haben ein wenig Verständnis.»

Der Privatdozent nickte.

Seine Magnifizenz hatte einen schmalen Schnurrbart über der Oberlippe, akkurat beschnitten. Seine breite Nase erhielt so ein haariges Fundament. Der schwarze Anzug mit den feinen Streifen spannte vor der Brust. Ein leichtes Zucken umspielte seine Augen.

Der Rektor erkundigte sich nach dem Befinden des verehrten Kollegen, als spreche er mit einem nahen Verwandten. Dabei hatte er ihn überhaupt erst dreimal aus der Nähe gesehen. Der Rektor war erfreut zu hören, daß es ihm gutgehe. Er fragte nach der Anzahl der Studenten, nach Vorlesungen und Seminaren, lobte ihn für seine korrekte Einhaltung der Unterrichtsverpflichtungen.

Der Privatdozent fühlte sich wohl. Einen Augenblick lang dachte er, ob er je eine Chance hätte, auf diesem hohen Ledersessel hinter dem Schreibtisch zu sitzen.

Seine Magnifizenz räusperte sich, mit vorgehaltener Hand, fast unhörbar.

Er stand auf, nahm eine mit dem goldenen Universitätswappen verzierte Mappe in die Hand: «Lieber Doktor Seidenschwarz, ich komme zu einer unangenehmen Aufgabe, die ich nur schweren Herzens erfülle. Die Friedrich-Alexander-Universität sieht sich nicht in der Lage, Ihnen weiterhin die Beihilfen für die Dozentur zu gewähren, was gleichbedeutend damit ist, daß Sie ihre Tätigkeit beenden müssen.»

Der Rektor reichte ihm die Urkunde.

«Wenn Sie bitte dieses Schreiben entgegennehmen wollen?»

Der Privatdozent wußte nicht, was er sagen sollte, er erhob sich langsam.

«Ich möchte betonen, daß der Friedrich-Alexander-Universität diese Entscheidung nicht leichtgefallen ist, aber wie die Dinge nun mal liegen, wir müssen die Zuschüsse, die, wie Sie ja selbst wissen, viel zu gering sind, gerecht verteilen...»

Der Privatdozent hörte jemanden ganz entfernt sprechen, weit weg, er war konzentriert darauf, Einwendungen zu machen. Kann ich jetzt nach einer Begründung fragen, dachte er, hab ich das Recht dazu?

Sie standen sich gegenüber.

Der Privatdozent sagte: «Darf ich nach der Begründung dieser Entscheidung fragen?»

Seine Magnifizenz drehte den Kopf zur Seite.

«Derlei Entscheidungen bedürfen keiner ausführlichen Begründung, Doktor Seidenschwarz. Darüber muß ich Sie belehren.»

Der Rektor reichte ihm die Urkunde, maschinengeschrieben, ein blauer Dienststempel, eine geschnörkelte Unterschrift. Der Privatdozent nahm das Stück Papier entgegen, würdigte es keines Blickes und verabschiedete sich.

«Leben Sie wohl, Doktor Seidenschwarz.» Die Stimme des Rektors klang durch den langen Flur.

Er mußte sich beherrschen, um nicht loszurennen. Hatte er sich diesen Gruß Seiner Magnifizenz nur eingebildet? Als er sich umdrehte, war die Tür zum Rektorat schon wieder geschlossen.

Erst im Zug nach Regensburg konnte er einen klaren Gedanken fassen. Er war zum Bahnhof geeilt wie ein Flüchtender, den Ort seiner Niederlage verlassend, machte sich Vorwürfe: Hab ich überhaupt nach der Ehrenmedaille gefragt? Wieso hab ich auf dieses Stück Metall gestarrt? Warum hab ich mich nicht zur Wehr gesetzt?

Die Bilder von der Maifeier: rote Fahnen, rotes Gesteck, rote Papierblumen. Nach dem Umzug feierten die Sozialdemokraten im «Paradiesgarten», der Ortsverein betrank sich. Da hab ich noch laut gebrüllt, dachte er.

Die Landschaft zog vorüber, im grellen Sonnenlicht waren kaum Konturen auszumachen, die leichten Hügel und grünen Täler entlang der Schwarzen Laber. Sonst ahne ich doch jedes Mißgeschick voraus, dachte er jetzt, ich muß blind gewesen sein, der Rektor ist ein Meuchelmörder, die Hinterlist seiner anfänglichen Freundlichkeit, ich habe mich täuschen lassen.

Er erging sich in wilden Phantasien, wie er Seiner Magnifizenz dies heimzahlen konnte, er wollte sich nicht verstecken, nicht wegducken, natürlich muß er mir eine Begründung geben, warum meine Dozentur nicht verlängert wird, das ist mir der Rektor schuldig, sonst muß ich Professor Jahn bitten, dies für mich zu unternehmen, er könnte nachfragen. Es bedarf jetzt großen taktischen Feingefühls.

Der Zug hielt im Regensburger Bahnhof. Er war in seiner Stadt und fühlte sich sicherer.

Er ging über die Maximilianstraße zum alten Kornmarkt, über die Niedermünstergasse zu den Schwibbögen.

Durch die Schaufensterscheibe sah er Rafael Federl, der einen Filzhut in der Pedalpresse formte. Seine Hände strichen über die noch rauhe Oberfläche.

«Gut, daß du da bist, Raffel, du weißt gar nicht, wie mir zumute ist, er hat mich gefeuert, rausgesetzt, so ohne weiteres, als sei ich ein Stück Erd, weggeschaufelt, Raffel, das ist ungeheuerlich, grad ungeheuerlich, so kann man nicht mit einem umgehen, hörst du, er hat meinen Kontrakt nicht verlängert, mir den Stuhl vor die Tür gesetzt, und was das Schlimmste ist, ich hab ihm nicht entgegentreten können, grad wie ein stummer Fisch bin ich dagestanden, nur eine Frage gestellt, ganz schwach, und dann die Urkunde in die Hand genommen, hörst du, Raffel, es ist entsetzlich.»

Der grauhaarige Hutmacher sah ihn an, unterbrach seine Arbeit aber nicht. Er war fast zehn Jahre älter als der Privatdozent, und genauso lange kannten sich die beiden auch. Kurz nach dem Krieg war Seidenschwarz nach Regensburg gezogen, hatte zunächst auf der Donauinsel Stadtamhof gewohnt, und später eine Wohnung in der Kramgasse genommen. Sein erster Hut war ein hellgrauer weicher Filzinger mit rundem Kopf und hochgebogener Krempe gewesen. Ungewöhnlich altmodisch, aber Federl hatte ihm ein wunderschönes Exemplar gefertigt. Später kamen modernere Hüte hinzu.

«Es ist eine Schande, Raffel, ich hatte mich so gefreut auf die Medaille, und dann das! Hörst du, das ist ganz ungeheuerlich, ich will das nicht so stehenlassen, da muß etwas geschehen. Raffel, was sagst du?»

Rafael Federl nahm den Filzhut von der Presse, setzte sich auf den dreibeinigen Holzschemel vor die Bimsmaschine und stellte sie an. Mit pfeifendem Geräusch begann die Maschine zu arbeiten.

Arnold Seidenschwarz hob seine Stimme.

«Wenn ich das am ersten Mai gewußt hätte, dann hätte ich ein eigenes Transparent getragen.» Er lachte verlegen.

Der kleine Laden des Hutmachers war vollgestellt mit Maschinen, die so präzise angeordnet waren, daß zwischen den einzelnen Arbeitsgängen kaum Zeit verloren wurde. Federl liebte diese Enge, seine Kunden liebten sie nicht. Schon oft hatten sie ihm geraten, ein großzügigeres Geschäft anzumieten, damit seine Einzelstücke besser zur Geltung kämen, aber er dachte nicht daran. Die Kunden blieben trotzdem nicht aus. Er bimste den Filz, immer in die gleiche Richtung, sah nicht auf von seiner Arbeit.

Arnold Seidenschwarz wartete zum zweiten Mal an diesem Tag. Er nahm einen dunkelbraunen Jägerhut von einem Ständer und setzte ihn auf. Der üppige Gamsbart schwappte hin und her.

Federl stellte die Maschine ab.

«Nun, was sagst du, Raffel?»

Seidenschwarz sah ihn an.

«Du, mir ist jetzt nicht zum Spaßen, ich bin hergekommen, weil ich mit dir reden muß, es geht mir ganz erbärmlich, du mußt etwas dazu sagen, hörst du?»

Rafael Federl sagte nichts.

Mit einem Wurf schleuderte Seidenschwarz den Jägerhut in den Laden, drehte sich um und ging hinaus.

Die Sonne schien heftig, und er lief nur wenige Meter die Schwibbögen hinauf.

Er schwitzte. Was fällt Raffel ein, ich brauche jemand zum Reden, und er verulkt mich.

Er ging hinunter zur Donau.

Eine leichte Brise zog mit dem breiten Fluß.

Kurz vor der Eisernen Brücke blieb er stehen. Er sah hinüber zu den Inseln.

Das laß ich ihm nicht durchgehen.

Er kehrte um.

Ein paar Minuten später stand er wieder im Geschäft des Hutmachers. Voller Wut.

«Raffel, was ist los? Was hab ich dir getan? Was soll das? Warum gibst du keine Antwort? Raffel! Sag was!»

Federl nähte das Garnierband auf.

«Raffel, wenn du nicht gleich den Mund aufmachst, siehst du mich nicht wieder.»

Der Hutmacher hielt inne. Er legte den unfertigen Hut beiseite und zog einen kleinen Bleistiftstummel hervor.

Mit langsamer Bewegung schrieb er in Sütterlin.

Die Hand sorgsam über das Geschriebene haltend.

Es dauerte einige Zeit, bis Federl ihm den Zettel reichte.

Seidenschwarz sah ihn flüchtig an.

«Ich sage nichts mehr. Das nur, weil du ein Freund bist!!!»

«Was ist los?»

Federl stand auf, der Hut fiel zu Boden, er nahm ihm den Papierzettel aus der Hand und zerlegte ihn in kleine Schnipsel.

«Raffel, du bist übergeschnappt?»

Sie standen sich gegenüber, sahen sich an, alles war verändert. Der Privatdozent sah in das bewegungslose Gesicht des Hutmachers, in seine wasserhellblauen Augen, die unter buschigen Brauen hervorsahen.

«Raffel, warum?» fragte er leise.

Federl ließ die Schnipsel in einen Papierkorb rieseln.

«Es muß doch einen Grund haben. Bin ich es? Du kannst doch nicht einfach schweigen. Das geht doch nicht. Raffel, hörst du? Wie komm ich mir da vor, wenn ich dir gegenüberstehe? Bin ich eine Witzfigur, oder du? Jeden Tag haben wir geredet, so oft ich hier war, über alles haben wir geredet, ich hab von dir gute Ratschläge erhalten, und was du über meinen Vater gesagt hast, Raffel, das weißt du, und jetzt... wie lange willst du schweigen?»

Der Hutmacher bückte sich, nahm den unfertigen Hut auf und setzte erneut an, um das Band zu befestigen.

«Raffel, bitte, nur einen Satz! – Ein Wort. Sag was, bitte.»

Der Faden, mit dem Federl das Garnierband anheftete, ging ununterbrochen durch den Filz, gleitende Bewegungen, die seine rechte Hand ausführte, an deren Zeigefinger ein silberner Fingerhut glänzte.

«Ich geh dann, Raffel», sagte er leise, «vielleicht hast du es dir morgen anders überlegt.»

Er erschrak, als die Ladenklingel über ihm schellte.

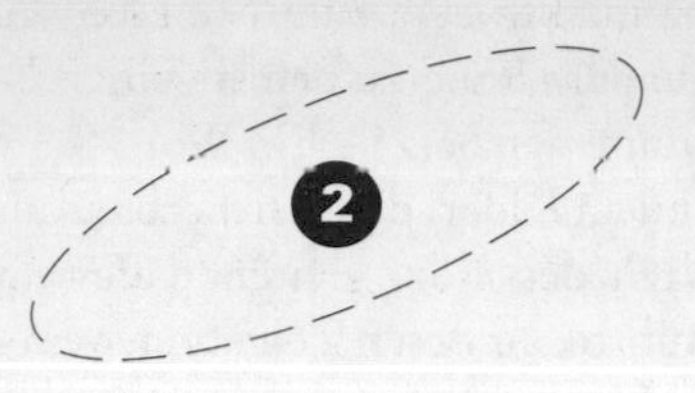

Er hatte nicht einschlafen können. Zwei Briefe formulierte er in Gedanken, zwei Anschreiben, deren Worte sich gegenseitig überstürzten.

Seine Wohnung in der Kramgasse lag im dritten Stock, nach vorne die Arbeitsstube und die Küche, nach hinten der Schlafraum und das Bad. Im Sommer kam nur frühmorgens Sonne in das Schreibzimmer, und den Rest des Tages blieb es kühl. Der Lärm vom Gemüsemarkt am Domplatz drang durchs offene Fenster.

Dem Rektor wollte er förmlich schreiben, auf seine Verdienste hinweisen, seine Veröffentlichungen, nicht zuletzt auf diejenige über «Die rhetorischen Elemente in Parlamentsreden der Gegenwart», die immerhin vom Herausgeber der Zeitschrift lobend im Eingangsspruch hervorgehoben war, wollte ohne ein böses Wort auskommen und nach dem Grund der Entscheidung fragen, auf jeden Fall um ein Gutachten von der Friedrich-Alexander-Universität bitten, damit er sich anderen Orts bewerben könne. Federl wollte er wütend schreiben, ohne jede Rücksicht, bitter, der konnte das vertragen, den mußte man rütteln, damit er von seiner Sturheit ließ, und das mit dem Zettel hätte er nicht verstanden.

Er ging in die Küche, um sich einen Tee zu machen. Er schloß das Fenster, setzte Wasser auf. Der Kessel war stumpf, seine Oberfläche brauchte dringend eine Politur.

Ich müßte dem Rektor wütend schreiben, nicht förmlich, nicht zurückhaltend, der müßte entsetzt den Brief fallen lassen, nachdem er ihn gelesen hat, schließlich kann er mich nicht behandeln wie einen Studenten, derlei Entscheidungen bedürfen einer ausführlichen Begründung, welche Entscheidungen denn, ich müßte dem Rektor zeigen, aus welchem Holz einer aus meiner Familie ist, mit meinem Vater hätte er sich das nicht erlaubt, und mit mir auch nicht.

Der Kessel pfiff. Vorsichtig, um sich nicht zu verbrennen, goß Seidenschwarz das Wasser in die bereitgestellte Kanne. Dann stopfte er das Tee-Ei. Er mochte Tee nur, wenn er besonders stark war.

Raffel bekommt einen sanften Brief, ich bin sein Freund, er ist mein bester Freund, ich muß ihn sanft behandeln, fragen, warum er das tut, es geht ihm vielleicht nicht so gut, er will etwas ausdrükken, das ist keine Laune gewesen, nicht bloß ein Scherz, merkwürdig nur, wie laut er am ersten Mai getönt hat, mit Bier im Blut, getönt von starken Zeiten, und jetzt schweigt er, ich will ihn ruhig angehen, ihn nicht übertölpeln.

Seidenschwarz goß den Tee in ein großes Glas, legte zwei Stück Zucker auf die Untertasse und ging in sein Arbeitszimmer. Ein quadratischer Raum, nur an der Fensterwand hingen zwei Bilder. Das eine zeigte seinen Vater, wie er am Katheder stand, das andere zeigte ihn selbst, bei der Verleihung des Doktorhutes. Die anderen Wände waren mit Büchern bedeckt, in Regalen bis zum Fußboden.

Er saß an seinem Schreibtisch, von draußen die warme Luft, starrte in den Tee und fand keinen Anfang, weder für den einen noch für den anderen Brief.

Was soll ich dem Raffel schreiben, mit dem muß ich reden, der wird doch keinen Brief wollen.

Während er darüber nachdachte, klingelte es an der Haustür. Seidenschwarz sah aus dem Fenster.

Unten stand ein älterer Herr, in dunklem Anzug, der seinen Namen sagte. Ob er hinaufkommen könne?

Seidenschwarz erwiderte, dritter Stock.

Der ältere Herr, der genauso schmächtig wie Seidenschwarz war, nur zwanzig Jahre älter, sein schütteres Haar hätte gut eine Kopfbedeckung vertragen, war außer Puste, als er die schmale Stiege erklommen hatte.

«Doktor Adam Seidenschwarz?»

«Arnold, bitte, Arnold Seidenschwarz», sagte der Privatdozent, amüsiert bei der Vorstellung, er könnte auch Adam heißen. Er bat den Mann einzutreten.

«Oh, entschuldigen Sie bitte, Herr Doktor. Das ist ein wenig peinlich.»

«Ich nehme es nicht krumm.»

Seidenschwarz holte einen Stuhl aus der Küche und stellte ihn neben den Schreibtisch.

«Ich habe ihren Namen vorhin nicht verstanden.»

«Berthold Müller», sagte der ältere Mann, ohne ihn anzusehen. Er stand vor den hohen Bücherregalen, «die haben Sie alle gelesen, Herr Doktor?»

Seidenschwarz kannte die Frage: «Vielleicht die Hälfte, ja.»

«Alle Achtung», der Mann nahm Platz.

«Was kann ich für Sie tun?» Vielleicht schreibe ich keinen von beiden Briefen, dachte Seidenschwarz.

«Herr Doktor, Sie werden sicherlich wissen, daß dieses Jahr ein wichtiges Jubiläum zu feiern ist, der dreihundertste Todestag des verehrten Sohnes unserer Stadt, Johannes Kepler.»

Der Mann machte eine kleine Pause.

Seidenschwarz wußte nichts von diesem Jubiläum.

«Zu diesem Tag sollen in Regensburg einige Feierlichkeiten und Festivitäten stattfinden und natürlich auch die dementsprechende Würdigung Keplers Platz haben. Aus diesem Grunde komme ich zu Ihnen.»

«Aha», sagte Seidenschwarz, der sich nicht vorstellen konnte, was er in einem Festkomitee zu tun hätte.

«Ich möchte Sie hiermit beauftragen, eine Rede zu diesem Todestag zu verfassen, eine Rede auf den wichtigsten Vertreter Regensburgs in der Geistesgeschichte.»

«Moment», warf der Privatdozent ein, «wieso Geistesgeschichte? Der Kepler war Naturwissenschaftler.»

«Gleichwohl, Herr Doktor, er gilt unumstritten als wichtigste Größe in unserer Stadt, und das allein zählt.»

Arnold Seidenschwarz fand die Idee nicht schlecht: eine Rede verfassen, warum nicht?

«Ich möchte Ihnen zu diesem Auftrag ein monatliches Salär von tausend Mark anbieten, das Sie erhalten, bis die Rede fertiggestellt ist.»

«Oh, so viel!» Seidenschwarz verglich dieses Angebot erstaunt mit seinen Einnahmen an der Erlanger Universität.

«Wie lang soll die Rede sein?» Er überspielte sein Erstaunen mit einer Frage, die ihm selbst dümmlich vorkam. Eine Rede war so lang, wie sie gut war.

«Das liegt ganz an Ihnen, Herr Doktor. Ich vergebe nur den Auftrag. Wenn Sie damit einverstanden sind, lasse ich eine Anzahlung für die ersten beiden Monate gleich hier.»

Der Mann griff in seine Brieftasche, holte umständlich einen bläulichen Umschlag hervor und zählte zweitausend Mark auf den Schreibtisch. «Wenn Sie dann hier quittieren möchten!»

Der Privatdozent geriet aus der Fassung. «Ich hab noch gar nicht ja gesagt zu Ihrem Auftrag, Herr Müller.»

«Ach, ich dachte, wir seien handelseinig.» Der Mann ließ das Geld auf dem Schreibtisch liegen.

«Wie kommen Sie gerade auf mich?» fragte Seidenschwarz.

«Sie sind mir als guter Stilist genannt worden. Jemand, der mit der Sprache umgehen kann wie andere mit dem Stichel, jemand, der sich auszudrücken vermag in einer Zeit, in der alles der Verrohung entgegengeht – das sind Qualitäten, die zählen. Außerdem haben wir in unserer Stadt keine Gelehrten von Ihrem Rang.»

«Zuviel der Ehre.»

Da saß ein Mann in dunklem Anzug, die Krawatte in gedecktem Blau, schütteres helles Haar, und da lag das Geld, soweit gab es keine Zweifel.

«Ihre Doktorarbeit über Leichenreden im 16. und 17. Jahrhundert ist ein ebenso guter Ausweis, daß die Wahl richtig getroffen wurde.»

«Haben Sie die gelesen?»

«Nein», der Mann lachte, «ich habe sie in der Hand gehabt. Verzeihen Sie...»

«Sie sind nicht der einzige, der sie nur von außen angesehen hat.»

Diese Offenheit freute Seidenschwarz, es gab ganz andere Figuren in seiner Bekanntschaft, die ihm vorgaukelten, sie hätten einen seiner Aufsätze oder gar seine Dissertation gelesen.

«Wann soll die Rede fertig sein?»

«Kepler ist im November gestorben, ich denke, daß dann auch die Feierlichkeiten sein werden. Aber darüber laß ich Ihnen noch Mitteilung machen.»

Seidenschwarz sah aus dem Fenster, die Sonne warf lange Schatten in der Kramgasse, die Tauben flogen zwischen Hell und Dunkel, Kinder spielten Räuber und Gendarm. Sechstausend Mark, nicht zu verachten, dachte er.

«Also gut, einverstanden.» Der Mann zog eine Quittung unter dem letzten Geldschein hervor und zeigte auf die Stelle für die Unterschrift. Schwungvoll setzte der Privatdozent seinen Namen auf das Papier.

Dann sah er, daß die Quittung schon mit Schreibmaschine auf ihn ausgestellt war.

«Woher wußten Sie, daß ich den Auftrag annehmen würde, Herr Müller?»

Der Mann lächelte verschmitzt.

«Wer wird sich so eine Gelegenheit entgehen lassen? Ich glaube, die Bezahlung ist recht ansehnlich, wenn Sie es mit den kümmerlichen Honoraren vergleichen, die Sie für eine wissenschaftliche Veröffentlichung bekommen.»

«Allerdings.» Seidenschwarz hätte gerne das Geld in die Hand genommen und nachgezählt, aber er wußte, das paßte nicht zu einem Wissenschaftler. Und als solcher war er soeben beauftragt worden.

«Sie hören von mir», sagte der Mann und stand auf.

«Also, eine Lobrede auf Kepler?» vergewisserte sich Seidenschwarz.

«Richtig, Herr Doktor. Bemühen Sie sich nicht, ich weiß den Ausgang.»

«Nein, warten Sie.»

Seidenschwarz öffnete schnell die Tür vor seinem Gast und verabschiedete ihn an der Stiege.

Soviel Geld für eine Rede! Das erlaubte ihm, sich sorgfältig nach einer neuen Dozentur umzusehen, nicht das erste Angebot nehmen zu müssen. Zwar besaß er Privatvermögen aus der Erbschaft, doch das reichte nicht länger als ein Jahr. Am liebsten wäre er sofort zu Rafael Federl gelaufen, um ihm die gute Nachricht mitzuteilen.

Seidenschwarz ging an seinen Schreibtisch.

Zweitausend Mark, in neuen Scheinen.

Er roch daran. Die Druckerfarbe noch frisch.

Ich muß herausfinden, wer dieser Berthold Müller ist, dachte er, daß er es sich leisten kann, eine derart teure Rede zu bestellen.

«Der *ductus simplex* besteht in der Übereinstimmung zwischen *consilium* und *thema*, das heißt, daß der Redner ernstlich meint, was er sagt.» Die näselnde Stimme des Fuchsmajors hallte im Seminarraum.

«Sehr richtig», erwiderte der Privatdozent, «und genau da setze ich mit meinen Überlegungen an. Es galt in meinem Aufsatz herauszufinden, ob die Parteiredner wirklich meinen, was sie sagen, also ein *verum consilium* haben, oder ob ihr *ductus* ein solches nur simuliert.»

Seidenschwarz mochte diesen vorlauten Studenten nicht, der ihm ständig auswendig gelernte Definitionen präsentierte. Aber er mochte an diesem Vormittag niemand von diesen höheren Söhnen, die in seinem Oberseminar für Rhetorik saßen.

Er hatte den Abend allein verbracht, schwankend zwischen Triumph und Niederlage, hatte sich ein gutes Essen gegönnt, Schweinsbraten mit Knödel, Bier und ein paar Schnäpse, war später trunken an Federls Laden vorbeigezogen, der dunkel war, hatte sich aber nicht getraut zu klingeln, zweiter Stock rechts, da wohnte sein Freund, gleich über seiner Hutmacherei. Zu Hause dann war ihm übel geworden, ihm drehte sich alles, zuviel Geschwindigkeit in den Blutbahnen, er hatte gespuckt wie ein junger Spund, der zum ersten Mal Spirituosen konsumiert, hatte sich schlafen gelegt und war wach geblieben bis in die frühen Morgenstunden.

«Worin liegt der eigentliche Unterschied zwischen Ethos und Pathos?» fragte ein Student, der gleich rechts neben dem näselnden Fuchsmajor saß.

«Das müßten Sie längst gelernt haben. Wer weiß es?» Der Privatdozent reagierte automatisch. Er versuchte, an dem Verbindungsstudenten vorbeizusehen.

Keiner zeigte ein Interesse.

Schon lange wollte er mit seinem Seminar den Aufsatz besprechen, aber immer wieder war anderes dringlicher gewesen. Solange die Studenten sich nicht das System der rhetorischen Kunst einverleibt hatten, konnten sie seiner Argumentation nicht folgen. Und dabei kannten sie alle seinen Aufsatz über die Parlamentsreden genau. An diesem Morgen wollte er es sich leicht machen, er beantwortete selbst die Frage des Studenten.

«Der Unterschied zwischen Ethos und Pathos liegt im Herangehen an die Zuhörer. Es geht um die Herstellung einer affektischen Zustimmung. Wenn jemand mit Ethos arbeitet, dann will er eine parteigünstige Erregung auf sanfte Weise schaffen, beim Pathos ist die Affektstufe heftig, wie bei Homer ist die Wirkung Jammer und Schauder.»

Seidenschwarz lehnte sich zurück, er konnte diese Erklärungen im Dämmerzustand geben, so tief hatten sie sich eingegraben, heute nutzte er sie, um die Zeit herumzubringen, die zweite Stunde ging ihrem Ende zu.

In der dunkelbraunen Aktentasche hatte er den Brief an Seine Magnifizenz, geschrieben gegen fünf Uhr in der Frühe, gespickt mit bösartigen Sticheleien, Vermutungen und Anspielungen darauf, warum seine Dozentur nicht verlängert wurde, fast despektierlich im Ton, er wollte ihn mit Professor Jahn, dem Leiter des philologischen Seminars, durchsprechen, ein Meisterwerk der polemischen Fertigkeiten, verletzend und doch nicht angreifbar.

«Was soll uns diese Analyse, Herr Doktor? Ihr Aufsatz ist ein Pamphlet, keiner der von Ihnen so genüßlich zitierten Parlamentsredner bekommt eine gute Note, alle benutzen rhetorische Mittel, um ihre Gegner zu überzeugen; ich denke, ihr gutes Recht. Nun denn, was soll uns das alles?»

Der Fuchsmajor, der oft den Tonfall in seinem Kommers mit dem Umgangston im Seminar verwechselte. Mehrfach mußte Seidenschwarz ihn bitten, seine Mütze vom Kopf zu nehmen.

«Was bezwecken Sie denn mit dieser Frage? Sie ist so unnütz wie sonstwas. Ich analysiere die rhetorischen Mittel, ich definiere die Elemente anhand gegenwärtiger Beispiele, ist Ihnen das nicht genug? Sie müssen lernen, daß die methodische Beschäftigung zunächst auf Erkenntnis aus ist. Ein Ziel, das kommt vielleicht später.»

Wie so ein Student im Seminar die ganze Arbeit aufhalten konnte! Die anderen dösten still vor sich hin, es gab ein Zwiegespräch, an dem sich gelegentlich mal ein oder zwei weitere Studenten beteiligten. Dieser Fuchsmajor der Borussia war ein Scharfmacher, daran war für Seidenschwarz kein Zweifel.

«Sie haben ein Ziel, Herr Doktor, oder irre ich mich da?»

«Ich möchte diese Diskussion hier nicht fortsetzen und die anderen Kommilitonen bitten, Stellung zu meinem Aufsatz zu beziehen. Wer möchte das Wort?»

Manchmal gelang es dem Privatdozenten, mit einem derart heftigen Eingriff das wissenschaftliche Gespräch zu dirigieren.

«Ich finde», sagte ein leises Stimmchen, die einzige Studentin, die in seinem Oberseminar saß, «daß Sie die *amplificatio* sehr gut herausgearbeitet haben. Immer wenn ein Parteiredner etwas zu erreichen sucht, dann übertreibt er, dann wird aus einem kleinen Vergehen ein großes Verbrechen. Und wenn jemand etwas vertuschen will, bedient er sich der *minutio* und verkleinert, zum Beispiel einen Skandal. Das, finde ich, ist ein sehr nützliches Instrument der Analyse.»

Auf der Bahnfahrt nach Erlangen hatte Seidenschwarz mit sich gerungen: Sollte er seinen Studenten davon berichten, daß er im kommenden Semester nicht mehr unterrichtete, oder sollte er es ihnen noch verschweigen? Er war nicht entschieden. Wenn er schwieg, mußte er sie betrügen, denn er konnte manche ihrer Abschlußarbeiten nicht mehr betreuen; wenn er es ihnen sagte, mußte er damit rechnen, daß im Laufe des Semesters die Teilnahme abbröckeln würde. Der Fuchsmajor würde die Gelegenheit nützen, um sich einen anderen Dozenten zu wählen.

Wieder wurde es still in dem weißgekalkten Raum.

«Andere Meinungen?» fragte Seidenschwarz.

Er sah in die Runde, konnte feststellen, wie sie seinem Blick auswichen.

Nur der Verbindungsstudent starrte ihn an.

«Ich hab meine Meinung schon geäußert.» Er grinste. Das Couleurband mit den farbigen Streifen über seiner Brust.

«Was schreibe ich über die *anaphora*? Bitte sehr, wir arbeiten hier.» Keine Reaktion.

«Wie wird sie in den Parlamentsreden eingesetzt?»

Es blieb ruhig.

Seidenschwarz hatte sich daran gewöhnt, diese Stille auszuhalten. Es war ein Spiel, wie bei Kindern, die sich in die Augen sahen, wer zuerst zuckt, hat verloren. Am Nachmittag wollte er Federl aufsuchen und mit ihm einen großen Schoppen trinken, dann würde der schon wieder reden.

«Ich habe nichts zum Thema *anaphora* zu sagen...», der Fuchsmajor näselte.

«Ich habe eine Frage gestellt», unterbrach ihn der Privatdozent, «oder erst mal so. Ein Beispiel für eine *anaphora*, bitte! Fangen wir wieder an wie im Proseminar.»

«Schiller, Maria Stuart: Kein Ohr mehr für der Freundin Warnungsstimme, kein Aug für das, was wohlanständig war.»

Der kleine Student, der Seidenschwarz direkt gegenübersaß, war für diese Antwort aufgestanden.

«Jawohl, das ist eine *anaphora*, die Wiederholung eines Satzteils zu Beginn aufeinanderfolgender Wortgruppen. Danke. Wenigstens einer, der hier noch mitmacht. Was schreibe ich über den Gebrauch der *anaphora*?»

Zwanzig Minuten, dachte er, aber ich kann auch früher Schluß machen. Er hatte sich entschieden, seinen Studenten noch nichts von der Beendigung seiner Dozentur zu sagen. Ob es wohl eine Möglichkeit gab, gegen diese Entscheidung des Rektorats etwas zu unternehmen?

«Die *anaphora* wird zur affektiven Steigerung verwandt?» Die Studentin stellte ihre Antwort als Frage dar.

«Richtig, das ist der Kern. Und welche Beispiele führe ich dafür an?»

Kaum hatte jemand eine Antwort gegeben, brach das Gespräch wieder ab, als würde eine Beteiligung pro Unterrichtsstunde reichen.

Der Fuchsmajor griff an: «Ich will Ihnen sagen, warum das heute zäh fließt. Es liegt an Ihnen. Sie geben sich zugeknöpft, sonst reden Sie hier über alles, Sie scherzen, Sie lachen, und heute sind Sie nur ernsthaft. Das ist ungewohnt.»

«Ich werde doch den Stil meines Seminars ...», der Privatdozent verteidigte sich.

Er sah, wie die anderen anfingen zu kichern. Verstohlen. Der kleine Student gegenüber hielt die Hand vors Gesicht, aber auch er lachte.

Seidenschwarz ließ sich anstecken. «Also gut, lachen wir. Schluß für heute. Mit Gelächter.»

Die Studenten sprangen auf.

Das Lachen wurde lauter.

Hoffentlich stört es die Seminare nebenan nicht, dachte Seidenschwarz.

«Ich würde Ihnen gerne noch eine Frage stellen.» Der Verbindungsstudent hatte seine Mütze schon wieder aufgesetzt.

«Ja, bitte.» Seidenschwarz packte seine Bücher in die Aktentasche, er sah den Brief im weißen Umschlag.

«Was mich am meisten an Ihrem Aufsatz stört, ist dies: Alle Ihre Beispiele beziehen Sie aus dem konservativen Lager, die Bayerische Volkspartei, die Deutschnationalen, die NSDAP. Glauben Sie denn, daß die Sozialdemokraten und Kommunisten sich nicht dieser rhetorischen Mittel bedienen?»

Mit einem Mal fiel Arnold Seidenschwarz auf, daß er sich verraten hatte. Er mußte das sofort überprüfen, wahrscheinlich hatte dieser ekelhafte Fuchsmajor recht, seine Mütze wie zum Hohn schief auf dem Kopf. Das war der Grund, warum der Rektor ihn aus der Dozentur drängte. Er hat sich über meinen Aufsatz geärgert, dachte er, ich war weiter von der Ehrenmedaille entfernt, als ich je geglaubt habe.

«Natürlich, natürlich», stammelte er, «die bedienen sich ebenfalls solcher Mittel. Das untersuche ich schon.»

«Wird auch Zeit», sagte der Fuchsmajor spitz, drehte sich um und ging aus dem Seminarraum. Der Privatdozent verschloß sorgfältig seine Tasche, als müßte er sich selbst davor bewahren, sie nochmals zu öffnen. Den Brief aus der Frühe wollte er mit nach Hause nehmen, damit hätte er sich nur weiter blamiert.

Zu Mittag speiste er, wie gewöhnlich am Donnerstag, im «Goldenen Hahn», zusammen mit Professor Jahn.

«Wir können Ihnen da nicht helfen, lieber Seidenschwarz. Das ist und bleibt die Verantwortung Seiner Magnifizenz, wer an der Universität als Privatdozent arbeiten darf.»

«Sind Sie denn gehört worden?» fragte Seidenschwarz, der an einer Weinschorle nippte.

«Wie meinen Sie das?» Professor Jahn löffelte weiter seine dünne Hühnerbrühe.

«Ich meine, sind Sie vor der Entscheidung gehört worden?»

Der Professor antwortete nicht, tupfte sich mit der Serviette den Mund ab, trank einen Schluck Mineralwasser. Dann aß er weiter.

Auch eine Antwort, dachte Seidenschwarz. Der Aufsatz hatte den Ausschlag gegeben.

«Die Rhetorik, mein lieber Seidenschwarz, ist eine Wissenschaft aus Eisen, aus Stein, aus langlebigem Material. Das habe ich heute morgen formuliert. Ich soll in Frankfurt einen Festvortrag halten, modern nennt man das jetzt Standortbestimmung, ein scheußliches Wort, aber gut, ich werde Position beziehen. Sie kommen doch auch, für die Diskussion wären Sie sehr nützlich.»

Arnold Seidenschwarz nickte, stumm.

Professor Jahn schob den Suppenteller in die Mitte des Tisches. Sofort kam die Bedienung und fragte, ob er seinen Nachtisch gleich serviert bekommen mochte. Der Professor liebte Süßspeisen.

«Was gibt es denn Schönes?»

«Wir haben Vanillepudding mit Birnen.»

«Zwei Portionen für mich. Lieber Seidenschwarz, was essen Sie?»

Der Privatdozent lehnte ab, er habe gestern wohl etwas viel gegessen und sei noch nicht wieder auf dem Damm.

«Ist Ihnen die Demission auf den Magen geschlagen, was? Keine Sorge, Sie bekommen von mir ein prachtvolles Gutachten, davon dürfen Sie ausgehen. Ich denke, München wird Sie akzeptieren, ganz sicher sogar. Schließlich hatte Ihr Vater dort einen ausgezeichneten Ruf, wenngleich er in einer anderen Fakultät lehrte. Und wenn ich Ihnen einen guten Rat geben darf, verlegen Sie sich auf die klassische Rhetorik! Das macht in München Eindruck. Sie können versichert sein, daß ich Sie nach Kräften unterstütze.»

Der Vanillepudding kam.

Der Professor protestierte, er habe zwei Portionen bestellt. Die Serviererin lächelte, er könne nur eine auf einmal essen. Arnold Seidenschwarz wußte, was sein Professor mit der Anspielung auf die klassische Rhetorik meinte: «Also hat mir mein Aufsatz geschadet, so sehr er belobigt wurde?»

Der Professor sah ihn erstaunt an: «Nein, wo denken Sie hin, das ist die moderne Zeit. Sie sind einer der wenigen, die unserer Wissenschaft eine Zukunft geben, ganz sicher sogar, Sie sind – und das habe ich oft genug betont – einer von denen, auf die unsere Wissenschaft große Hoffnung setzt.»

«Aber Sie selbst…», Seidenschwarz wollte nicht, daß dieser Herr ein paar tröstende Worte sagte.

«Ich selbst habe mich immer nur mit den Klassikern beschäftigt, mir liegen Homer, Euripides, Horaz und Ovid mehr… Aber das ändert nichts an der Wertschätzung Ihrer Arbeiten, lieber Seidenschwarz. Auch das muß sein.»

«Hat mein letzter Aufsatz mit meinem Abgang etwas zu tun?» Der Privatdozent wollte Gewißheit.

«Nein, ein klares Nein.»

«Danke», sagte Seidenschwarz, er trank seine Schorle aus. Das prickelnde Gefühl im Hals ließ ihn munterer werden.

«Dafür brauchen Sie sich nicht zu bedanken. Ich denke, Offenheit ist die Tugend des Wissenschaftlers.»

Die Serviererin brachte den zweiten Vanillepudding mit Kirschen, die Birnen seien leider ausgegangen.

«Ich kann es verschmerzen», gab der gekränkte Professor von sich. «Sie sollten wenigstens von diesem Pudding kosten, lieber Seidenschwarz. ‹Ein wenig Süße muß der Tag uns bringen.› Von wem ist das?»

Der Privatdozent überlegte.

Er schüttelte den Kopf: «Ich muß passen, könnte Vergil sein?»

«Nein, stammt von mir. Ich dachte, es wäre ein guter Werbespruch für eine Pudding-Anzeige. Was meinen Sie?» Der Professor lachte leise.

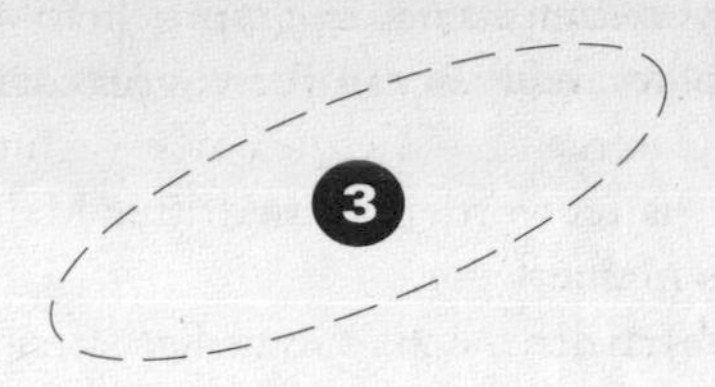

Arnold Seidenschwarz schloß die Augen, als er den Bahnsteig erreicht hatte. Jeden Donnerstag spielte er das gleiche Spiel. Er begann zu zählen, im Takt der Sekunden, jedesmal von zwanzig beginnend auf null.

Achtzehn, siebzehn, sechzehn.

Eine Probe auf die Befindlichkeit, wie geht es mir heute, die Bahnhofsuhr als Anzeiger für Stimmungen.

Elf, zehn, neun.

Wann springt der Zeiger weiter?

Vier, drei, zwei, eins.

Er öffnete die Augen.

Noch war der Minutenzeiger der Bahnhofsuhr nicht auf die volle Stunde vorgerückt.

Seidenschwarz zählte nun über die Null hinaus.

Sechs, sieben, acht.

Der Zeiger sprang auf vier Uhr.

Acht, war nicht schlecht, gar nicht schlecht. Solange er im Bereich von fünf bis zehn Sekunden war, um die er sich vertan hatte, ging es ihm gut, wenn er sich zwischen null und fünf befand, machte er einen kleinen Luftsprung, dann war sein Befinden ausgezeichnet. Das galt für beide Richtungen, diesseits und jenseits der Null.

Vier Minuten später traf der Zug ein.

Seidenschwarz bestieg sein Abteil und schlug die «Volkswacht» auf, die Zeitung der Sozialdemokratie für Regensburg und Umgebung.

Dr. Hoppel, der Oberbürgermeister von Regensburg, hatte in

Wien beim christsozialen Parteitag gesprochen: «Für die wahren Interessen des Volkes regieren erfordert, grundsätzlich gegen den Marxismus zu regieren.»

Gandhi war verhaftet worden. Zum dritten Mal. Das Bild zeigte einen verhärmten Mann.

In Neustadt überfielen Nazis Gewerkschafter und trieben sie durch die Stadt mit Parolen wie «Judenknechte» und «Arbeiterverräter». Unter den «Vermischten Meldungen» fand Seidenschwarz einen Hinweis auf die Kepler-Feiern, sie sollten des besseren Wetters wegen schon Ende September stattfinden, das genaue Programm hatte die Zeitung noch nicht erfahren können.

Der Privatdozent las seine Zeitung gewöhnlich sehr sorgfältig, aber an diesem Nachmittag las er nur die Überschriften. Er durchblätterte die acht Seiten einmal von hinten nach vorne und wieder zurück, dann legte er die «Volkswacht» beiseite.

Eine Rede auf Kepler.

Eine Lobrede.

Es gab die klassischen Vorbilder der epideiktischen Rede: die Preisreden, die öffentlichen Lobesreden, William Shakespeares Brutus-Rede, I come to bury Caesar, not to praise him, die ironischste Lobeshymne, das konnte Müller nicht gemeint haben.

Dann rechnete er nach, wenn im September schon die Rede gehalten werden mußte, dann würde ihn das tausend Mark kosten.

Auf dem Weg zur Kramgasse entschloß er sich, mit der Arbeit anzufangen.

So suchte Arnold Seidenschwarz zwischen Folianten und Manuskripten seinen Kant, dessen Himmelskunde das einzige Buch war, das er zum Thema Astronomie besaß, und fand es schließlich in der zweiten Reihe eines staubigen Regals, ungelesen, unbeschwert und ohne seine dünnen Bleistiftstriche, die er zur Verzierung und Erinnerung stets anbrachte. Das Buch roch angenehm. Er verzog sich in den abgewetzten Lederstuhl, um seiner Lieblingsbeschäftigung nachzugehen, dem ungestörten Schmökern, Sichvertiefen, Verschwinden zwischen Zeilen, Gedanken, Sätzen, Spinnereien, das kleine Büchlein aufgeschlagen, durchgeblättert, um einen eigenen Anfang zu finden und auch den Namen

Kepler, denn er ging davon aus, daß Kant ihn erwähnte, sein geübter Blick streifte über die Seiten. Er las die Anfänge der Kapitel, irgendwo mußte der Name doch auftauchen, Kepler, und dann las er sich fest.

Seidenschwarz wurde es schwindlig, als er Kants wunderbare Theorie über das Leben auf fernen Planeten studierte. Kant kam zu dem Urteil, daß die Kreaturen, die näher zur Sonne leben, längst nicht so klug sein möchten als diejenigen, die weiter weg durchs Weltall schwirren, die menschliche Natur inmitten: von der einen Seite sehen wir denkende Geschöpfe, bei denen ein Grönländer oder Hottentotte ein Newton sein würde, und auf der anderen Seite andere, die diesen als einen Affen bewundern. Seidenschwarz freute sich, er hätte lieber diese Phantasie verfolgt, als sich mit jenem unbekannten Kepler zu quälen, er sprang aus seinem Lederstuhl und tanzte in der Stube.

Am Stammtisch der Lügner saß Rafael Federl, vor sich den Steinkrug mit Bier, neben ihm zwei Zeitungsleser.

Die Bärenschenke war wie gewöhnlich um diese Uhrzeit nicht sehr voll. Die tiefhängende Decke mit den schwarzgeräucherten Holzbalken, die kleinen Kitzgeweihe an den Wänden, die gemalte Schießscheibe, die das Schloß in träumerischer Perspektive zeigte, Einschußlöcher wie ein Muster verteilt, die schäbigen Holztische mit den großen Aschenbechern.

Seidenschwarz grüßte den Wirt flüchtig, bestellte wie immer, und bezog seinen Platz am Stammtisch.

«Raffel, wie schauts?»

Federl grüßte zurück.

«Hab grad was Wunderbares gelesen, wirklich, was ganz Wunderbares, der große Philosoph Herr Kant schwärmt über den Kosmos, über das Gefüge der Planeten, entwirft eine Theorie, wie alles aus schon vorhandener Nebelatmosphäre entstanden ist, die sich dann zusammengeballt hat, hat eine ganz klare Vorstellung davon, als wäre er dabei gewesen, wunderbar! Es kommt mir so vor, als wollte er seine Leser versichern, anfangs hat er noch Zweifel, sagt auch, daß natürlich alles nur Möglichkeiten sind, aber im Laufe der

Darstellung wird er immer sicherer, als wollte er sich selbst beweisen, daß es nur so und nicht anders gewesen sein kann. Mußt du unbedingt mal lesen.»

Der dicke Wirt brachte das Bier.

«Gut, daß Sie da sind, Herr Doktor, der Federl ist stumm geworden. Seit ein paar Tagen, ich glaube, der ist nicht ganz richtig im Kopf. Können Sie ihn nicht mal fragen, was er hat?»

Seidenschwarz bestellte zwei Kirschwasser. Schon jahrelang trafen sie sich an diesem Stammtisch. «Stammtisch der Lügner» stand in der Mitte des Tisches auf einem schnörkeligen Eisenschild, das der Schmied gefertigt hatte. Den Wirt mußten sie ertragen, weil er der Wirt war. In seiner Kneipe trafen sie sich, gleich welcher Tag es war, in immer wieder anderer Konstellation. Ein paar Mal hatten Federl und er überlegt, ob man den Stammtisch nicht in den «Riesen» oder in die «Wurstkuchl» verlegen sollte.

«Ich soll eine Rede schreiben, Raffel, übern Kepler, das ist eine schöne Sache, und es springt auch was für mich heraus dabei, der wird in diesem Jahr zum dreihundertsten Mal beerdigt, ganz schön lang her, ich weiß gar nicht, wo ich anfangen soll, Raffel, der Kepler ist hier gestorben, in Regensburg, das weiß ich, und daß er den Himmel erforscht hat, weiß ich auch, Keplersche Gesetze, kenn ich noch von der Schule, aber ich weiß nicht, was sie bedeuten.»

Der Wirt kam und brachte die beiden Kirschwasser. Seidenschwarz schob Federl eins über den Tisch, sagte: «Auf die Zukunft!» Dann tranken sie beide.

Der Wirt, der neben dem Stammtisch stehengeblieben war, sah Federl an, starrte ihm ins Gesicht, prüfend wie ein strenger Lehrer: «Verzieht keine Miene. Es ist zum Verzweifeln. Herr Doktor, da müssen Sie ran.» Er klopfte Seidenschwarz auf die Schulter.

«Ja, ist schon gut.»

Die beiden Zeitungsleser rollten ihre Zeitungen zusammen und verzogen sich.

«Raffel», sagte der Privatdozent leise, «wenn du nicht sprechen willst, dann willst du eben nicht.» Rafael Federl sah seinen Freund an. Die wasserhellblauen Augen ganz lustig, offen, wie ein Blick über ein großes Feld. Er lächelte.

Der Schmied kam herein, mit großen Schritten, er klopfte zweimal auf den Holztisch. Ein kräftiger Mann von kleiner Statur, wie immer herausgeputzt, als gelte es, zum Kirchgang anzutreten. Dann folgte der Buchhändler, ein schüchternes Kerlchen, das oft zu viel trank und von schlechten Geschäften sprach: «In dieser Zeit, da wird geraucht und auf die Dult promeniert, aber für Bücher hat niemand Geld.» Dann kam der Lehrer, ganz gerade, einen Zeigestock im Rückgrat, den Kopf nur leicht zur Seite drehend, meist blieb er still und lachte nur, wenn keiner sonst lachte.

Sie hatten sich zufällig in der «Bärenschenke» gefunden, erst war Federl da und mit ihm der Schmied, zwei Handwerker, die mit verschiedenem Material Kunstvolles fertigten, die anderen gesellten sich im Laufe der Jahre hinzu, jeder durfte einen Gast mitbringen, nicht mehr, und so war in guten Zeiten im Sommer der Stammtisch für alle Lügner zu klein.

Seidenschwarz war zunächst als guter Kunde der Hutmacherei eingeladen worden, später bekam er einen eigenen Sitz.

Der Wirt nahm die Bestellungen auf.

Dann murrte der Schmied, er habe den ganzen Tag nichts anderes gemacht, als Handwerkszeug gerichtet, und dabei könne er sich vor Aufträgen nicht retten.

Der Lehrer sprach vom kommenden Wochenende, er wollte mit der Familie auf die Dult am Protzenweiher, die Kinder hätten schon auf die Schiffschaukel gespart.

Der Buchhändler hatte den ganzen Tag umsonst auf Kundschaft gewartet.

Seidenschwarz erzählte von Kepler. Von seiner Demission sagte er nichts.

Der Wirt machte die Lügner auf den Hutmacher aufmerksam: «Er ist wohl etwas Besseres als wir, braucht nicht mehr sprechen mit uns. Wir sind ihm wohl zu gewöhnlich.»

«Rafael Federl», sagte der Buchhändler, «ich frage dich jetzt. Was hat dein Schweigen für einen Sinn? Antworte laut und deutlich.»

Der Schmied stieß ihn an, als sei er ein verstocktes Uhrwerk, das er wieder zum Laufen bringen müsse.

Seidenschwarz setzte sein Glas ab.

«Los, jetzt, mach den Mund auf!» Der Wirt duzte den Gast unvermittelt. Der Privatdozent herrschte den Wirt an, die Stammtischler wollten in Ruhe gelassen werden.

Beleidigt zog der Wirt ab.

«Rafael, wir sitzen schon seit fünf Jahren hier zusammen, jede Woche. Warum redest du nicht mit uns?» Der Lehrer legte seinen Arm um Federls Schulter.

Der Hutmacher zündete sich einen Stumpen an.

«Ich find das nicht gut», sagte der Schmied, «daß ihr hier am Federl rumbeißt, laßt ihn doch, ich hab auch Tage, wo ich am liebsten nix reden möchte.»

Sie sprachen über den Unfall am Donaustrudel. Schon wieder waren zwei Paddler in das gefährliche Wasser geraten, einen hatte die Strömung umgebracht, der andere lag schwerverletzt im «Hospital der sorgenden Schwestern». Sie überlegten, ob es nicht besser wäre, etwas gegen den Strudel zu unternehmen, weil jedes Jahr etwas passierte. «Das ist nicht so leicht, wie ihr es euch denkt», warf der Lehrer ein, «man müßte die Brücke dafür versetzen.»

«Was meinst du dazu, Rafael?» fragte der Buchhändler laut.

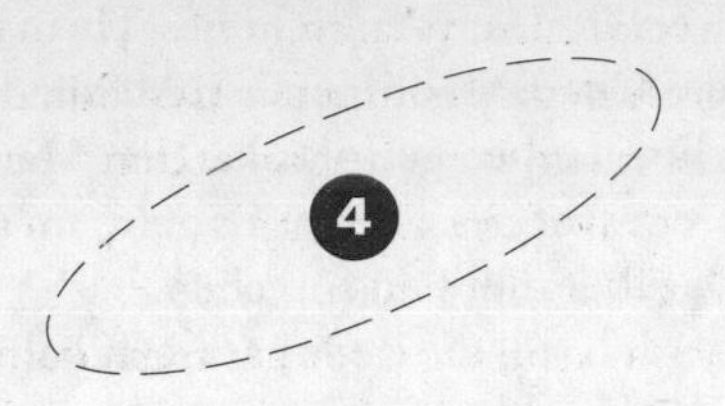

RABBI BLUM: Was bist du nur für ein Jude, daß du nicht merkst, was da gespielt wird? Einmal im Jahr kommst du her, läßt dich nieder mit deinen fliegenden Rockschößen und willst Rat. Gut, sage ich, gut, auch einer, der nur einmal im Jahr kommt, ist gern gesehen, aber bilde dir nichts darauf ein. Du wirst entlassen aus der Universität, weil du ein Jude bist.

SEIDENSCHWARZ: Das ist Spekulation, ich habe dafür keinen Anhaltspunkt.

RABBI BLUM: Weil du dich nicht kümmerst. Spürst du denn nicht, was überall anfängt zu brennen? Jeden Tag eine Schmiererei, der Goebbels schreit, wir werden sie auf die Straße treiben, die Blutsauger. Und du sitzt seelenruhig in deiner Universität und träumst vor dich hin. Du hast den falschen Glauben, Arnold. Das ist es.

SEIDENSCHWARZ: Ich habe die falschen politischen Ansichten, so sehe ich das.

RABBI BLUM: Um so schlimmer. Dann haben sie zwei Gründe, dich vor die Türe zu setzen. Aber daß du nicht einsiehst, daß man keine Juden mehr haben will, kann ich nicht verstehen.

SEIDENSCHWARZ: Deswegen bin ich nicht gekommen.

RABBI BLUM: Du suchst eine neue Anstellung und willst meine Unterstützung. Wir könnten so einen wie dich gut gebrauchen.

SEIDENSCHWARZ: Ich bin gekommen, weil ich eine Rede verfertigen soll über Kepler, aber ich weiß nicht, ob ich das wirklich anfangen will.

RABBI BLUM: Wer hindert dich?

SEIDENSCHWARZ: Ich mich selbst.

RABBI BLUM: Kepler, das ist ein schönes Thema. Ein Mann, der versucht hat das Chaos zu ordnen, ein Mann, der dem althergebrachten Kirchenglauben getrotzt hat, ein Mann, der geforscht hat. Wirklich, ein schönes Thema. Es geht um die Verringerung der Zufälle. Darüber mußt du sprechen.

SEIDENSCHWARZ: Ich soll die Rede gar nicht halten.

RABBI BLUM: Gleichwohl, schreib über den Zufall. Kepler hat sein Scherflein dazu beigetragen. Tausend Jahre haben die Menschen seit Ptolemäus geglaubt, alles drehe sich um die Erde. Die Astronomie der Griechen war eine Täuschung. Und dann kommt Kopernikus und entdeckt, wie es wirklich ist, aber der schweigt bis zu seinem Lebensende. Kepler beweist, was Kopernikus entdeckte.

SEIDENSCHWARZ: Was hat das mit dem Zufall zu tun?

RABBI BLUM: Warte, ich komme schon dahin. Kepler sieht in den nächtlichen Himmel, sieht ein Stück der Ordnung, wo andere nur das ungeordnete Chaos sehen. Und er nimmt uns ein Stück der Angst. Das ist wichtig, Arnold. Er hat dazu beigetragen, daß wir weniger Angst haben. Der Zufall ist unser Lebensprinzip, das wir nicht anerkennen wollen. Nimm dich: Du bist Jude, ein Zufall, du hast schwarze Haare, ein Zufall, du bist männlich, ein Zufall, du bist kein großer, starker Mann geworden, sondern eher ein, verzeih mir, Schwächling, auch ein Zufall, du heißt Arnold, vielleicht würdest du lieber Oskar heißen oder François, ein Zufall, du bist Deutscher, ein Zufall. Natürlich, es gibt für all dies Begründungen, hauptsächlich deine Eltern, aber für dich? Du hast Abitur gemacht, du hast studiert, hast promoviert, alles Zufall oder Bestimmung? Das ist deine kleine Welt.

SEIDENSCHWARZ: Als Rabbi glaubst du nicht an die Vorsehung, die göttliche?

RABBI BLUM: Nicht mehr. Wir leben zufällig in dieser Welt, in diesem vermaledeiten Jahrhundert, und wir brauchen Erklärungen, ganz dringend, weil wir sonst vor Angst umkommen. Kepler gibt uns diese Sicherheit, daß dieser Kosmos nicht aus den Fugen gerät. Das ist seine Leistung. Er erklärt uns, daß wir auch morgen abend den Mars wieder am Himmel entdecken können, daß wir uns um die Sonne drehen und keine Angst haben müssen, daß sie nicht mehr scheint. Das ist die große Beruhigung.

SEIDENSCHWARZ: Und darüber soll ich schreiben? Reden?

RABBI BLUM: Das ist das Wichtigste an Kepler. Er hat eine Menge geschrieben, aber die Eingrenzung des Zufalls, darum ist es ihm gegangen. Langezeit haben die Menschen den Sternenhimmel für eine Ansammlung von bedeutungsvollen Zeichen gehalten, die uns eine Botschaft mitteilen, die wir nur zu entschlüsseln brauchen. Die Sternbilder sind für die verschiedenen Völker an den Himmel projizierte Ängste und zugleich der Versuch, in irgendeiner Weise aus den Sternen Trost zu gewinnen. Kepler sagt, das ist abergläubischer Mumpitz. Es sind Planeten, die regelmäßig kreisen, und eine Sonne, die noch lange strahlt.

SEIDENSCHWARZ: Und der Zufall?

RABBI BLUM: Mit jedem Stück Erklärung, ob sie nun stimmt oder nicht, werden wir ruhiger. Jeder Zufall, der uns als Naturgesetz in seinen Zusammenhängen erklärt wird, verringert die Hoffnungslosigkeit. Wenn jemand käme und könnte sagen, geht die nächsten Tage nicht auf die Straße, weil die Donau über die Ufer tritt, dann würde er reich belohnt, wenn seine Vorhersage eintrifft. So war es früher mit den Priestern, schon in Ägypten konnten sie die nächste Mondfinsternis vorhersagen, und hielten die Menschen mit diesem geheimen Wissen in Unterdrükkung. Kepler macht für alle klar, wann die nächste Mondfinsternis kommt, und er weiß auch, warum. Wir haben Angst vor dem Zufälligen und dem Überraschenden.

SEIDENSCHWARZ: Willst du die Rede schreiben?

RABBI BLUM: Für dich?

SEIDENSCHWARZ: Nein, das geht nicht. Ich weiß halt nicht, ob ich den Auftrag annehmen soll.

RABBI BLUM: Wann mußt du dich entscheiden?

SEIDENSCHWARZ: Ich habe schon unterschrieben. An dem Tag, als mir der Rektor die Kündigung gab.

RABBI BLUM: Arnold, was zögerst du? Kepler, das war so ein Schwächling wie du, schon deswegen mußt du es tun, weil ihr Schwachen zusammenhalten müßt. Und außerdem mußt du die Rede nicht selbst halten, das macht die Sache anders.

SEIDENSCHWARZ: Berthold Müller heißt der Mann, der die Rede zum Todestag von Kepler halten will.

RABBI BLUM: Ich habe den Namen nie gehört. Aus Regensburg?

SEIDENSCHWARZ: Ich denke schon.

RABBI BLUM: Du hast unterschrieben und weißt nicht bei wem?

SEIDENSCHWARZ: Er hat mir zweitausend Mark auf den Tisch gelegt und will jeden Monat weitere tausend zahlen.

RABBI BLUM: Da hab ich schon für weniger geredet. Für eine Trauung bekomme ich zwanzig Mark und muß bestimmt so lange reden wie du über Kepler.

SEIDENSCHWARZ: Ich habe nie so etwas gemacht. Eine Rede schreiben für einen anderen. Worüber will er reden?

RABBI BLUM: Ich dachte, du sollst die Rede schreiben. Also muß die Frage lauten, worüber willst du reden?

SEIDENSCHWARZ: Wenn das so einfach wäre!

RABBI BLUM: Immer wenn du zu mir kommst, jammerst du. Scheint eine Krankheit von dir zu sein. Andere würden sich freuen, wenn sie so viel Geld für so ein schönes Thema bekommen könnten. Worüber hast du das letzte Mal gejammert?

SEIDENSCHWARZ: Über Gott.

RABBI BLUM: Ich erinnere mich nicht.

SEIDENSCHWARZ: Mir war der Gott verlorengegangen.

RABBI BLUM: Hast du ihn wiedergefunden?

SEIDENSCHWARZ: Reste, Bruchstücke.

RABBI BLUM: Dann ist es um so besser, daß du zwischen den Sternenwelten nach ihm suchst.

SEIDENSCHWARZ: Ich dachte, ich soll über den Zufall sprechen.

RABBI BLUM: Wenn du ihn aushältst, nur dann.

SEIDENSCHWARZ: Ich unterliege ihm, genau wie du.

RABBI BLUM: Das meine ich nicht. Du mußt ihn begreifen, als Prinzip, nicht bloß akzeptieren. Erst wenn du die Angst vor ihm verloren hast, kannst du dich daran machen, ihn zu benutzen. Kepler hat die meisten seiner Erkenntnisse zufällig entdeckt, selbst seine berühmten Planetengesetze sind Zufallsprodukte, er suchte nach ganz anderen, eher astrologischen Zusammenhängen und entdeckte an der Umlaufbahn des Mars dann seine Gesetze. Er hat den Zufall als wissenschaftliches Prinzip eingebaut.

SEIDENSCHWARZ: Ich habe nur bis zum Herbst Zeit, dann finden die Feierlichkeiten statt.

RABBI BLUM: Das kann kein Grund sein, die Arbeit nicht zu beginnen. Soll ich dir sagen, warum du zögerst?

SEIDENSCHWARZ: Ich glaube nicht, daß du das weißt.

RABBI BLUM: Alles, was du gegen den Auftrag vorbringst, sind Ausflüchte, Nebensächlichkeiten. Du weißt nicht, worauf du stößt. Deine Rhetorik ist ein abgeschlossenes System, eine Methodik, mit der man in festgelegten Bahnen denkt. Kepler ist etwas Neues, nichts mehr ist fest umrissen, plötzlich wird alles unscharf, weit auseinanderliegend, eine große Frage anstatt vieler leichter Antworten.

SEIDENSCHWARZ: Ja, ja, jetzt kommt der Glaube und heilt alle Wunden. Das war schon beim letzten Mal so, als ich sagte, ich kann nicht einfach weiter die Synagoge besuchen, wenn mir mein Gott verloren ist. Du sprichst vom Glauben, und damit sind alle Fragen beantwortet.

RABBI BLUM: Willst du mit mir über Gott sprechen?

SEIDENSCHWARZ: Nein, jetzt nicht.

RABBI BLUM: Es wäre besser...

SEIDENSCHWARZ: Ein andermal.

RABBI BLUM: Versuche in Erfahrung zu bringen, für wen du die Rede schreiben sollst. Es gibt so viele Sichtweisen zu Kepler, nur eine jüdische gibt es nicht.

SEIDENSCHWARZ: Eine sozialdemokratische vielleicht?

RABBI BLUM: Du mußt dich darauf einlassen, daß deine Sichtweise nur eine Sichtweise ist. Wenn du das nicht kannst, solltest du keine Rede über Kepler schreiben.

SEIDENSCHWARZ: Wenn es mehr nicht ist.

RABBI BLUM: So einfach, wie du glaubst, kann man das nicht erringen. Du bist Sozialdemokrat, das prägt. Du bist und bleibst Jude, das prägt ebenfalls. Du hast deine festen Vorstellungen.

SEIDENSCHWARZ: Die will ich auch nicht verlieren.

RABBI BLUM: Das habe ich gemeint.

Immer wenn Arnold Seidenschwarz eine Entscheidung fällen mußte, streunte er durch die Stadt, getrieben von Argumenten und Gegenargumenten, verloren zwischen den Wohntürmen der mittelalterlichen Kaufleute, die dem Adel zeigen wollten, was sie zu bauen in der Lage waren, die Türme, sich gegenseitig überbietend, waren Zeichen ihres Reichtums, erst später wohnten Familien hier, der Reiz des Repräsentierens, er lenkte seine Schritte nicht bewußt, achtete nicht auf Weg oder Straße, blieb nicht stehen, als müsse er alle Bürgersteige von Regensburg einmal abgelaufen sein, um endlich zu wissen, was er nun anfangen sollte.

Dann stand er vor Goliath, dem Riesen über drei Etagen, dessen Lanze gar in den vierten Stock ragte, ein Fassadenbild auf einem Wohnturm, überlebensgroß mein Vater, so hatte er gefühlt, als er das erste Mal vor diesem Hünen stand, der den Arm lässig auf ein gotisches Fenster stützt, davor gebückt mit schwingender Schleuder der kleine David, kaum eine Etage groß, der bin ich nicht, dachte Seidenschwarz damals, der nicht, so tief hab ich mich nie gebückt, und wenn der Goliath nun doch nicht mein Vater ist, wenn ich mir das alles nur einbilde?

Wie oft hatte er gelacht über seine Einbildungen, seine Nachtmahre, seine Taggesichter, er wußte, wenn er sich ihnen überließ, dann gab es kaum ein Entrinnen, wenn er sie zügelte, dann machten sie ihm sogar Freude, die Einbildungen von Schwäche, seinem Körper abgelauscht, ein schwacher Jüngling, zerbrechlich wie Glas, zersplittert im Frost, zerstoben zu Pulver; seine Nachtmahre vom Fliegen, der immer wiederkehrende Traum, wie er über den Schulhof des Münchener Gymnasiums segelt, in anderthalb Meter Höhe, er fliegt nicht hoch, aber er fliegt, umsegelt den steinernen Brunnen, in dem niemals Wasser war, gleitet über den baumbestandenen Hof, im Alleinflug; seine Taggesichter, die auftauchten und verschwanden, die blutigen, abgeschlagenen Köpfe, die ausgerissenen Pflanzen, die zerschellten Flaschen, verbeulten Hüte, zerschundenen Hände, blitzhafte Eindrücke mitten am Tag.

Es war schon Abend, als er eine weitere Runde durch die Stadt begann, immer noch ringend, es war nicht das Geld, das ihn überzeugen konnte, auch wenn die Summe erstaunlich hoch war, aber was will ich sagen? Es soll meine Rede sein, deine Rede sei ja ja, nein nein, meine Rede über Kepler, ein Mensch, der in meiner jetzigen Stadt gelebt hat und gestorben ist, in meinem Regensburg begraben, auch wenn das Grab niemand kennt, vielleicht bin ich ihm begegnet, als ich vor dreihundert Jahren durch diese Straßen streunte, schon möglich, welche Vorstellungen besaßen ihn, diesen schwächlichen Sternengoliath?

Endlich gelangte er zum Kepler-Tempel, in der Nähe des Bahnhofs, ein jähes Bild eines schnell Abreisenden schob sich vor den Anblick der kleinen Säulenhalle, in deren Mitte die Büste stand, die tiefliegenden Augen, die hohe, etwas gefurchte Stirn, der unruhige Mund, kaum im Bart versteckt, die herausstehenden Wangenknochen, der quadratische Hemdkragen, die ordentlich geknöpfte Brust, wieso ein Schwächling, dachte Seidenschwarz, wenn ich so aussähe, wäre mir wohler, am Sockel der Astronom, der den Schleier der Urania lüftet, die Göttin gibt ihm ein Fernrohr, in der Hand hält sie eine Papierrolle mit den Planetengesetzen, Seidenschwarz befühlte das weiße Relief, wollte mit den Händen lesen. Dann stand er auf und sah in die Kuppel, deren Form eine Zeichnung von Kepler zugrunde lag, er hat sich selbst sein Denkmal entworfen, auch wenn es erst zweihundert Jahre später errichtet wurde, es war seine Zeichnung vom Frontispiz der «Rudolphinischen Tafeln», sein eigener Entwurf, der zur Grundlage für dieses Denkmal wurde. Seidenschwarz sah Kepler ins Gesicht: «Wir halten zusammen», sagte er mit laut vernehmlicher Stimme.

Es war nicht einfach gewesen, die Leiterin der Regensburger Sternwarte ausfindig zu machen. Ihr Haus in Pfaffenstein an der Nürnberger Straße war ein altmodischer Ziegelbau mit kleinen

Fenstern. «Frau Professor L. Röhrl» stand auf dem Türschild. Die Frau war sehr zurückhaltend, als Arnold Seidenschwarz sich an der Haustür vorstellte und bat, einige Minuten ihrer Zeit beanspruchen zu dürfen.

Sie saßen im vorderen Wohnraum, der zur Straße hinausging, auf schäbigen Sesseln. Dunkelgrüner, gemusterter Velours, ein passendes Sofa mit Holzeinfassung stand an der rechten Seite, voll belegt mit Büchern und Zeitungen.

Seidenschwarz sprach von seiner Rede, die er zum Todestag Keplers zu halten habe, eine schöne Aufgabe, aber er wisse nicht, wo er beginnen sollte.

«Was fällt Ihnen zu Kepler ein?» schloß er unvermittelt seine Einleitung ab.

Frau Professor L. Röhrl sah Seidenschwarz an. Ohne zu zögern sagte sie:

«Ich würde mit dem Planeten Pluto beginnen, das ist die beste Möglichkeit. Wenn es Kepler nicht gegeben hätte, mit seinem dritten Gesetz, dann wüßten wir nichts von der Existenz dieses Planeten. Sie kennen Keplers drittes Gesetz, nicht wahr?»

Seidenschwarz umging die Antwort: «Aber wieso Pluto? Ich habe in der Schule gelernt, warten Sie, die Eselsbrücke funktioniert bestimmt noch, die ich mir gezimmert habe: Mein – Vater – erklärt – mir – jeden – Sonntag – unseren – Nichtsnutz. Merkur, Venus, Erde, Mars, Jupiter, Saturn, Uranus, Neptun. Das sind acht Planeten. Pluto?»

«Da werden Sie umlernen müssen, Herr Seidenschwarz, es sind neun. Pluto wurde im Februar entdeckt.»

Arnold Seidenschwarz spürte, daß er in eine Prüfung geraten war.

«Erzählen Sie mir von Pluto. Ich kenne nur den Gott des Reichtums der Erde, den Gatten der Persephone, er kommt in einem Drama von Aristophanes vor.»

«So», sagte Frau Röhrl, die ihre Hände auf dem Schoß zusammenlegte. «Der Planet Pluto wurde in seiner Bahn vorausberechnet, aufgrund der Unregelmäßigkeiten der beiden zuletzt entdeckten Planeten, und dann hat ihn ein amerikanischer Farmer namens

Tombough entdeckt. Das stand sogar in der Zeitung, haben Sie das nicht gelesen? Es gibt einen langen Artikel im Astronomischen Jahrbuch darüber. Der Mann interessierte sich für die Sterne, wurde Hilfsarbeiter einer Sternwarte und bekam vom Direktor des Flagstaff-Observatoriums in Arizona den Auftrag, mit einem fotografischen Fernrohr bestimmte Gegenden des Himmels aufzunehmen, und dabei entdeckte er den Planeten. Es gab schon 1914 einige Aufnahmen von ihm, aber niemand wußte, daß es ein Planet des Sonnensystems war. Denn das winzige Pünktchen geht im Millionengewimmel der Sterne unter. Ich hab schon versucht, ihn mit unserem Fernrohr aufzufinden, hatte aber bisher kein Glück.»

«Also, dann sind es neun Planeten. Pluto, seltsamer Name, seltener Gott, da hätte es andere gegeben.»

Frau Röhrl trug einen weiten Rock mit auffallendem Karo-Muster, eine helle Bluse, die zu ihrem schwarzen Haar paßte. «Sie müssen sich eine neue Eselsbrücke bauen, mein Herr. Die alte ist soeben zusammengebrochen.»

«Moment, das hab ich gleich.»

Neun Planeten, dachte er, Neptun, Pluto.

«Gut, fertig», er zählte mit den Fingern, «Mein – Vater – erklärt – mir – jeden – Sonntag – unsere – neun – Planeten.»

Frau Professor war erstaunt: «Darf ich das verwenden? Manchmal kommen Schüler in die Sternwarte, die können eine Erinnerungshilfe gut gebrauchen.»

«Bitte, wohin kann ich noch eine Brücke bauen?»

«Da gibt es vieles. Aber wir sollten über Kepler reden, nicht wahr?»

Frau Röhrl fixierte ihren Gesprächspartner. Sie wird die Prüfung fortsetzen, dachte Seidenschwarz, wie konnte ich mich nur so unvorbereitet hierher wagen.

«Was soll denn der Gegenstand der Rede sein?»

«Ich möchte diesen großen Sohn unserer Stadt loben, er hat so viele Entdeckungen gemacht...», Seidenschwarz unterbrach sich, er wollte renommieren, aber wußte nicht, womit. Ich sollte mir einen guten Abgang verschaffen, dachte er. Dabei hatte er gerade erst ihre Wohnung betreten.

«Aber Sie wollen eine Rede halten, nicht wahr?»

«Ich fange mit den Vorbereitungen an», gab Seidenschwarz kleinlaut zu.

Frau Röhrl kniff das linke Auge ein wenig zu.

«Wissen Sie, die Astronomie ist die Wissenschaft von Käuzen, Querköpfen, Fanatikern, das ist nicht jedermanns Sache, nicht nur, weil es da Mathematik gibt, Physik, Modelle, Berechnungen, nein, weil diese Wissenschaft einfach am Rande des Interesses liegt. Nehmen Sie diesen amerikanischen Farmer, ein begeisterter Anfänger, der hat wochenlang nichts anderes gemacht als Fotos ausgewertet. Und wenn Sie mal Fotos vom Sternenhimmel sehen, warten Sie...»

Sie sprang auf, wühlte auf dem grünen Sofa zwischen den Stapeln von Büchern und Zeitschriften und zog einen großen Abzug hervor.

«Hier, was erkennen Sie?»

Arnold Seidenschwarz sah auf einige tausend kleine Punkte, die aus dem dunklen Untergrund hervorstachen.

«Sie werden gar nichts erkennen. Nicht mal die bekannten Sternbilder, die sieht man besser mit bloßem Auge. Wochenlang hat Tombough auf diese Fotos gestarrt, und dann hat er diesen Punkt hier als Pluto ausgemacht.»

Sie zeigte auf einen kleinen Fleck.

«Der helle Stern da ist Delta in den Zwillingen.»

Seidenschwarz ließ das Foto sinken, er sah die Astronomin an: «Und Pluto ist wichtig?»

«Mein Herr, Jahrtausende wird geglaubt, daß es überhaupt keine Planeten gibt, bevor die ersten Berechnungen angestellt werden, dann dauert es wieder Hunderte von Jahren, bis man einen neuen Planeten entdeckt, da ist wohl die Kenntnis eines neuen Gestirns eine Sensation. Eine Sensation der Beharrlichkeit. Und Sie fragen, ob Pluto wichtig ist?» Sie lachte ihn aus. «Wir wissen von Keplers Lehrmeister Tycho de Brahe, daß er über dreißig Jahre die Bahnen der bis dahin bekannten Planeten vermessen hat, nur so konnte Kepler seine Planetengesetze finden. Die Astronomie ist die unbekannte Wissenschaft, hat mal ein bekannter Astronom gesagt. Die Leute glauben, was sie wollen. Vor ein paar Jahren stand in einer Zeitung, ein englischer Astronom habe vorausgesagt, daß der Mond sich der Erde immer weiter nähere. Diese Feststellung hat in Paris weite Volkskreise verunsichert. Man kann durchaus diese Hypothese vertreten, nur muß man dabei bedenken, daß Jahrmillionen vergehen, ehe der Mond bedrohlich näher rücken kann.»

Der Privatdozent saß in dem dunkelgrünen Sessel, starrte die Astronomin an, als wäre sie selbst ein neuentdeckter Planet. Wenn sie nur keine Fragen mehr stellt, dachte er.

«Wollen Sie einen Tee? Ich trinke um diese Zeit meistens Tee, obwohl ich die Engländer nicht ausstehen kann.»

Frau Röhrl wartete die Antwort auf ihre Frage nicht ab, ging in die Küche und ließ Seidenschwarz in der Wohnstube zurück. Das kleine Bücherregal, das neben dem hohen Schreibtisch stand, interessierte ihn als erstes. Fast andächtig sah er daran hoch, den Kopf ein wenig quergelegt, um die Rückentitel zu lesen. Er wollte keins von den Büchern aus dem Regal nehmen, hier standen die Titel, die er lesen mußte. Die Bücher rochen nach fremdem Parfüm.

Frau Professor Röhrl machte einen seltsamen Eindruck auf ihn, angestrengt, amüsiert, abweisend, er suchte passende Beschreibungen, die mit a begannen. Wahrscheinlich weiß sie all das, was ich für meine Rede brauche. Ihr schwarzgelocktes Haar umrahmte ein akkurates Gesicht. Angeberin, dachte er, sie will mich auf die Schulbank drücken.

Auf einem kupfernen Tablett brachte sie das Teegeschirr, stellte seine Tasse auf einen Stapel mit Büchern und riet ihm, vorsichtig zu sein, damit die Konstruktion nicht zusammenbreche.

«Darf ich fragen, ob Sie Kepler überhaupt interessiert?»

Seidenschwarz zuckte zusammen.

«Ja, doch, sicher», sagte er leise.

Frau Röhrl trank den schwarzen Tee und beobachtete ihn.

«Was wollen Sie wissen?» fragte sie.

Seidenschwarz überlegte sich seine Antwort lange, dann sagte er:

«Was muß ich denn wissen?» Er versuchte, mit einem rhetorischen Kniff weiterzukommen. Was soll ich jetzt für Fragen stellen, dachte er, rein wissenschaftlich müßte ihr doch klar sein, daß ich noch gar keine Fragen stellen kann. Aber von Methodik scheint sie keine Ahnung zu haben.

«Die Frage, die mir die Schüler oft stellen, ist die: Warum werden wir nicht von der Erde fortgerissen, wenn wir alle 24 Stunden rund 40 000 Kilometer zurücklegen, durch die Erdumdrehung.»

Sie hielt inne. Sah Seidenschwarz an, ihr Mund war leicht gespitzt.

«Das könnten Sie nicht beantworten, nicht wahr?»

Der Privatdozent schüttelte den Kopf.

«Jemand, der am Pol steht, der hat da keine Schwierigkeiten, jedenfalls, was diese Bewegungsform angeht, der nimmt die Tagesdrehung der Erde nur in der Weise wahr, daß er sich, aufrecht stehend, einmal in 24 Stunden um sich selbst dreht. Am Äquator sind es aber eben diese 40 000 Kilometer. Macht jede Sekunde 460 Meter, eine ganz schöne Geschwindigkeit, was? Für Berlin sind es immerhin noch jede Sekunde über 280 Meter, in Wien schon 310 Meter. Da soll einer nicht wegfliegen?»

Wieder machte sie eine Pause, das Gesicht zu einem leichten Grinsen verzogen.

Seidenschwarz flimmerte es vor den Augen.

«Und das ist ja nicht alles, mein Herr. Einmal im Jahr umkreisen wir mit der Erde die Sonne, das sind bei einem Abstand von rund 150 Millionen Kilometer, 30 Kilometer pro Sekunde, die wir zurücklegen. Ich sagte 30 Kilometer pro Sekunde, nicht pro Stunde. Das sollte man schon merken. Und wieso fliegt den Kirchtürmen bei einem derart rasenden Wirbeltanz nicht die Spitze davon?»

Sie will mich veralbern, dachte Seidenschwarz, das ist ganz klar, sie will zeigen, was sie alles weiß, und ich soll staunen. Aber, was das Schlimmste war, er staunte tatsächlich.

«Und dann gibt es neben anderen, kleineren Bewegungen noch die Präzession, auch Lunation genannt, eine Schraubenlinie der

Erde im Weltall, die damit zusammenhängt, daß unsere Sonne in der Zeit, in der wir sie umkreisen, ebenfalls nicht stillsteht, sondern rund 600 Millionen Kilometer im Sternenall weiterfliegt. Macht wiederum eine Geschwindigkeit von rund 20 Kilometer pro Sekunde.»

«Das heißt, die heben sich alle auf, wenn man sie richtig zusammenrechnet», platzte Seidenschwarz heraus.

Frau Professor Röhrl stutzte. Bisher hatte sie die Pausen im Gespräch bestimmt, jetzt hatte dieser Privatdozent sie zum Nachdenken gebracht.

Seidenschwarz erhob sich: «Daran könnte ich mich nie gewöhnen, das ist... 20 Kilometer in der Sekunde, 30... Sie erlauben sich Scherze.»

Frau Röhrl schüttelte ihr schwarzlockiges Haar auseinander, ihr rotgeschminkter Mund war wieder gespitzt: «Ich dachte mir, daß Sie das alles nicht wußten.»

Der Privatdozent stand dicht vor dem Sessel, in dem die Astronomin saß. Ihr Gesicht war sehr schmal. «Sie können mir viel berichten, weil ich es nicht nachprüfen kann, aber Sie werden mich nie überzeugen, daß ich wie eine Kanonenkugel durchs All sause.»

«Das will ich auch gar nicht. Die Kanonenkugel fliegt sehr viel langsamer.»

Arnold Seidenschwarz sah aus dem Fenster.

Er wußte jetzt, daß er die Rede auf Kepler schreiben würde.

Das feuerrote Buch, das ihm die Leiterin der Sternwarte geliehen hatte, hielt ihn gefangen, die «Astronomie populaire», eine gemeinfaßliche Darstellung der Himmelskunde, mit Zahlen und Tabellen, die Seidenschwarz staunend besah, Figuren und Tafeln, die er genau studierte, das feuerrote Buch, das sein Begleiter wurde, wann immer er versuchte, etwas von der Sternenmathematik zu verstehen, mit Bildern voller Mythen und Phantasien, die ihn erregten. Wie dies Bild der Hydra Krieg, die ihre Opfer hinmäht gleich reifen Ähren auf blutgedüngten Feldern, ein wütender Drache mit Schwert und Krone, der schnaubend aus dem All hergleitet, oder jenes Bild vom Anbeginn der Erde, das den Zustand eines ungeheuren chemischen Laboratoriums zeigt und dennoch einer Nordseelandschaft gleicht, mit rotem Abendhimmel und ein paar Blitzen. Der Privatdozent tauchte ein in eine Märchenwelt voller Berechnungen, in allegorische Darstellungen der Lichtjahre, wie Newton gezeigt wird, versonnen auf einer Bank sitzend, ein Engel läßt ein paar Äpfel für ihn zu Boden fallen. Und dann wieder die Tabellen der Mondfinsternisse, mit einer Genauigkeit auf Minuten, alle achtzehn Jahre und ungefähr elfeindrittel Tage, so kann der Leser selbst ausrechnen, wann zum nächsten Mal sich der Mond verfinstert, oder die Tabelle der zukünftigen Sonnenfinsternisse, in der Seidenschwarz feststellen mußte, daß erst am 19. Juli 1936 in England und Schweden die nächste totale Sonnenfinsternis zu erleben war, so lange konnte er nicht warten, eine Tabelle, die bis zum Jahre 2200 reichte. Dazwischen eine Originalzeichnung von Miralles, wie im Altertum die Sonnenfinsternis erlebt wurde: Fledermausengel mit freiem Busen verdunkeln mit Tüchern die Sonne, der Jäger und sein Hund fürchten sich sehr, es sind die dunklen Engel, die Schabernack treiben mit ihm, und dann der weiße Engel, der dem Gelehrten ein Fernrohr reicht, damit er sich genauer den verdunkelten Himmel besehen kann. Wie ein Bilderbuch nahm Arnold Seidenschwarz diese Himmelskunde auf, so oft er sie betrachtete, denn schon nach kurzer Zeit ermüdete ihn der Text, langweilten ihn die Berechnungen, wollte er nichts wissen von Planetenabständen und Fixsternen, von Kometen, Boreallichtern, Zodiakallichtern. Ihn interessierten mehr die farbigen Darstellungen der Landschaften auf dem Mars, und Jupiter, von einem seiner Monde aus gesehen, eine bukolische Gegend in italienischen Farben, ein wenig mehr Rot als Grün, mit einer Grotte und einem Helgoland-Felsen, dahinter dann der Planet selber, so wie man ihn damals sah, als gelber Gigant, oder die Landschaft auf dem Saturn, den Dolomiten nachempfunden, spitzes Gestein in Violett, darüber in Goldgelb erstrahlende Ringe. Was für eine Wissenschaft, die solche Blicke gewährte, die jedem Talent seinen Raum gab, jedem phantastischen Denkspiel seinen Platz! Dann traf er Kepler, an einem Tisch sitzend, gestikulierend, über ein Horoskop gebeugt, das er Wallenstein erläutert, dem hageren

Feldherrn, der sich sein Schicksal anhört wie ein stummer, verschüchterter Angeklagter, Kepler sein Richter, der die Sterne zu deuten versteht, vielleicht war das ein Anfang, Wallenstein, Schiller, der Astrologe, aber dort hieß er nicht Kepler, das mußte er nachlesen. Er legte das feuerrote Buch zur Seite und suchte den goldgeprägten Schillerband.

«Ich habe in jeder Hinsicht die Natur eines Hundes. Ich bin wie ein verwöhntes Haushündchen. Mein Körper ist beweglich, dürr, gut proportioniert. Die Lebensweise ist dieselbe: es freut mich, Knochen abzunagen, ich erfreue mich an Brotkrusten, bin gefräßig, ohne Ordnung, reiße an mich, was sich meinen Blicken darbietet. Meinen Vorgesetzten dränge ich mich wie ein Haushund beständig auf. Anderen bin ich ständig ergeben, ihnen diene ich, ich zürne nicht, wenn sie mich tadeln. Sooft jemand mir auch ganz wenig entreißt, knurre ich und gerate in Aufruhr. Ich halte zäh fest, verfolge die, die schlecht handeln, und belle natürlich. Ich bin auch bissig und habe ein bissiges Wort bereit. Ich werde daher von vielen gehaßt und gemieden. Ich scheue mich vor dem Baden, dem Naßwerden und Waschen wie der Hund.»

Das kommende Wochenende nutzte Seidenschwarz zu einer Fahrt nach Weil der Stadt, dem Ort, wo Kepler geboren war. Wie eine Reise zurück, gegen die Zeit, denn er kam aus der Stadt, in der Kepler starb.

Er hatte sich Lektüre mitgebracht, studierte und schmökerte in den ersten Stunden der Bahnfahrt, genoß das leere Abteil und schlief beim Lesen ein. Fünfzig Kilometer fuhr der Zug in der Stunde, Blumenpflücken während der Fahrt verboten, stand neben der Toilette auf einem weißemaillierten Schild.

Nicht mal ein Kilometer in der Minute.

Arnold Seidenschwarz schloß die Augen. Nur so konnte er sich vorstellen, daß er sich mit dieser Geschwindigkeit bewegte.

Weniger als zwanzig Meter in der Sekunde.

Aber Frau Professor Röhrl hatte von zwanzig Kilometern in der Sekunde gesprochen, als übliche Reisegeschwindigkeit im All.

Sobald er die Augen aufmachte, zog die Landschaft vorbei, obwohl er doch wußte, daß es nicht sein konnte.

Er schloß die Augenlider.

Ich will die Bewegung spüren, wie ich getragen werde, wie ich im Zug davongetragen werde, ich traue meinen Augen nicht mehr, sondern meiner Vernunft.

Er drückte sich ganz fest gegen die Holzwand, weil er glaubte, daß er dann den Schub empfinden müsse, mit dem er nach vorne gezogen wurde, die Beine gegen den vorderen Sitz gestemmt, aber er spürte nur die Kraftanstrengung, mit der er diese Übung ausführte.

Wie leicht war er umgefallen, wenn ein Schulkamerad ihn auf dem Schulhof gestoßen hatte, ein kleiner Schubs genügte, wie gaben die hintereinander hängenden Kugeln im Physikunterricht die ihnen einmal zugefügte Energie weiter, nur er war nicht in der Lage, die Bewegung zu empfinden.

Als er merkte, daß ihm übel wurde, unterließ er seine Experimente und vertiefte sich in die Lektüre.

Gegen Mittag kam er in Weil der Stadt an, einem kleinen Bahnhof, wo niemand außer ihm den Zug verließ. Das mit einer Stadtmauer und Türmen umgebene Zentrum sah aus wie ein stachelbewehrter Igel, der sich zwischen Obstbäumen zur Mittagsruhe gelegt hatte.

Vielleicht sollte ich erst einmal um die Stadt herumgehen, dachte Seidenschwarz, die Beine waren ihm vom langen Sitzen taub geworden. Er nahm seinen kleinen braunen Koffer in die rechte Hand, überlegte, in welche Richtung er gehen sollte und entschied sich, den ersten Turm anzusteuern.

Er hatte sich den Ort sehr viel größer vorgestellt, wenn sich schon Stadt im Namen befand, dann mußte er zumindest früher mal etwas dargestellt haben.

Nach zehn Minuten Fußmarsch erreichte er ein Tor mit einem Rundbogen, durch das er die Stadt sehen konnte.

Das Geräusch von klappernden Gabeln und Messern erinnerte ihn daran, daß er seit seiner frühen Abreise in Regensburg nur zwei Äpfel gegessen hatte, also gab er den Plan auf, die Stadt zu umrunden und ging an schwarzweißen Fachwerkhäusern vorbei zum nächsten Gasthof.

Der Wirt begrüßte ihn, bot sein einziges Gericht als wirklich preiswertes Mahl an und stellte ein großes Glas Most für den ersten Durst auf den Tisch.

Seidenschwarz trank hastig.

Erst als er wieder vor der Tür stand, bemerkte er, daß er unter einem kriegerischen Zeichen gegessen hatte, der Gasthof nannte sich «Zum Eisernen Kreuz».

«Weißt du, wo das Haus vom Kepler ist?» fragte er einen dicken Jungen, der gegenüber an einem Brunnen lehnte.

«Ich kann Sie hinbringen», sagte der Junge mit leicht schwäbischen Akzent.

Die Stadt war voller Wasser, gleich mehrere Brunnen hintereinander, kleine Rinnsale neben dem Gehsteig, die Tränken vor der Tür, die Würm, die nach Norden floß, eine Stadt ummauert auf dem Wasser.

«Weißt du was vom Kepler?» Arnold Seidenschwarz hätte gerne den Koffer im Gasthaus gelassen, aber der Wirt vermietete keine Zimmer, weil er abends zu einer Hochzeit eingeladen war und das Haus nicht allein lassen wollte.

«Noi», sagte der Junge, «die wohnen nicht mehr hier. In der Schule hängt ein Bild von ihm. Er soll die Sterne untersucht haben.»

Sie bogen nach rechts ab. Ein scharfer Geruch stieg Seidenschwarz in die Nase. Die Miste vor einem hohen Steinhaus dampfte. Auch wenn Weil mal eine reichsfreie Stadt gewesen sein mochte, hier war Dorfesstille.

«Aber das Haus vom Kepler kennst du?»

«Jo, das kenn ich.»

Die Gassen wurden schmaler. Seidenschwarz war sich nicht sicher, ob er den richtigen Dorfführer erwischt hatte, aber er wollte den Jungen, der so zielstrebig um die Ecken bog, nicht enttäuschen. Er dachte schon an das Trinkgeld, meinte, daß fünf Pfennig angemessen seien, als der Junge anhielt:

«Hier ist es.»

«Wo?» fragte Seidenschwarz.

«Wir stehen direkt davor.»

Seidenschwarz stellte den Koffer ab. Tief Luft holen, Ehrfurcht, denken, da ist er also geboren! Ein kleines Fachwerkhaus, eine niedrige Tür, zweimal drei Fenster, nichts zu sehen, außer Bescheidenheit, Fachwerk zwischen Fachwerk.

«Kann man hineingehen?»

«Das weiß ich nicht», sagte der Junge.

Seidenschwarz zückte das Portemonnaie, aber der Junge sah ihn nicht erwartungsvoll an, wie er gedacht hatte.

Dann stellte er fest, daß seine Augen ohne Glanz waren. Er wischte mit der Hand vor seinem Gesicht, wollte seine Reaktion prüfen.

«Ich bin blind, keine Sorge.»

«Wieso?»

«Schon seit ein paar Jahren. Ich weiß nicht, wie es passiert ist.»

«Aber du kennst den Weg?»

«Ich kann Sie überall hinführen, wenn Sie wollen.»

«Das meine ich nicht. Du bist so sicher durch die Straßen gegangen, daß ich...»

Der Junge lachte.

«Das denkt jeder. Manche wissen gar nicht, daß ich blind geworden bin.»

Ein Hund bellte, und Seidenschwarz wandte den Kopf.

Er erschrak.

Mitten auf dem Marktplatz, den er jetzt erblickte, saß Kepler, auf einem gewaltigen Sandsteinsockel, im großen Mantel, einen Zirkel in der rechten Hand.

Höher als das Geburtshaus. Den Marktplatz beherrschend. Der größte Sohn des Dorfes, das sich Stadt nannte. Er stützt sich auf eine Himmelskugel, wie der Regensburger Goliath auf einen Fensterrahmen, kein David, kein Schwächling, kein Micker.

«Kennst du das Denkmal?»

«Jo, das habe ich gesehen, als ich klein war. Der Mann ist sehr ernst.»

Da saß sein Kepler auf einem Sockel, das Geburtshaus unscheinbar eingeklemmt, beinah versteckt hinterm Rathaus.

«Was denkst du, wenn du durch die Gassen gehst?»

«Was meinen Sie?»

«Hast du noch ein Bild im Kopf, oder woran orientierst du dich?»

«Ich muß nichts sehen. Ich weiß, wo ich bin. Mal gibt es ein Bild, das ich noch kenne, mal ist es ein Geräusch, wenn der Pfeiffer sägt, dann bin ich am Mäuerlensgang, dann wieder ein Geruch, ein Windzug. Mehr braucht es nicht.»

Seidenschwarz konnte sich nicht vorstellen, wie dieser Junge in seiner braunen Lederhose mit den offenen Sandalen an den Füßen so unbeschwert von seiner Behinderung sprach. Da würde ich im Jammer versinken, dachte er.

«Aber manchmal muß man doch sehen, oder nicht?»

Der Junge lachte wieder.

«Jo, wenn jemand was in den Weg stellt. Da stolper ich.»

Zwei ältere Männer standen vor dem Keplerdenkmal und sahen hinauf, flüsterten miteinander, also doch die Ehrfurcht, dachte Seidenschwarz. Ansonsten war der Marktplatz leer. Sie umkreisten den roten Steinsockel, besahen sich die Reliefplatten.

«Sie sind einen Kopf höher als ich!» sagte der Junge laut.

«Woher weißt du ...?»

«Wenn Sie sprechen, geht der Ton über meinen Kopf hinweg.»

«Bin ich breit oder schmal?»

«Schmal, ihre Stimme ist nicht so voll. Außerdem ist ihr rechter Schuhbändel lose. Stimmts?»

Seidenschwarz sah zu seinen Halbschuhen. Der Junge hatte recht. Hätte ich stolpern können, dachte er amüsiert. Er bückte sich und band den Riemen fest.

«Weißt du einen guten Gasthof, wo ich übernachten kann?»

«Ich bring Sie hin.»

Denkmal und Geburtshaus konnte er sich auch am Sonntag ansehen.

Dann führte ihn der Junge durch die Straßen, gelegentlich einen der Türme benennend, auch Straßennamen wußte er, sie gingen über das Kopfsteinpflaster, der Privatdozent immer einen Schritt hinter seinem jugendlichen Cicerone.

«Wie heißt du?»

«Ludwig Frieser», antwortete der Junge, und er fügte hinzu: «Ich bin siebzehn Jahre alt. Das wollten Sie auch wissen.»

Nachdem Seidenschwarz im «Gasthof zum Ritter» ein Zimmer genommen hatte, sprach er mit dem blinden Jungen bis tief in die Nacht, spendierte ihm ein Abendessen, Maultaschen und Salat, sah, wie Ludwig Frieser mit Messer und Gabel hantierte, ohne je danebenzugreifen, erfuhr, wie wenig ihm der Augenschein bedeutete, wie das Sehen für ihn zu einem überflüssigen Sinneseindruck geworden war, ein Sinn zuviel, denn mit den anderen konnte er ebensogut alles begreifen, staunte, als der Junge ihm berichtete, wie er einmal von jemand in den Wald verschleppt worden war, der ihm zwischen die Beine fassen wollte, und dem er dann in einer Höhle entwischt war.

Trotzdem konnte Seidenschwarz sich ein Leben ohne Sehen nicht vorstellen.

Am nächsten Morgen war Weil der Stadt belebt von Kirchgängern und Besuchern, die aus Stuttgart gekommen waren, von herausgeputzten Bürgern, die den Marktplatz in Besitz nahmen, es gab sogar zwei Stände auf dem weiten Platz, die Kepler-Medaillen verkauften. Er erfuhr, daß das wuchtige Denkmal zum dreihundertsten Geburtstag des Astronomen errichtet wurde, daß sein Sockel früher mit Zierat und Gittern versehen war, 1871, nach dem gewonnenen Frankreich-Krieg, eher das Bildnis eines erfolgreichen Feldherrn als das eines mickrigen Gelehrten, so groß war die Ehrfurcht der Weil-der-Städter vor ihrem berühmten Sohn, daß sie sein Denkmal zu einem Hochaltar ausbauen ließen. Dabei hatte Keplers Familie nur fünf Jahre in diesem Dorf gelebt.

Seidenschwarz besah sich die Medaillen, vielleicht sollte ich mir eine als Reiseerinnerung kaufen. Die Tierkreiszeichen auf der Rückseite, der Zirkel, der die Sternenkugel mißt, dazu der Grabspruch, der aus Keplers Feder stammte:

Himmelslicht hab ich gemessen,
jetzt meß ich der Erde Schatten.
Himmlisch war mein Geist,
Schatten mein Leib, der hier ruht.

Auch daran hatte er gedacht, in seiner Schreibwut, ein Distichon zu hinterlassen für die Beerdigung.

«Sind Sie immer noch in Weil?» Ludwig Frieser tippte ihm auf die Schulter.

«Ja, ich muß mir doch das Geburtshaus ansehen.»

«Vom Kepler?» fragte der dicke Junge.

«Ja, vom Kepler.»

«Dann wart ich solange, bis Sie wieder zum Bahnhof müssen.»

Als sie zwei Stunden später auf dem Bahnsteig standen, fiel Seidenschwarz sein Experiment vom Vortag ein, und er fragte den blinden Jungen, ob er die Geschwindigkeit spüre.

Ludwig Frieser nickte: «Das ist das Schönste. Wenn sich was bewegt, rege ich mich.»

Schnee im Sommer, das Nichts als Geschenk, das anmutige Spiel der frechen Spatzen, da las Seidenschwarz sich fest, er fror ein wenig bei der Lektüre, obwohl es draußen heiß war, und warum der Schnee hexagonal ist, denn davon handelte die Schrift von Johannes Kepler, der sie als Neujahrsgeschenk seinem Herrn und Wohltäter Wackher von Wackherfels, dem Paten seines Sohnes Friedrich, zueignete.

Er stotterte Wissenschaft, brabbelte klug von kleinen Schneesternchen, die sechseckig sind, von Bienenwaben und regelmäßigen Körpern, von Granatapfelkernen und der Form der Erbsen, von der Fünfzahl und den göttlichen Proportionen, und Seidenschwarz, der stets seine Liebe zur Mathematik im Würfeln erfüllte, fand Verwandtes, vollkommener wären die Schneeflocken schon, wenn sie als Kugeln fielen.

Und immer wieder sechs Seiten, der Schnee braucht diese Seiten nicht zum Leben, denn er lebt ja nicht, und Kepler prüfte, was für diese Form des Hexagons spreche, und kam nach Verwerfung aller

Gründe zu dem Ergebnis, daß nichts ohne höhere Überlegung geschehe, auch nicht durch ausschweifende Tüfteleien, sondern im Entschluß des Schöpfers stehe, und welche von Anbeginn bis zum heutigen Tag durch die wunderbare Natur der Möglichkeiten bewahrt bleibe.

Das ärgerte Seidenschwarz, der begierig war auf Erklärung eines Phänomens. Bisher war ihm nicht aufgefallen, daß Schnee aus Sechsecken bestand. Er liebte den harten Winter, ging Schlittschuhlaufen, wenn er jemand fand, der ihm wieder auf die Beine half. Er mochte die ersten Flocken und die Schneeballschlachten, und nun sollte doch nur der Schöpfer bemüht werden, der sowieso gleich alles konzipiert hatte.

Er blätterte weiter in der kleinen Schrift, las kaum ein paar Zeilen, entdeckte dann, daß Kepler alles in Frage stellte, was er bis dahin geschrieben hatte, weil neuer Schnee gefallen war. Er setzte an zu neuen Erklärungen: was ich bislang gesagt habe, ist vom Nichts so wenig wie möglich entfernt, warum die sechseckige Form? Weil das Sechseck die erste tatsächliche Fläche ist, die zu keinem regelmäßigen Körper zusammengesetzt werden kann? Weil mehrere Sechsecke zu einer Fläche werden können, die keine Lücke hat? Weil auch in anderen Kristallen das Hexagon Vorrang hat?

Seidenschwarz war aufgeregt, hatte sich wieder eingelassen auf Keplers Gedankenspiele und las am Ende den Hinweis, daß nun die Chemiker sagen sollten, ob Schnee ein Salz wäre, welcher Art ein solches Salz wäre, welche Figuren es hervorbrächte und daß noch viel zu sagen bliebe.

Nichts folgt, so endete diese Schrift, die mit dem lateinischen Nix, was Schnee bedeutet, und dem Nihil, was nix bedeutet, Verwirrung stiftete, und sich doch las, als wisse man nun mehr.

Der Kepler fing an, Seidenschwarz zu gefallen.

Es war kurz nach sieben, als jemand an der Haustür klingelte. Seidenschwarz öffnete das Fenster und rief nach unten. Er bekam keine Antwort.

Einen Augenblick lang dachte er daran, einfach nicht zu öffnen, aber dann wollte er nachsehen. Berthold Müller könnte sich mal wieder blicken lassen, er mußte ihn fragen, für wen diese Rede sein sollte.

Trotz seiner schwächlichen Natur war Seidenschwarz sehr behende, die drei Treppenabsätze schaffte er in wenigen Augenblikken.

Es war Rafael Federl.

«Mensch, Raffel, das ist schön, oft hab ich an dich gedacht, und warum ich dich nicht seh, ich bin so beschäftigt, weißt du, grad so beschäftigt mit meinem Zweitberuf, Kepler, verstehst du, gehn wir auf die Dult! Hast du Lust? Wart, ich will nur schnell abschließen.»

Diesmal ging es langsamer, denn Seidenschwarz mußte die Treppen hochsteigen, und er war noch ganz außer Puste vom Hinunterrennen. Ich werde ihm keine Fragen stellen, dachte er. Schade, daß ich mit ihm nicht über meinen Kepler sprechen kann, Raffel wär genau der Richtige dazu.

Als er wieder an seiner Wohnungstür angelangt war, kam ihm der Gedanke, daß er mit dem Brückenmännchen seine Rede anfangen könnte, dem steinernen, nackten Burschen, der schützend seine Hand über die Augen hält und in die Ferne blickt. Wonach hielt diese Figur auf der Steinernen Brücke Ausschau? Die Legende sprach von einem Wettstreit zwischen Brückenbaumeister und Dombaumeister, wer als erster sein Bauwerk errichtet habe. Das Brückenmännchen war der Teufel, der sich darüber grämte, daß er vom Brückenbaumeister hereingelegt worden war. Um als Sieger aus dem Wettstreit hervorzugehen, hatte der Brückenbaumeister dem Satan versprochen, daß er die ersten drei Wesen, die über die Brücke gehen würden, besitzen dürfe. Dann schickte der Brückenbaumeister aber seinen Hund und zwei Hühner über die fertige Brücke. Nun machte der Teufel einen Buckel und hielt die Brücke besetzt. Andere meinten, das Männchen sei eine Warnung vor der Folter in der Fragstatt des Alten Rathauses gewesen, weil die Figur wie auf dem Folterinstrument des «Spanischen Esels» hocke. Es gab aber auch die Erklärung, daß es ein Sternengucker sei, jemand, der sich nach den Sternen richtet. Das wäre ein guter

Anfang für eine Regensburger Rede, dachte Seidenschwarz, denn das Männchen wurde zu der Zeit Keplers auf die Brücke gesetzt.

Seidenschwarz notierte sich den Gedanken auf ein Stück Papier, dann schloß er befriedigt seine Wohnung ab und sprang wieder die Treppen hinunter.

«Entschuldige Raffel, aber ich mußte noch was fixieren. Gehn wir, ach was, wir nehmen zur Feier des Tages die Straßenbahn.»

Rafael Federl ging neben ihm, manchmal hakte er sich bei ihm ein. An der Straßenbahnhaltestelle waren schon viele Dultbesucher versammelt. Sie mußten hinüber nach Stadtamhof, zum Protzenweiher.

«Wußtest du, daß wir durchs All rasen?» fragte Seidenschwarz.

Die Straßenbahn kam, Seidenschwarz kaufte zwei Billets beim Fahrer, dann ließen sie sich in der Mitte des Wagens nieder. Es blieben ihnen noch drei Stunden, denn gegen zehn Uhr abends machten die Buden zu, auf Anordnung des Oberbürgermeisters, damit die Bevölkerung immer zeitig aufstand.

Der Platz, auf dem die Kirmes stattfand, war früher ein Weiher gewesen, eine Flutmulde der Donau, die nach starken Regenfällen immer noch große Wasserlachen bildete. Die Kinder durften dann durchs Wasser waten.

Der Schlager dieser Mai-Dult hieß: «O Donna Clara, ich hab dich tanzen gesehn.» Jaja, ich hätte große Lust, tanzen zu gehen, dachte Seidenschwarz, als sie den Festplatz erreichten. Aber mit welcher Frau?

Wie jedes Jahr aßen sie zuerst ein paar Sardinenbrötchen, als Grundlage für die Getränke. Dann standen sie vor einer der holzgeschnitzten Dultorgeln und lauschten dem klingenden Marsch.

Es gab Karussells unter großen Regenplanen, Schießbuden, Schiffschaukel, Spiegelkabinette, rollende Teppiche, Rutschbahnen, Buden mit der Dicken Berta oder dem Langen Heinrich, die vor dem Publikum ihre langen Beinkleider präsentierten, und Verkaufsstände jeder Art. Billige Perlen, bemalte Manschettenknöpfe, allerneueste Krawattenhalter, «Nimmt noch mal einer was mit, meine Herren, drei Stück für 50 Pfennige», das nieversagende Hühneraugenmittel, die stets geschliffene Rasierklinge, rosa Unterwäsche, Schlupfhöschen, Nachthemden.

Wie zwei Kinder gafften sie. Was als «Schau moderner Wunder» angekündigt war, brachte bei jeder Dult immer neue Attraktionen. Das Marsweib. Die Dame mit dem offenen Unterleib. Anni, erst achtzehn Jahre, aber schon fünf Zentner schwer. An der Schießbude ein junger Mann, der ein Mädchen war.

Und immer dazwischen: «O Donna Clara.»

Dann gingen die beiden in ein Bierzelt, in dem der Zigarrenqualm als Nebel über den Tischen stand.

Seidenschwarz bestellte für seinen Freund mit.

Dann stand er auf, ging aus dem Zelt, hinüber zu dem Mann mit dem weißen, langen Bart, der türkischen Honig verkaufte und aufgeblasene Zuckerwatte, die seinem Bart so ähnlich war. Jedesmal wenn Seidenschwarz auf die Dult ging, kaufte er für eine Mark türkischen Honig, den er zu Hause an einem bestimmten Platz hortete. Manchmal brach er sich ein kleines Stück davon ab und träumte sich in ferne Länder.

Als er zurückkam, war Federl verschwunden.

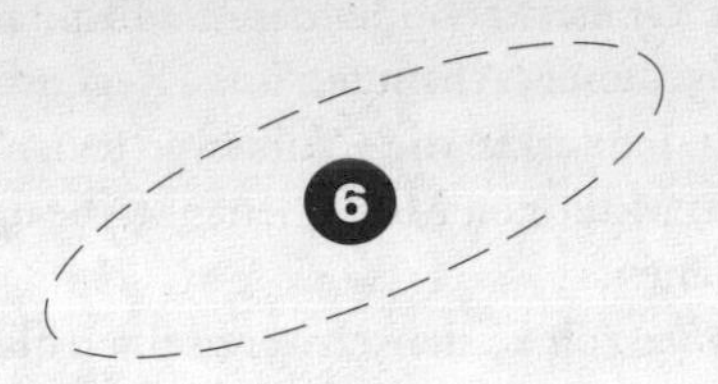

Der Hinweis auf den Oberbürgermeister kam Seidenschwarz gerade recht. Aber er verschwieg seinem Gesprächspartner, auf welche Spur der ihn gebracht hatte. Sie hatten in der «Wurstkuchl» gesessen, als der Studienrat sagte, er wisse genau, daß Dr. Hoppel Aufträge aus Mitteln der Stadtkasse vergebe, um eigene Vorteile zu erreichen. Seidenschwarz hatte gefragt, was für Aufträge, und der Studienrat nannte einige Projekte, an denen der Oberbürgermeister auch finanziell beteiligt sei. Woher er das wußte, wollte er nicht preisgeben. Doch das erfuhr Seidenschwarz, als er beim Wirt zahlte: «Wissens denn nicht, Herr Doktor, daß dem sein Bruder auch im Stadtrat ist, da erfährt er schon einiges mehr als unsereins.»

Am nächsten Morgen wollte Seidenschwarz der Sache nachgehen. Seitdem ihn seine Rede zu interessieren anfing, störte es ihn, daß er nicht wußte, wer sie tatsächlich halten wollte.

Die «Volkswacht» brachte eine Kulturgeschichte der Kriegsbordelle in Frankreich, aus der großen Zeit, als der Geschlechtsverkehr zehn Francs für die Franzosen kostete und acht Shilling, wenn es Engländer waren, und erwähnte den Überfall auf ein Bordell in Sedan, weil es keine andere Lösung für die dringenden Probleme gab, 150 Mann für drei Frauen, die Kommandeure ließen den Preis aushandeln, weil es Mengenrabatt geben sollte, oder andere waren auf die Idee gekommen, eine Frau in Uniform zu stecken und dann im Laufe eines Monats ein ganzes Bataillon zu versorgen.

«Ich möchte mein Windspiel Dolovael für die Sommermonate in Pflege geben. In Frage kommen nur ganz kultivierte Menschen, die auch die Zeit und das nötige Verständnis für so ein Tier besitzen. Gezeichnet Oberarzt Bodelmann, Hospital der sorgenden Schwestern.» Zu dieser Anzeige, im «Regensburger Wochenblatt» erschienen, bemerkte die «Volkswacht»: «Und das in einer Zeit, in der es fünf Millionen Menschen gibt, die das Existenzminimum nicht verdienen.»

Nach der Lektüre zog Seidenschwarz seinen blau-rot gemusterten Bademantel aus und stieg in die Wanne. Das Wasser war lauwarm und erregte sein Geschlecht. Für wenige Augenblicke dachte er an Frau Professor Röhrl. Konnte eine so abweisende Person ihn erregen?

Eine gute Stunde später saß er vor der Tür des Oberbürgermeisters Dr. Hoppel. Es war ganz leicht, einen Termin zu bekommen, weil an diesem Morgen eine bayerische Landeskommission abgesagt hatte. Die Sekretärin gratulierte Seidenschwarz zu seinem Glück.

«Kommen Sie doch herein», der langgestreckte Mann reichte ihm die Hand. Sein graugrüner Janker schlackerte um die Hüften, die silberne Kette auf der grünen Weste baumelte nach vorne. «Was kann ich für Sie tun?»

Seine Stimme war die eines Seelsorgers, bedächtig gehaucht, melodisch in der Intonation, man erwartete am Ende jedes Satzes ein Amen.

«Doktor Seidenschwarz ist mein Name», begann der Privatdozent, «ich habe in der Zeitung gelesen, daß wir dieses Jahr unsern Kepler ehren, und da wollte ich fragen, was denn dabei herauskommt.»

«Ja, das ist sehr schön, daß Sie sich danach erkundigen», Dr. Hoppel ging ins Nebenzimmer, aber tönte weiter durch die offene Tür, «wir sind ja mitten in der Planung, es gibt die schönsten Dinge, allerdings bisher nur auf dem Papier. Papier, das wissen Sie ja selbst, das ist geduldig. Aber anderes steht auch schon wieder fest. Ich hab's gleich.»

Seidenschwarz erhob sich vom Besucherstuhl, ein altes Stück aus Eichenholz, wie der ganze Empfangsraum in Eiche getäfelt war, selbst die Decke verziert mit diesem deutschen Holz. Er konnte durch den Türspalt sehen, wie Dr. Hoppel im Büro seines

Amtsvorstehers nach der Akte fragte. Der Beamte sprang von seinem Platz auf, sauste zu dem hohen Rollschrank, erklomm die drei Stufen der Bibliotheksleiter und griff ins Regal. Ein Augenblick der Unruhe in diesem ruhigen Büro. Als splittere das alte Holz.

«Hier, das ist der Vorgang Kepler-feiern.» Dr. Hoppel las vor, während er in seine Amtsstube zurückkehrte, «also, was wir schon wissen, ist dies: Es wird einen Huldigungsakt geben am Kepler-Denkmal, dort wird geredet, hoffentlich nicht so lange, dann singen die Schülerinnen des Instituts der Englischen Fräulein eine eigene Huldigung. Ich glaube, da ist etwas gedichtet und vertont worden. Anschließend Abendessen mit den geladenen Gästen, nicht für die Öffentlichkeit, versteht sich. Dann, am nächsten Tag, im Kaisersaal ein Festakt mit Vertretern der deutschen Universitäten. Anschließend Mittagessen in den verschiedenen Sälen, Fürstenzimmer etcetera, danach Überfahrt hinauf zur Walhalla, wo vor der Kepler-Büste der Staatsakt stattfindet, Domchor singt, steht hier, aber das ist noch ungewiß, die werden meistens mit ihren Proben nicht rechtzeitig fertig. Das ist die Planung.

Sie sehen nicht ganz glücklich aus, Herr Doktor? Darf ich den Grund erfahren?» Dr. Hoppel blieb hinter seinem Schreibtisch stehen. An der Wand das Bildnis des Bayernkönigs Ludwig I., ein blonder Held mit Struwwel-Kopf vor einer Säule, darauf sein Wahlspruch: Gerecht und beharrlich.

Jetzt muß ich mich erklären, dachte Seidenschwarz, dem es lieber gewesen wäre, er hätte seinen Auftraggeber ohne Umschweife kennenlernen können. Dann fiel ihm eine Frage ein: «Wann finden diese Feiern zu Keplers Gedenken statt?»

«Ach ja, das vergaß ich zu sagen.» Dr. Hoppel schaute in die Akte, setzte dazu erneut seine Brille auf: «Es wird der 24. und 25. September sein.»

«Aber Kepler ist im November gestorben», wandte Seidenschwarz ein.

«So, na gut, das wird der Sache keinen Abbruch tun. Wir haben den Termin vorverlegt, aus meteorologischen Gründen.»

Dr. Hoppel klappte den Vorgang zu.

«Wer wird denn die Rede halten?» fragte Seidenschwarz jetzt unverblümt.

«Das scheint noch nicht ganz festzustehen», antwortete Dr. Hoppel.

Wieder entstand eine Pause, die Seidenschwarz unangenehm war.

«Und Sie selbst, werden Sie auch sprechen? Ich meine... Kepler, der größte Sohn unserer Stadt, der Geistesgigant...»

«Ich, bewahre, nein! Ganz bestimmt nicht. Ich bin ein guter Redner, ganz gewiß, fragen Sie meine Parteifreunde, aber nicht über unseren Kepler, da wüßte ich nichts zu sagen.»

Er stockte, nahm die Brille ab und sah über Seidenschwarz hinweg.

«Obwohl ich mir schon überlege, was ich sagen würde, wenn ich in der Walhalla das Wort ergreifen würde. Wir gehen ja nun wirklich großen Zeiten entgegen, Herr Doktor, die Stimmung zum Umbruch ist da. Und da ist unser Kepler, oder ich sage: unser Regensburger Johannes Kepler, auch zu nennen, ein Geistesgigant, ein Deutscher. Sie haben mich auf eine Idee gebracht.»

Geräuschvoll ließ er sich auf seinen gepolsterten Stuhl fallen und griff zum silbernen Füllfederhalter.

«Einen Moment Geduld, Herr Doktor.»

Schnell notierte er Stichworte. Umrahmte den Namen Kepler zweimal mit großem Schnörkel.

Der Privatdozent erhob sich zögernd von seinem Stuhl. Der Oberbürgermeister sah auf.

«Schönen Dank», sagte Seidenschwarz, «das waren meine Fragen.»

«Ich habe zu danken. Wenn Sie nicht gewesen wären, hätte ich über unseren Kepler gar nicht weiter nachgedacht. Und so habe ich jetzt schon das Gerüst für die halbe Rede zusammen. Also, ich muß mich verbessern, es sieht so aus, als ob ich doch bei den Huldigungsfeiern sprechen werde. Nochmals herzlichen Dank.»

Er reichte ihm die lange, dünne Hand über den Schreibtisch.

Arnold Seidenschwarz setzte seinen hellen Filzhut auf und verließ die Amtsstube.

Er ging über den mit Steinplatten ausgelegten Flur, durch die schmale gotische Tür hinüber zum Reichssaal. An der Wand drei Kaiserbilder in dunklen Farben. Auf der Holzbank hatte Johannes Kepler gesessen, im Fieber, hatte gewartet auf eine Audienz beim Kaiser.

Die hohe Tür war verschlossen.

Seidenschwarz spähte für einen Augenblick durchs Schlüsselloch.

Hier hatten sie gefeilscht, die Fürsten und Bischöfe, die am grünen Tisch entschieden, die Tische waren mit grünem Leinen bespannt, oder auf die lange Bank schoben, weil die Sitzbänke mehrere Meter lang waren; und einige von ihnen mußten am Katzentisch sitzen, das waren die Ketzer.

Als er wieder auf dem kleinen Platz vor dem Rathaus stand und die beiden Herren Schutz und Trutz betrachtete, fiel ihm die Frage ein, die er dem Oberbürgermeister hätte stellen müssen, aber jetzt war es zu spät. «Kennen Sie eigentlich Berthold Müller?»

Er ging über den Kohlenmarkt zurück in die Kramgasse. Da gab es noch Bücher, die er studieren mußte.

Fünfundzwanzigjähriger entdeckt Weltgeheimnis, so raunte es, Schöpfungsgeheimnis in Weltentiefen enthüllt, eine mögliche Überschrift in den «Münchener Neuesten Nachrichten», Mysterium Cosmographicum, mit der ganzen Wucht seines Geistes wollte der Astronom auf sich aufmerksam machen, den Genuß, den mir meine Entdeckung schenkte, mit Worten zu beschreiben, wird nie möglich sein, und Kepler verwies auf andere Exempel, welche Freude früheren Erfindern ihre Entdeckungen machten, Pythagoras hat hundert Ochsen geopfert.

Seidenschwarz erinnerte sich an die Eselsbrücke, die aus seiner Schulzeit stammte: «Theo – Viel – will – seinem – Onkel – Albert – dreimal – zwicken – ins – Zeh.» Die mathematische Beschreibung war hinreichend: konvexe Vielflächner, die von kongruenten, regelmäßigen Vielecken mit gleicher Seitenzahl begrenzt werden.

Ihr Lehrer hatte sie aufgefordert, nicht nur aus Drei-, Vier- und Fünfecken, wie bei diesen regelmäßigen Körpern, sondern auch aus anderen mehreckigen Flächen solche regelmäßigen Formen zu bilden. Er versprach selbst den unsicheren Kantonisten die beste Benotung, wenn ihnen das gelänge. Für Seidenschwarz war diese Hausaufgabe nur eine Frage am Mittagstisch. Sein Vater beantwortete sie mit einem stummen Kopfschütteln, dann lobte er Platon, auf den diese regelmäßigen Körper zurückgingen, die Schönheit der Symmetrie: «Und er setzte diese Schönkörper in Beziehung zu den vier Elementen, eingefaßt im Weltall, das für Platon die Form eines Zwölfflächners hatte.»

Johannes Kepler verband das Unmögliche in seinem «Weltgeheimnis»: es gab sechs Planeten und fünf regelmäßige, platonische Körper, dann setzte die fieberhafte Suche ein, Tage und Nächte, Minuten und Stunden des Rechenwahns, stimmt meine Entdekkung mit den Zahlen überein, ist es haltbar, was ich gefunden zu haben glaube? Seidenschwarz nahm teil an diesem Fieber, als er in Keplers Schrift las, vom Überschwang, mit dem der junge Wissenschaftler den großen Kopernikus pries, von der Würde des Würfels, von den astrologischen Verwandtschaften zwischen den Planeten und den mathematischen Figuren, ein Kapitel, das Seidenschwarz besserwissend belächelte, um endlich dann zum Weltgeheimnis vorzustoßen.

«Die Erde ist das Maß für alle Bahnen. Ihr umschreibe einen Dodekaeder, die diesen umspannende Sphäre ist der Mars. Der Marsbahn umschreibe einen Tetraeder, die diesen umspannende Sphäre ist der Jupiter. Der Jupiterbahn umschreibe einen Würfel, die diesen umspannende Sphäre ist der Saturn. Nun lege in die Erdbahn einen Ikosaeder, die einbeschriebene Sphäre ist die Venus. In die Venusbahn lege einen Oktaeder, die diesem einbeschriebene Sphäre ist der Merkur. Da hast du den Grund für die Anzahl der Planeten.»

Seidenschwarz war nicht überrascht, wußte er doch vom Besuch bei der Leiterin der Sternwarte, daß es inzwischen neun Planeten gab, also mußte Kepler sich geirrt haben, doch wie verhielt es sich mit der entdeckten Gesetzmäßigkeit? Er brauchte weiteres Material, um dies zu überprüfen, an eigene Rechnungen war nicht zu denken, dazu reichten seine mathematischen Kenntnisse nicht aus.

Der fünfundzwanzigjährige Kepler, der mit dem «Weltgeheimnis» den Grundstein gelegt hatte für seine kommenden Entdekkungen, auch wenn er diese Jugendschrift 25 Jahre später neu auflegen ließ und darüber schrieb: Irrtümer, die aus der Finsternis meines Geistes entstanden waren, wollte er offenlegen, nach Knabenart war ich in Verlegenheit, so dachte ich damals, o weh, das geht zu weit, das muß man allegorisch verstehen, eine Abschweifung, eine astrologische Spielerei. Aber sich dann auch bestätigend: Es ist ein Genuß, die ersten Schritte zu meinen Entdeckungen zu betrachten.

Seidenschwarz versuchte sich zu erinnern, was er in diesem Alter zuwegege bracht hatte, 1910, da war er im Studium, noch fest mit dem Elternhaus verbunden, im Streit um seine Eigenständigkeit, bis auf ein paar Gedichte, die in der Kommode vergilbten, hatte er nichts zu Papier gebracht, das neidete er Kepler, wie früh im Leben der schon sein Thema gefunden hatte.

Seidenschwarz war gespannt, wann der Ehrensperger Ludwig auf den Zweck seines Besuches zu sprechen kam. Seit einer Stunde hielt er ihn von seinen Keplerstudien fern, er war bestimmt nicht in den dritten Stock der Kramgasse gestiegen, um von Genosse zu Genosse ein Gespräch über die Attraktionen auf der Dult zu führen und zu sagen, wie sehr ihm der neue Schlager «O Donna Clara» gefiel. Dann hatte er über seine Mutter gesprochen, die ebenfalls in der Partei war und von ihm forderte, er müßte Reichstagsabgeordneter werden. Ehrensperger war zehn Jahre jünger als Seidenschwarz, er reimte Gstanzln, die auch in der «Volkswacht» erschienen.

Hitler sei Dritts Reich, dös kimmt no net gleich,
drum haut er die andern am liebsten windelweich.

Das war sein bester Vers gewesen.

«Sag mal, Luggi, ich hab zu arbeiten. Schön, daß du vorbeikommst, aber gibts noch was Wichtiges, weil...»

Seidenschwarz unterbrach sich, die ganze Zeit hatte er aus dem Fenster gesehen, heller Nachmittag, nun war es dunkel, wie ein Negativ, er kniff sich in die Wange.

«Arnold, wir müssen aktiv werden», sagte Ehrensperger laut, «wir müssen uns rühren. Im September ist die Wahl. Da müssen Aufgaben übernommen werden.»

«Das ist doch noch hin», wehrte Seidenschwarz ab, dem ganz schummrig wurde, er bekam das dunkle Bild nicht von seinen Augen, «ein paar Monate noch, im September wird erst gewählt, da haben wir den ganzen Sommer, Luggi, nichts übereilen.»

Jetzt war es wieder hell. Seidenschwarz schluckte, einmal, zweimal. Er kannte diese plötzlichen Bilder, die sich dazwischenschoben, die ihn irritierten, wenn er stundenlang gelesen hatte, die Augen überanstrengt, die Konzentration zu stark, er sah Ehrensperger an. Die rote Kopfkrause, die hellen Augen, sein Bartansatz war blond.

«Wir haben schon in der Partei gesprochen», begann sein Besucher, «diesmal brauchen wir alle Kräfte, Arnold, wir müssen längerfristig planen, die Wahl ist wichtig.»

«Jede Wahl ist wichtig», erwiderte Seidenschwarz, der merkte, worauf das Gespräch hinauslaufen sollte.

«Aber diese besonders», Ehrensperger ließ nicht nach, «die Zeichen mehren sich, daß wir Stimmen gewinnen können, endlich der Bayerischen Volksverdummung was abjagen. Arnold, es lohnt sich.»

Seidenschwarz mochte diese Begeisterung, hatte selbst mit glühenden Augen die Münchener Räteregierung angesehen, die Hoffnung, die große Chance, aber dann die herbe Niederlage. Nun waren sie Sozialdemokraten, auf dem kleinen Weg in die Zukunft.

«Also, Luggi, heraus mit der Sprache. Warum bist du gekommen?»

Der Ehrensperger klatschte auf die Oberschenkel: «Ich wollte fragen, ob du uns was schreibst.»

«Aha», sagte Seidenschwarz, «und was soll es sein? Ein Flugblatt mal wieder.» Er hatte schon öfter Formulierungsaufgaben übernommen, das war nichts Neues, dafür ging er selten zu den Versammlungen der Partei, am liebsten noch war ihm die Weihnachtsfeier, die ließ er nie aus.

«Nein», sagte Ehrensperger, «es müßte schon was Längeres sein.»

«Und was?»

«Ja, wir hatten gedacht, wir bräuchten so etwas wie eine kämpferische Ansprache, die wir im Wahlkampf einsetzen können bei den verschiedenen Veranstaltungen, es sind ja rund um Regensburg mehr als zwanzig Termine, wenn du uns etwas formulieren könntest...»

Ehrensperger hielt inne, war leiser geworden.

Seidenschwarz zögerte.

«Luggi, ich hab zu tun, das mußt du mir glauben...»

«Aber die Semesterferien kommen doch erst», wandte Ehrensperger ein.

Seidenschwarz blieb hartnäckig: «So eine Ansprache, die kostet Zeit, die schüttel ich nicht einfach aus dem Ärmel.»

«Du brauchst sie nicht zu halten, Arnold, das machen schon wir, aber wenn erst mal was auf dem Papier steht, damit sich unsere Wahlkämpfer dran festhalten können, das bräuchten wir halt.»

«Ich habs schon verstanden, Luggi.» Seidenschwarz hatte keine Lust, dem Genossen von seiner gegenwärtigen Arbeit zu berichten. Er dachte daran, wie diese Reden durcheinandergehen würden, mal Kepler, mal SPD, mal für die Sterne, mal gegen die Reaktion, mal politisches Getrommel, mal elegisches Lob.

Dann fand er den Gedanken reizvoll, warum eigentlich nicht, dachte er, ich hab mit Kepler Zeit genug.

«Ich machs», sagte Seidenschwarz knapp.

«Gut so, ich werds den Genossen sagen, ich wußte, daß du uns nicht im Stich läßt.»

«Bis wann braucht ihr die Sache?» Seidenschwarz sah auf die Uhr, er wollte zurück zu seinen Studien, schon zu lange geschwätzt.

«Ich sag noch Bescheid, Arnold, auf jeden Fall danke!»

Als der Ehrensperger Ludwig gegangen war, schlug Seidenschwarz die «Volkswacht» auf. Er mußte sie gründlicher lesen, damit er Stoff für die Wahlkampfrede bekam.

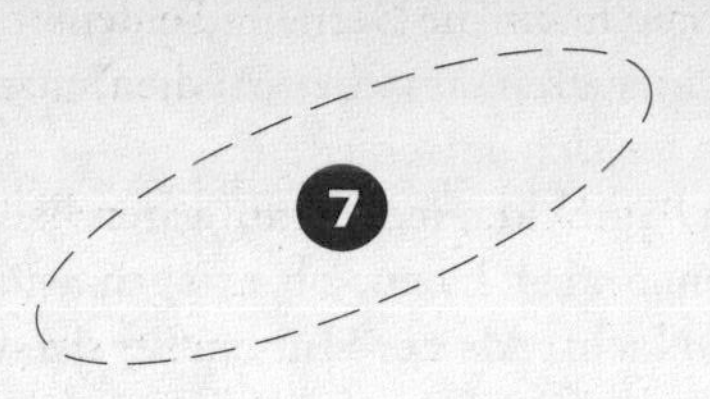

«Ich hatte einen schönen Traum, Raffel, den muß ich dir erzählen, grad letzte Nacht, da hab ich geträumt, daß in der Donau rotes Wasser ist, jeder, der drin schwimmt, bekommt ein angenehmes Gefühl, wie Kinder haben wir darin geplanscht, ganz warm, ganz leicht, und wenn man rauskam, war man erfrischt und voller Kraft.»

Seidenschwarz war an der Ladentheke stehengeblieben und sah in die Werkstatt, die schon im Abendlicht lag.

Rafael Federl räumte auf, legte das Werkzeug an seinen Platz, die halbfertigen Stücke wurden aufgereiht, die Hutbänder auf ihre Rollen gedreht.

«So manches Mal hab ich schon gedacht, bei dem, was ich im Traum erlebe, und da geschieht viel mehr als in meinem Schreibtischalltag, es geht viel wüster zu, viel mehr Gefahren und Getöse, da gibt es Abenteuer, vielleicht ist unser Tag ja nur die Vorbereitung auf die Nacht. Und oft bin ich so erschöpft vom Alpträumen, daß ich am Morgen, nach dem Wachwerden, mich erst ausruhen muß.»

Seidenschwarz nahm die Würfel aus der Hosentasche. Er hatte sich am Nachmittag ein neues Spiel gekauft, aus Holz waren sie, mit großen schwarzen Augen, und probierte sie auf der Ladentheke aus.

Gewöhnlich spielten sie Knöterich. Das Spiel war ganz einfach, es gab gewohnte Überraschungen.

Jeder hat drei Wurf mit drei Würfeln, addiert werden alle Augen, wenn sie über vierzehn liegen, subtrahiert alle Augen, wenn sie unter sechs liegen, so kann man schnell vorangehen, aber sich auch selbst am Sieg hindern. Derjenige gewinnt, der als erster 77 erreicht. Wirft einer dreimal sieben Augen hintereinander, hat er die ganze Runde für sich entschieden.

Als Federl das Spiel kennenlernte, war er begierig zu spielen, denn nur so könne man sehen, ob es spannend sei. Sie spielten gleich die ganze Nacht. Als der Hutmacher dann am Morgen Seidenschwarz fragte, warum das Spiel Knöterich hieß, wußte der keine Antwort. Das gefiel Rafael Federl besonders.

Seidenschwarz ließ die neuen Würfel rollen, sie lagen gut in seiner Hand. Schon in der Studienzeit erfand er Würfelspiele. Auch Federl hatte ein Faible fürs Würfeln. Sie waren beide dem Tarocken abgeneigt. Karten fanden sie langweilig, die Spielregeln zu laut und zu starr, ganz gleich, ob es der preußische Skat oder das kindliche Quartettspiel war.

Ein Kunde betrat den Laden: «Grüß Gott. Einen Hut hätt i gern, bittschön.»

Federl kam heran, besah sich den Kopf seines Kunden, nahm mit einem Band Maß und ging zum Regal, griff eine Hutschachtel heraus und stellte sie vor dem Kunden auf den Tisch. Langsam, als lüfte er ein Geheimnis, öffnete er den Deckel, und ein modischer blauer Filzhut kam zum Vorschein.

«Nö, des mog i net. Ka Blau, bittschön.»

Sofort klappte Federl die Schachtel wieder zu, kehrte zum Regal zurück und produzierte einen grauen Hut.

«I willn helln Hut, 's ist doch Sommer.»

Federl brachte einen hellen Hut, der dem Kunden genau paßte.

«Na, wie steht der mir?» fragte der kleine, dickliche Mann, dessen Schweißperlen auf der Stirn die ersten Flecken ins Hutband machten.

«Wirklich, der Hut steht Ihnen.» Seidenschwarz nickte bewundernd.

«Meinen's wirklich?»

«Ganz sicher, damit können Sie sich sehen lassen. Und ein heller Hut, so wie dieser, der ist gerade in der warmen Jahreszeit ein Segen. Ich trag ja selbst so einen.»

Der Kunde drehte sich hin und her vor dem Spiegel, ging im

Laden auf und ab, als müßte er Schuhe einlaufen, trat ans Fenster, wartete, ob ein paar Fußgänger hereinschauten, dann kam er wieder zu den beiden zurück.

«Vielleicht doch lieber den blauen, bittschön.»

Rafael Federl nahm ihm den hellen Filzinger ab, polierte mit seiner Schürze den Hut, bevor er ihn wieder in die graue Schachtel legte.

Er ging ans Regal, holte die erste Schachtel vor und öffnete sie zum zweiten Mal.

Der Kunde beäugte sich mißtrauisch im Spiegel. Der Hut paßte ihm, die Maße waren richtig, aber die Farbe machte sein breites, fettiges Gesicht nur noch breiter, er sah aus wie ein Mops mit Deckel.

«Auch nicht schlecht», sagte Seidenschwarz, «ganz passabel.»

«Na, der helle war schöner. Was meinen's?»

Der Privatdozent wußte nicht, was er jetzt noch sagen sollte. Wenn er seine Meinung sagte, dann wäre der Kunde bestimmt beleidigt gewesen. «Wenn Sie beide Hüte nehmen, dann haben Sie auch gleich einen Hut für den Herbst.»

Er sah Rafael an, der mit traurigem Blick hinter der Ladentheke verharrte.

«Ham's denn keinen schicken Hut da, so was ganz Flottes?»

Der Kunde gab den blauen Filzhut zurück. Seidenschwarz nahm ihn in die Hand und probierte ihn.

«Der könnte mir stehen, glaub ich.»

Er ging zu dem hohen Spiegel, imitierte den Kunden, drehte sich hin und her, zog Grimassen, pfiff leise durch die Zähne. Der Kunde beobachtete ihn genau.

«Ich glaub, das ist so ein guter Hut, den laß ich mir nicht entgehen.» Seidenschwarz lächelte.

In diesem Augenblick schoß der Kunde auf ihn zu.

«Na, so ham mir nicht gewettet. I war als erster hier, gell, das können's bestätigen, i hab den Hut aufghabt, i war nur nicht entschieden, aber den nehm i und kein andern.»

Er quetschte den weichen Hut zu einem unförmigen Etwas in der Hand.

«Was solln der kosten, bittsehr?»

Rafael Federl holte seinen Bleistiftstummel hervor und schrieb den Preis auf einen Zettel, den er dem Kunden zeigte.

«Stolzer Preis, gell. Aber i zahls. Das wär doch gelacht, daß sich jemand mir meinen Hut wegkauft.»

Er griff in seine Tasche, holte ein Bündel Geldscheine hervor, zählte die Summe ab, die er zu bezahlen hatte. Federl öffnete die eiserne Ladenkasse, gab das Wechselgeld heraus.

«Der Mann ist stumm, wie?» Der Kunde sah Seidenschwarz an, dann blickte er zum Hutmacher. «Der red ja nix!»

Federl ließ die beiden stehen und begab sich in den hinteren Teil des Ladens.

Seidenschwarz beugte sich über die hölzerne Theke und flüsterte dem Kunden ins Ohr: «Der hat die Sprache verloren, schon seit einiger Zeit, und jetzt wartet er drauf, daß er sie wiederfindet.»

«Oh, des is interessant, gell. Schönen Abend noch, grüß Gott» sagte der Kunde, den verbeulten Hut auf den Kopf pressend, «grüß Gott!» noch mal lauter. Als würden Stumme auch schlecht hören.

Mein Lieblingsheld, hatte Karl Marx gesagt, und Kant bezeichnete ihn als den schärfsten Denker, der jemals geboren wurde, damit begann Seidenschwarz seinen ersten Entwurf der Auftragsrede über den Astronomen, der zu loben war.

Eine Lobrede auf ein Genie. Er hatte genug gelesen, um einen Anfang zu machen, brauchte das Hinschreiben wie das Ausatmen, brauchte einen Gedanken wie ein Gerüst: ein Genie, das sich irrte.

Seidenschwarz plazierte die großen Entdeckungen gleich neben den praktischen Erfindungen, die Zahnradpumpe Keplers neben seinen Modellen des Planetensystems, die Berechnungen des Weinfasses neben dem «Weltgeheimnis», erwähnte die anschaulichen Bezeichnungen der errechneten Rotationskörper: Apfelrund, Olivenrund, Zitronenrund, und immer wieder fügte er sein Gerüst ein: Kepler hat sich geirrt, und dennoch war er ein Genie.

Seidenschwarz stand vor Kepler wie vor einem Denkmal, als spreche er hinauf zu einem Mann auf hohem Sockel, erwähnte die

Unzahl seiner Briefe, seine achtzig Bücher, seine drei Planetengesetze, um ihn noch größer erscheinen zu lassen, vergaß auch nicht auf Aristarch zu verweisen, den griechischen Vorläufer der Heliozentriker, der schon 300 vor Christus die Sonne in den Mittelpunkt stellte und später zum Gotteslästerer erklärt wurde.

«Wir irren, weil wir sehen», schrieb Seidenschwarz und baute weiter an den Stützen seines Entwurfes. Welch eine Ironie, der Mann, der uns den Himmel erklärte, war kurzsichtig, litt an unokaler Polyopie, er sah die Bilder in mehrfachen Umrissen, und dennoch hat er dann das erste Buch über Optik geschrieben, eine Untersuchung des Strahlengangs und der Lichtbrechung im dreiseitigen Prisma. Er schmückte seine Rede mit Zitaten, gab ihr Schwung mit Paradoxa, verdeckte seine Unkenntnis mancher mathematischen Zusammenhänge und ließ sich hinreißen zu emphatischen Ausrufen, als brauche Kepler seine Preisung. Er renommierte mit unverdauten Lesefrüchten, mit Formeln des Bohrschen Atommodells, sprach von dem hölzernen Katheder, das nur aus Atomen und dem großen Nichts dazwischen bestand. Sorgsam vermied er es, davon zu sprechen, was er an Kepler überholt fand, nicht der neuen Zeit gemäß.

Es dauerte zwei Tage, bis er seinen Entwurf fertig hatte, ein ganzes Wochenende, an dem er die Wohnung nicht verließ und keine Nahrung zu sich nahm, er schrieb wie im Fieber, fügte immer neu die einzelnen Abschnitte zusammen, um sie zum Schluß auf seiner Orga privat zu tippen.

Seidenschwarz lobte auch die Mittel, die einfachen astronomischen Geräte, mit denen Kepler seine Himmelsentdeckungen machte, das Astrolabium zur Bestimmung der Sternenörter, den Jakobsstab zum Messen der Winkel zwischen zwei Sternen, das Ekliptikinstrument zur Sonnenbeobachtung. «Was sind sie alle zusammengenommen gegen den Riesenrefraktor, der in Berlin-Treptow steht? Oder wäre mit dem großen Aufwand gar nichts zu erkennen gewesen?»

Er war erschöpft von seiner Arbeit und ließ den Kepler ruhen, für ein paar Tage.

Er hatte schon zu lange gezögert, um jetzt noch auf Verständnis zu hoffen. Aber sein Zögern hing auch damit zusammen, daß er versuchte, seine Demission zu revidieren. Professor Jahn hatte ihm gut zugeredet, sich beim Rektor noch mal persönlich um eine Audienz zu bewerben, sein Interesse an der Universität Erlangen zu bekunden. Der Professor wollte selbst nicht für Seidenschwarz eintreten, das sei so nicht üblich, sagte er, das könne einen falschen Eindruck erwecken, sagte er auch, und abschließend ermahnte er ihn, nicht zu forsch bei Seiner Magnifizenz aufzutreten.

Aber es kam zu keinem weiteren Treffen zwischen dem Rektor und dem Privatdozenten. Seine Magnifizenz ließ sich entschuldigen, zunächst mit einem übervollen Terminkalender, dann mit auswärtigen Verpflichtungen, und später, als er feststellen mußte, daß Seidenschwarz zwar schwächlich, aber hartnäckig war, mit der Wiederholung seines Satzes, eine solche Entscheidung, nämlich die der Entlassung, bedürfe keiner Begründung. Das ließ er ihm durch seine Sekretärin mitteilen.

So stand er nun vor seinen Studenten im Oberseminar für Rhetorik und machte Mitteilung.

«Es fällt mir nicht ganz leicht, meine Dame und meine Herren, aber heute ist es nun unumgänglich. Wir werden uns nicht wiedersehen.»

Mehr bekam er nicht heraus an diesem heißen Junitag. Die Fenster standen weit offen.

Die ungeplante Überraschung war gelungen.

Vielfältige Fragen, von allen Seiten, nicht wie im Seminargespräch, wo die Beteiligung zu wünschen übrigließ.

«Meine Arbeit, die ich im November nachreichen wollte?» fragte der Fuchsmajor, sein ärgster Widersacher im Seminar.

«Ich denke, daß Professor Jahn sich dieser Arbeit annehmen wird. Ich werde ihn gebührend darauf vorbereiten.»

«Das will ich hoffen», gab der Verbindungsstudent von sich, stand auf und verließ den hellen Raum.

Seidenschwarz hatte nichts anderes erwartet. Seine Einschätzung war richtig gewesen: Hätte er seine Entlassung früher bekanntgegeben, wären sicher einige seiner Hörer vorzeitig in andere Seminare abgewandert. Jetzt, am letzten Tag des Semesters, konnte ihm das egal sein.

«Warum werden wir Sie nicht wiedersehen?» fragte die einzige Studentin unter den zwanzig Kommilitonen.

«Das ist nicht einfach zu beantworten. Aber soviel steht fest, meine Dozentur ist nicht verlängert worden.»

«Was sind die Gründe?» Die junge Frau im weißen Kleid und den dazu nicht passenden schwarzen Schuhen sah ihn an.

«Es wird wohl verschiedene Begründungen geben, aber ich habe bis heute nicht eine erhalten. So muß ich spekulieren, und das tue ich in diesem Fall nicht gerne.»

«Warum? Es muß doch Gründe geben, Sie zu entlassen?»

«Die gibt es schon, aber ich kenne sie nicht.»

Seidenschwarz stand die ganze Zeit, die Hände hielten die braune Aktentasche fest, wenigstens ein kleiner Halt.

«Dann spekulieren Sie doch mal», sagte der Student, der ihm direkt gegenübersaß.

«Wie gesagt, ich tue das nicht gerne, weil es um meine eigene Sache geht. Da ist alles zu irrational, zu unüberschaubar, nachher bilde ich mir Gründe ein, die gar nicht in Betracht kommen.» Es entstand eine Pause.

Er hätte am liebsten die Sitzung vorzeitig beendet, aber er merkte, daß seine Studenten ihn so nicht ziehen lassen wollten.

Er schob die Aktentasche zur Seite und setzte sich neben das Katheder auf einen Stuhl.

«Ich möchte Ihnen danken», das war die Studentin.

Die anderen klopften, die Fingerknöchel schlugen auf die in Stufen nach oben gehenden Pulte.

«Ich möchte mich auch bedanken für Ihr Interesse, wirklich, ich will nicht verschweigen, daß wir manchmal ein hartes Brot zu kauen hatten, aber ich hoffe, Sie haben etwas bei mir gelernt.»

«Sie sind sich ganz sicher, daß Sie keinen Grund wissen, warum Sie entlassen worden sind?» fragte der ältere Student, dessen Klausuren stets die besten Noten erhielten.

«Was heißt sicher?» Seidenschwarz wollte über dieses Thema nicht reden und versuchte, mit einer Gegenfrage auszuweichen.

«Glauben Sie nicht, daß es damit etwas zu tun hat, daß Ihre politischen Ansichten nicht mehr in die Zeit passen?»

Natürlich hat er recht, dachte Seidenschwarz, aber was nützt es, wenn er ihm zustimmte. Schon in den letzten Semestern, seit dieser Student sein Oberseminar besuchte, war ihm aufgefallen, daß sie die gleiche politische Überzeugung hatten. Nur war das Fach Rhetorik nicht der Ort, um sich darüber zu verständigen.

«Kann sein. Aber es ist eine Spekulation.»

«Warum wehren Sie sich so gegen die Spekulation?»

«Weil ich mich nicht irremachen will. Sehen Sie, wenn ich annehme, wie Sie sagen, es sei meine politische Überzeugung, derentwegen ich an der Universität nicht länger arbeiten kann, dann habe ich sicherlich auch an anderen Universitäten große Schwierigkeiten zu erwarten. Wenn nun dieser Grund nicht zutrifft, dann habe ich mich unnötig gesorgt. Ich sage das ganz ohne Emphase.»

Er hielt inne. «Geben Sie ein Beispiel für eine Emphase.» Er setzte nach ein paar Sekunden noch ein «bitte» hinter seine Aufforderung.

Als erste meldete sich die Studentin: «Goethes Faust: ‹Hier bin ich Mensch, hier darf ich's sein.›»

«Shakespeares, Julius Caesar: ‹This was a man!› Ich glaube im letzten Akt.» Das war der Streber.

«Genug, genug. Ich wollte einen Scherz machen.»

Er nahm die Aktentasche in beide Hände, stand auf. «Was werden Sie nun machen?» fragte ein blonder Student, der in der letzten Reihe saß. Meist hatte er die Seminarstunden verschlafen.

«Ich werde mich bewerben müssen. So schnell geht das nicht. Aber Professor Jahn hat ein superbes Gutachten in Aussicht gestellt, darauf baue ich ein wenig.»

Sollte er nun zum Abschied winken oder jedem die Hand geben, er wußte nicht genau, aber es war an ihm, die Stunde zu beenden, das konnte ihm niemand abnehmen.

«Nochmals schönen Dank und weiterhin guten Erfolg in ihren

Studien, liebe Kommilitonen, vielleicht sieht man sich irgendwann wieder. Wer weiß?»

Seidenschwarz drehte sich um, weil die Tränen kamen. Mit schnellen Schritten verließ er den Seminarraum. Hinter ihm klopften die Studenten auf die Pulte.

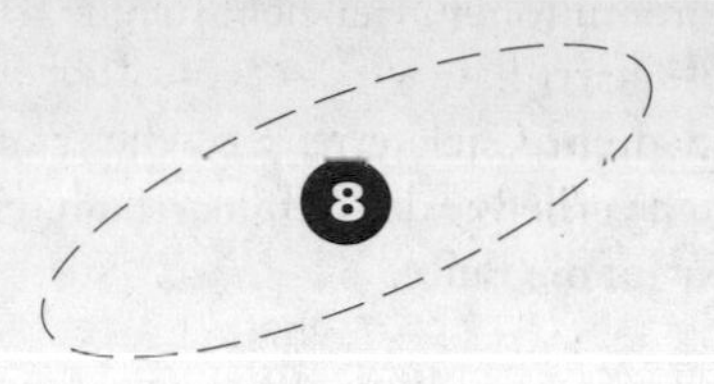

RABBI BLUM: Und ich dachte, du bist Sozialdemokrat.

SEIDENSCHWARZ: Was bist du?

RABBI BLUM: Ich bin Jude, ich mache keine Politik. Aber du mischst dich ein, und jetzt lese ich gar nichts davon.

SEIDENSCHWARZ: Was meinst du damit?

RABBI BLUM: Als Sozialdemokrat, Arnold, wo bleibt die Gesellschaft, der Fortschritt, die Revolution? Davon steht nichts in deiner Rede.

SEIDENSCHWARZ: Seit wann interessiert dich das?

RABBI BLUM: Ich dachte, es interessiert dich.

SEIDENSCHWARZ: Rabbi, ich bin nicht hierhergekommen, um rhetorische Spiele zu treiben...

RABBI BLUM: Ich meine es ernst. Du läßt die Gesellschaft aus dem Spiel, und darüber bin ich erstaunt. Die Rede gibt einen guten Überblick, ich könnte auch sagen, eine schöne Oberfläche. Ich will dich nicht kränken. Aber wann hat der Mann gelebt, unter welchen Umständen, in welchen Zwängen? Daß ich *dir* das sagen muß!

SEIDENSCHWARZ: Das kann ich beheben.

RABBI BLUM: Die Zeiten waren so schlecht, so verworren, so bedrohlich, daß Kepler eine große Sehnsucht ergriff. Die Sehnsucht nach Harmonie. Und zwar in jeder Hinsicht. Er wollte die ganz große Harmonie darstellen, die Harmonie des Kosmos, der Natur, da mußt du ansetzen. Deine Vorstellung von einer möglichen Harmonie auf Erden.

SEIDENSCHWARZ: Aber diese Vorstellungen sind doch falsch.

RABBI BLUM: Sagt der Sozialdemokrat. Und er sagt das heute.

Aber damals? Auch wenn die Vorstellungen falsch waren, wenn Kepler sich oft geirrt hat, wie du so ausführlich schreibst, was hat das zu bedeuten? Gar nichts. Entscheidend ist: wie kommt Kepler zu diesen Vorstellungen? Es war der Gedanke an eine mögliche Harmonie. Im Kosmos hat er sie schon gefunden.

SEIDENSCHWARZ: Aber da stimmen nicht mal die Berechnungen. Wenn er die Intervalle der Tonleiter in Beziehung setzt mit den Abständen der Planeten, dann kann man nachrechnen, daß die Übereinstimmungen zu gering sind, um eine Gesetzmäßigkeit festzustellen.

RABBI BLUM: Das tut auch nichts zur Sache. Kepler wollte seinen Lesern damit etwas sagen, genauso wie mit seiner Astrologie.

SEIDENSCHWARZ: Ich werde die Astrologie nur am Rande erwähnen, wenn überhaupt.

RABBI BLUM: Was ein Fehler ist, Arnold.

SEIDENSCHWARZ: Ich weiß, warum ich davon Abstand nehme.

RABBI BLUM: Dann laß mich wenigstens sagen, warum ich es für einen Fehler halte. Der Johannes Kepler hat sich sein Leben lang mit der von dir so verabscheuten Astrologie befaßt, nicht weil er abergläubisch war, der hatte genug *Glauben*. Aber er wollte sich nicht von dieser jahrtausendealten Erfahrung verabschieden, ohne dafür auch Gründe zu haben. Er hat in seinen Prognostiken immer wieder seine Leser gewarnt, den falschen Astrologen mit ihren lächerlichen Weissagungen zu glauben...

SEIDENSCHWARZ: Damit sie ihm glauben, daß er der richtige Astrologe sei.

RABBI BLUM: Nein, damit sie glaubten.

SEIDENSCHWARZ: Was ist denn diese ganze Kunst, die Sternenkunst, die da getrieben wird? Jeder kann jede Aussage auf sich beziehen, weil alles mit allem zusammenhängt. Wenn mir jemand prophezeit, ich werde Glück haben, dann sagt das gar nichts. Und die meisten behalten eh nur, was ihnen in den Kram paßt. Wenn ich mit verdeckten Augen eine schwarze von einer weißen Kugel unterscheiden soll, werde ich eine Trefferquote von wenigstens 50 Prozent haben. So ist die Astrologie. Verdeckte Augen.

RABBI BLUM: Das ist zu einfach, du mußt den Kepler nicht als einen Schwachkopf hinstellen.

SEIDENSCHWARZ: Er hat mit dem Kalendermachen, den Prognostiken, dem Stellen von Nativitäten Geld verdienen müssen, das ist für mich der Hauptgrund, warum er dabei geblieben ist. Aber eigentlich hat ihn die Astronomie interessiert, das war sein Gebiet.

RABBI BLUM: Ich habe keine Lust, mit dir darüber zu streiten, obwohl ich weiß, daß du irrst. Nur noch eins: Du wirst nicht um die Wende herumkommen, die Kepler vollzogen hat. Und diese Wende fand eben auch in der Astrologie statt.

SEIDENSCHWARZ: Auf der Dult gibt es eine Handleserin...

RABBI BLUM: Kannst du nicht von deinen lächerlichen Erfahrungen absehen? Du bist Wissenschaftler, wenn auch ein sozialdemokratischer. Ich meine die Wende zur Wissenschaft, heraus aus der Abhängigkeit vom Dogma, wo alles nur zum Beweis für die Hierarchie diente, die natürlich gottgewollt sein sollte. Und wenn du dazu etwas sagen willst, brauchst du auch die astrologischen Kommentare Keplers. Denn natürlich war die Kirche höchst erfreut über all die Sterndeuter, sie waren in Rom beim Papst genauso angesehen, hatten geachtete Stellungen, nicht zuletzt, weil sie das Volk in Angst und Schrecken hielten.

SEIDENSCHWARZ: Es gibt eine andere Frage, die mich viel mehr interessiert. Wie kann ein Mann, der so schwächlich, kränklich, voller Schwären und Leiden ist, eine solche Leistung vollbringen?

RABBI BLUM: Denk an die Möglichkeit, eine Ernte, einen Regenschauer, einen eiskalten Winter vorherzusagen. Die Prophezeiung ganz allgemein, gleich mit welchen Mitteln, sie muß nur verläßlich sein. Wenn einer, dem ich vertraue, sagen würde, in zehn Jahren gerät die Erde aus ihrer Bahn, dann würde ich noch heute mein Leben ändern. Das würden alle tun. Wenn jemand den, sagen wir, Australiern vorhersagen würde, mit voller Verläßlichkeit, daß in einem Monat eine Flutwelle den ganzen Kontinent überschwemmt, noch heute würden die ersten das Land verlassen. Kepler ändert die Möglichkeiten der Voraussage, indem er zunächst mal, zugegeben nur in der Astrologie, all diejenigen Lügen straft, die sich billig daran machen, solche Weissagungen zu tätigen.

SEIDENSCHWARZ: Aber er hat das selbst doch auch getan, in seiner ersten Prognostik hat er den schlimmen Winter und den Türkeneinfall in Linz vorausgesagt, und es stimmte sogar.

RABBI BLUM: Je länger er gelebt hat, desto weiter ist er davon abgerückt. Wallenstein hat er später einen Narren geschimpft, weil der konkrete Fragen aus dem Horoskop beantwortet haben wollte.

SEIDENSCHWARZ: Er hat sie ihm beantwortet.

RABBI BLUM: Und deswegen willst du es nicht erwähnen? Arnold, du mußt die Geschichte nicht umbiegen, nur weil sie dann besser in deinen sozialdemokratischen Schädel paßt.

SEIDENSCHWARZ: Das hat mit dem gar nichts zu tun.

RABBI BLUM: Alle Menschen, die ich kenne, sind an Voraussage interessiert. Jeder Philosoph beschäftigt sich offen oder insgeheim mit Voraussagen. Auch dein Altvater Marx hat Prognosen gemacht, jede Menge falsche darunter, und deswegen liebst du ihn nicht weniger. Aber Kepler hat für die Astrologie bewiesen, daß diese okkulte Wissenschaft nichts, rein gar nichts an Voraussagen leistet.

SEIDENSCHWARZ: Und trotzdem hat Kepler sie betrieben.

RABBI BLUM: Weil er keine leichten Auswege suchte, keine schnellen Urteile. Er hat nach Erklärungen gesucht, die Gott enthalten. Die Wissenschaftler suchen heute nur noch Erklärungen, die Gott nicht mehr enthalten.

SEIDENSCHWARZ: Können wir Gott nicht aus dem Spiel lassen?

RABBI BLUM: Der fehlt mir auch in deiner Rede.

SEIDENSCHWARZ: Warum sollte ich das ändern?

RABBI BLUM: Weil Kepler ein gläubiger Mensch war, sein Leben lang hat er alles nur getan, damit die göttliche Weisheit in ihrer Vollendung den Menschen klar wird, damit sie begreifen, was diese göttliche Ordnung der Planeten ist.

SEIDENSCHWARZ: Ich will nicht leugnen, daß er gläubig war, aber was soll uns das heute?

RABBI BLUM: Arnold, wenn du keinen Begriff von Gott hast, wirst du Johannes Kepler nie beschreiben können. Die Kirche hat gegen Galilei, Kopernikus und zu Teilen auch gegen Kepler gekämpft, weil die Wissenschaft in die Religion eingebrochen war. Aber das ist ja gerade die Wende, es gibt nicht die absolute Wahrheit, das Dogma der Kirche, sondern es gibt Naturwissenschaft und Religion nebeneinander.

SEIDENSCHWARZ: Sprach der Rabbi und wars zufrieden.

RABBI BLUM: Ich dachte, wir sprechen über deine Rede.

SEIDENSCHWARZ: Das Gefühl habe ich schon lange nicht mehr.

RABBI BLUM: Weil mir soviel daran fehlt. Zum Beispiel der Gedanke, daß Kepler Modelle gebaut hat. Es geht in der Naturwissenschaft, so wie Kepler sie wollte, um größtmögliche Vereinfachung: Kepler wäre es viel lieber gewesen, wenn die Planeten sich um die Sonne in Kreisbahnen bewegt hätten, weil ein Kreis einfacher als eine Ellipse ist und weil der Kreis vollkommener ist. Aber nun bewegen sie sich den Beobachtungen nach in Ellipsenbahnen, trotzdem hat er die richtige geometrische Form gefunden. Und nun kann er eine empirisch überprüfbare Aussage und damit Prognose machen, die auch in der Theorie standhält.

SEIDENSCHWARZ: Wieso Modelle?

RABBI BLUM: Weil nur so sich die chaotische Welt anschauen läßt. Nur wenn wir Modelle haben, sehen wir etwas. Und zugleich behindern uns diese Modelle. Die Wissenschaftler streben die Verknüpfung und die Voraussage von Tatsachen an. Zugleich ist es ihr Bestreben, die entdeckten Zusammenhänge auf die kleinstmögliche Zahl von Begriffen zurückzuführen, die Vielfalt zu vereinfachen, ohne daß es falsch wird.

SEIDENSCHWARZ: Ich brauche wohl nicht mehr zu fragen, wie du meine Rede findest.

RABBI BLUM: Wenn du mir sagst, für wen sie geschrieben wurde, vielleicht ist sie genau das Richtige. Aber du wolltest doch *deine* Rede schreiben? Wer ist es denn nun?

SEIDENSCHWARZ: Ich weiß nur, daß es der Oberbürgermeister nicht ist.

RABBI BLUM: Könnte es der Bischof sein?

SEIDENSCHWARZ: Der würde doch einem Sozialdemokraten wie mir keinen Auftrag geben.

RABBI BLUM: Vielleicht gerade, weil du einer bist: damit er seinen Jesuiten etwas entgegenhalten kann.

SEIDENSCHWARZ: Ich werde mich erkundigen.

RABBI BLUM: Wenn der Bischof der Auftraggeber ist, dann kannst du gar keine gottlose Rede schreiben. Und ich will hinzufügen: Du mußt an Gott glauben, wenn du dich mit Wissenschaft beschäftigst, nur so überstehst du das Staunen. Frag Einstein, mein lieber Arnold.

SEIDENSCHWARZ: Und wenn mich Gott nicht interessiert?

RABBI BLUM: Das hätte sich Kepler nicht träumen lassen, daß jemand kommt und seinen Glauben wegmogeln will und trotzdem versucht, ihm gerecht zu werden.

SEIDENSCHWARZ: Sei nicht zynisch.

RABBI BLUM: Du hast die Welt, das Leben, die Gegenwart, den Kepler eingeteilt, sortiert, alles säuberlich zurechtgelegt, und nun mußt du feststellen, daß nichts mehr zusammenpaßt.

«Es ist wohl diese Astrologie ein närrisches Töchterlein.
Aber lieber Gott, wo wollte ihre Mutter, die ganz vernünftige Astronomie hinkommen, wenn sie diese närrische Tochter nicht hätte? Die Welt ist viel zu närrisch, sie ist so närrisch, daß ihr, zu ihrem eigenen Nutzen, die Mutter Astronomie durch der Tochter Narrheiten nahegebracht werden muß. Und da die Einkünfte der Mathematiker so bescheiden und gering sind, müßte die Mutter gewiß Hunger leiden, wenn die Tochter nichts einbrächte. Wenn es keinen anderen Weg der Naturerkundung gäbe als den Verstand und die Weisheit, wir würden wohl nie etwas erkennen.
Aller Fürwitz und alle Neugier sind zunächst nichts anderes als Torheiten, aber dann zupft uns die Torheit bei den Ohren und führt uns auf den Kreuzweg, wo es nach rechts zur Philosophie geht.»

Auf der «Steinernen Brücke» hielt Seidenschwarz inne und sah aufs Wasser. Ein Sonnentag, die Kinder badeten in der Donau, das Licht fing sich in den sanften Wellen.

Die Postkarte hatte ihn erstaunt, die er am Morgen in dem Holzkasten fand: «Wenn Sie vorbeikommen mögen, ich habe einen Fund für Sie. Unterschrift: Prof. Dr. L. Röhrl.» Und dann die Adresse, als wüßte er nicht mehr, wo sie wohnte.

Auf keinen Fall darf ich etwas von meiner fertigen Rede sagen. Die wird sie auch nicht interessieren, dachte er. Was konnte das nur sein, einen Fund hatte sie gemacht, und dann für ihn?

Seidenschwarz ging langsam weiter, er grüßte wie gewöhnlich das Brückenmännchen, das gebückt auf seinem Sockel hockte.

Ich hätte ihr natürlich die geliehenen Bücher zurückgeben müssen, aber davon schrieb sie nichts.

Eine halbe Stunde später klingelte er an ihrer Haustür.

«Sie haben Glück, Herr Doktor, ich bin schon auf dem Wege in die Sternwarte. Aber kommen Sie einen Augenblick herein, bitte sehr.»

Sie war höflich, so ohne Distanz, was Seidenschwarz ein wenig irritierte.

Frau Röhrl führte ihn in ihr vollgestelltes Wohnzimmer, räumte einen Sessel frei.

«Wie weit sind Sie mit der Arbeit?» fragte sie.

«Es geht voran, ganz gut, aber ich habe ja auch noch genug Zeit», antwortete Seidenschwarz.

«Verstehen Sie denn inzwischen ein wenig mehr von den Sternen?»

Da war sie wieder, diese spitze Zunge.

«Wieso?»

«Das letzte Mal hatte ich den Eindruck, mit einem vollendeten Dilettanten zu sprechen, Sie waren so bar jeder Kenntnis, daß ich mir nicht vorstellen konnte, wie Sie über Kepler sprechen würden.»

Seidenschwarz räusperte sich: «Ich hoffe, nun einige Kenntnisse mehr zu besitzen.»

Frau Professor Röhrl sah Seidenschwarz an, lange, dann wandte sie sich zu ihrem Schreibtisch, nahm ein Buch auf und reichte es ihm.

«Das könnte etwas für Sie sein, Herr Doktor. Ein seltenes Stück, es gab nur wenige Exemplare. Keplers Traum vom Mond, so lautet der Titel der deutschen Übersetzung. Es ist, wie soll ich sagen, eine phantastische Reise zu unserem Trabanten, angefüllt mit wissenschaftlichen Erklärungen. Ein schöner Gegenstand für eine Rede.»

Seidenschwarz blätterte das schmale Buch auf, sah das Bildnis Keplers, sah Skizzen und Tabellen, Anmerkungen und Kommentare. «Wie kommen Sie darauf, daß es ein schöner Gegenstand für eine Rede sein könnte?»

«Das lesen Sie am besten selbst, ich wollte nur den Hinweis darauf nicht versäumen.»

Sie gibt mir wieder eine Abfuhr, dachte er, was hat sie nur so abweisend gemacht. Die Beschreibung, die mit a begann. Auf dem Weg zu ihr war er ganz unsicher geworden, ob es nicht besser wäre, mit diesem Schwindel aufzuhören, denn Frau Professor Röhrl mußte immer noch glauben, daß Seidenschwarz selbst die Rede halten würde. Nun jedoch war er entschlossen, sein Geheimnis nicht zu lüften.

«Wollen Sie mich nicht auf meiner Sternwarte besuchen? Ich habe schon einige Male gedacht, daß Sie kommen, Herr Doktor, denn schließlich kann die Anschauung des nächtlichen Himmels sehr viel zur Erkenntnis beitragen.»

Seidenschwarz erhob sich, legte «Keplers Traum vom Mond» zur Seite: «Ich will erst gut gerüstet sein, Frau Professor, schließlich soll eine Beobachtung ja auch vom Wissen angeleitet sein.»

«Ganz und gar», gab sie zurück, «ohne Wissen sieht man gar nichts, aber der Himmel hat auch eigene Schönheit und Größe.»

«Ich werde kommen», sagte er mit fester Stimme. Das muß ein ganz langweiliger Abend werden, dachte er, wenn sie nur immer auf mich einredet wie auf einen kleinen Schüler. Er konnte sich vorstellen, wie sie ihre Kenntnisse zur Einschüchterung benutzte.

«Haben Sie denn schon die ‹Weltharmonik› studiert? Ich bräuchte diesen Band bei Gelegenheit zurück.»

Seidenschwarz verneinte, es sei das nächste Werk von Kepler, das er in Angriff nehmen wolle.

«Es ist viel Merkwürdiges darin, viel Versponnenes, aber wahrscheinlich das umfassendste Kompendium seines Denkens.»

Frau Röhrl nahm ihre braune Handtasche auf, sagte, sie müsse jetzt zur Sternwarte, wenn er wolle, könnten sie ein Stück zusammen gehen.

An der Haustür kehrte sie um: «Jetzt haben Sie ‹Keplers Traum› liegengelassen, Herr Doktor. Sehr unaufmerksam, warten Sie, ich hole ihn.»

Seidenschwarz stand vor dem kleinen Haus und blickte über die Donau. Was hat es für einen Sinn, daß sie mir noch mehr Lektüre aufhalst, dachte er, daran mangelt es mir nicht.

Sie kam und hielt ihm das Büchlein hin.

Dann gingen sie schweigend stadteinwärts.

Frau Professor Röhrl erzählte von den Verpflichtungen, die sie selbst für die Kepler-Feiern übernommen habe, der Bund der Sternenfreunde käme zu Gast, es gäbe täglich Sitzungen, und ein Professor Archenhold habe sich angekündigt, ein Kollege aus Berlin, der mit einem geheimnisvollen Vorhaben nach Regensburg komme.

Seidenschwarz hörte zu.

«Nun feiern wir ja nicht jedes Jahr ein solches Jubiläum, es wäre zuviel Aufwand und würde jede sinnvolle Arbeit lahmlegen, doch die Sternwarte kann sich natürlich aus der Jubelei nicht heraushalten. Das verstehen Sie?»

Mit einem Mal kam ihm der Verdacht, daß Lena Röhrl längst wußte, daß er nur im Auftrag die Kepler-Rede schrieb, wenn sie so eng an den Vorbereitungen beteiligt war, dann kannte sie auch alle Redner, hatte sie vielleicht sogar vorgeschlagen. Dann war das Buch, das sie als großen Fund bezeichnete, eine abgesprochene Sache, die ihm auf diesem Wege zugeleitet werden sollte.

Er saß in einer Zwickmühle: Wenn er nachfragte, mußte er sich verraten.

Das wollte er auf keinen Fall.

«Für diese Tage wird Regensburg alles beherbergen, was in der deutschen Astronomie Rang und Namen hat, es wird ein großes Wiedersehen mit den Kollegen.»

Seidenschwarz spürte, wie sie ihn mit dieser Bemerkung deklassierte, denn zu den Kollegen würde er natürlich nicht gehören.

Sie hatten den Kohlenmarkt erreicht, wo sich ihre Wege trennten.

«Kennen Sie eigentlich Berthold Müller?» fragte Seidenschwarz, während er ihr zum Abschied die Hand reichte.

«Nein, wer sollte das sein? Hat er sich auch mit Kepler beschäftigt?»

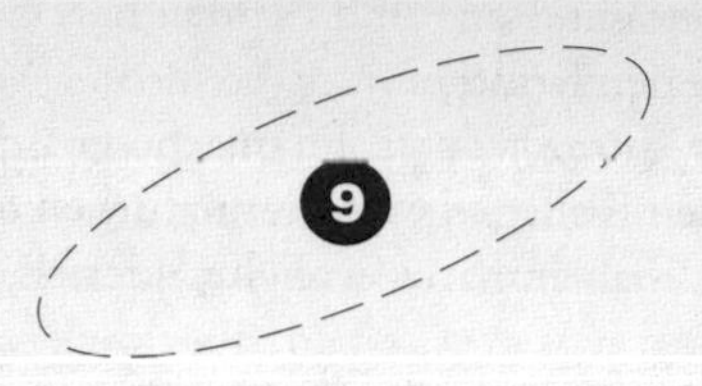

Das graue Haar der alten Frau war zu einem großen Knoten zusammengewickelt, mit einer roten Spange am Kopf festgesteckt. Das Gesicht war trotz ihres Alters straff, nur ein paar Fältchen um den Mund und unter den Augen. Das Kinn war spitz. Ihre gedrungene Gestalt wurde betont durch das enge, dunkle Kleid. Bei dem geringen Licht war die Farbe des Kleides nicht auszumachen. Sie sprach sehr leise, fast tonlos, lispelte dabei ein wenig, machte lange Pausen.

Sie führte den neuen Kunden in ihr Zukunftszimmer. Ein Raum voller Karten, Sternkreiszeichen aus Holz und Elfenbein, Metall und Kristall, auf dem Tisch eine große, runde Kugel, die von der Seite angestrahlt war. Die Tischdecke war ein Altartuch aus schwarzem Samt mit weißen Zeichen bestickt.

«Sagen Sie nichts, sprechen Sie nicht.»

Sie legte ihre schmale Hand auf seine Schulter, drückte ein wenig ins Fleisch. «Sie sind aufgeregt. Das brauchen Sie nicht zu sein, bleiben Sie ganz ruhig, entspannen Sie sich, wir haben so viel Zeit, wie Sie sich dafür nehmen. Und die Zukunft braucht Zeit.»

Langsam entfernte sie sich, zündete zwei Kerzen an und löschte das elektrische Licht.

«Fühlen Sie sich wohl?» fragte sie mit leiser Stimme.

Arnold Seidenschwarz atmete tief durch, er wollte sich nichts entgehen lassen.

«Ich denke schon.»

«Nicht denken, junger Mann, nicht denken jetzt! Sie sollen fühlen, sich selbst fühlen. Brauchen Sie zunächst ein wenig Musik dazu?»

Seidenschwarz nickte.

Die alte Frau verschwand hinter einem roten Vorhang.

Seidenschwarz hatte sich diesen Besuch verordnet, wollte nicht ohne eigene Erfahrung urteilen, so wenig ihm dieser Hokuspokus behagte, er hatte sich bei Sibilla angemeldet, mußte den Besuch wegen Zahnschmerzen verschieben, aber nun saß er in dem Zukunftszimmer und spürte, wie sein Herz klopfte.

Von einer Schallplatte kamen kratzende Geräusche, Beethovens Schicksalssymphonie, c-Moll, dräuendes Pathos.

Seidenschwarz hatte den festen Vorsatz, sich nicht beeindrukken zu lassen.

Sibilla trat hervor, hob schwingend leicht beide Hände.

«Sie sind Löwe, mein Herr. Stimmts?»

«Ja.»

«Sollte man nicht vermuten, wenn man Sie so anschaut, aber ihre Augen verraten Sie und ihre Hände, die dauernd in Bewegung sind, das ist alles im Sternbild gedeutet. – Legen Sie Ihre Hände ruhig in den Schoß.»

Sie setzte sich hinter die Glaskugel.

In spektralem Licht war ihr glattes Gesicht angestrahlt.

«Wann sind Sie geboren?»

Seidenschwarz nannte seinen Geburtstag.

«Um wieviel Uhr?»

«Ich glaube, so gegen vier Uhr nachmittags.»

«Könnten Sie mir auch die genaue Minute sagen?»

Seidenschwarz überlegte, aber er konnte es nicht.

«Schade, das würde alles viel genauer machen.»

Ihre Fältchen spielten um den Mund.

«Und Sie wollen von mir wissen, was die Zukunft Ihnen bringt?»

«Wenn Sie etwas darüber aussagen können.»

Arnold Seidenschwarz bewegte seine Hände wieder, die ruhende Lage auf seinem Schoß war ihm nicht angenehm.

Sibilla zog eine Sternkreistafel hervor.

«In welchem Jahr sind Sie geboren? Das muß ich auch wissen.»

Seidenschwarz antwortete: «1885.»

Sie notierte sich die Zahl und verschwand wieder.

Scheint eine geheimnisvolle Wissenschaft zu sein, bei der soviel hinterm Vorhang geschieht, dachte er.

Was waren diese Sternendeuter in Verruf! All die Jahre, an die Seidenschwarz sich erinnerte, hatten sie über Astrologie gelacht. Sein Vater war ein großer Gegner dieses Humbugs. Er zitierte gerne das Werk von Tycho de Brahe, der selber Astrologe war und ein Buch schreiben wollte gegen die Astrologen: «O waghalsige, o exquisite Rechner, die ihre Astronomie hinterm Herd, das heißt in Büchern und Tabellen, aber nicht am Himmel selber betreiben. Sic itur ad astra.» Brahe amüsierte sich über die Astrologen seiner Zeit, weil sie mit Sternentafeln rechneten, die falsch waren, bei den Konjunktionen von Saturn und Jupiter hatten sich die Alphonsinischen Tafeln um einen ganzen Monat geirrt. Aber Goethe begann noch seine Autobiographie mit der Stellung der Planeten bei seiner Geburt. Für Seidenschwarz und seine Freunde war Astrologie soviel wert wie eine Niete in der Lotterie.

«Sie sind ein unruhiger Mensch, neigen zu Krankheiten, Sie denken zu viel, wahrscheinlich haben Sie studiert, Ihr ganzes Bestreben gilt der Wissenschaft anstatt dem wirklichen Leben. Sie müssen noch viel lernen, mein Herr.»

Nach diesen Worten, die Sibilla hinterm Vorhang gesprochen hatte, trat sie hervor. In der Hand hielt sie eine hohe Kerze, die sie direkt vor Seidenschwarz aufstellte. Als sollte jetzt eine Messe gefeiert werden.

«Ihr Elternhaus war streng, zwar konnten Sie sich gut mit Ihrer Mutter verstehen, aber zum Vater gibts keine Bande, der ist entfernt, vielleicht ist er sogar schon tot. Der Vater hat Sie geformt zu einem See ohne Ufer. Er hat Sie geprägt zu einem Bild ohne Rahmen. Ihnen fehlt der Halt, mein Herr.»

Er zuckte zusammen.

Sibilla ging um den Altartisch herum, preßte die Fingerspitzen in den schwarzen Samt, fixierte ihren Kunden.

«Es gibt nicht viel über Ihre Zukunft zu sagen, außer daß Sie sich in acht nehmen müssen.»

Dann setzte sie sich.

Seidenschwarz war erstaunt. Bisher hatte er geglaubt, daß die Astrologen ihr Geld damit verdienten, ihren Klienten nur frohe Botschaften zu überbringen, daß sie zwar gelegentlich die schwarzen Buben hervorzogen, um einzuschüchtern, aber eigentlich die Sorgen um Familie, Vermögen, Glück und Gesundheit in Rauch aufgehen ließen.

«Sie sind erschrocken, mein Herr! Aber die Sterne lügen nicht. Das ist die Wahrheit.»

Ihre Stimme versagte.

«Und wie haben Sie diese Wahrheit herausgefunden?»

«Die Zweifel stellen sich immer dann ein, wenn jemand meine Prognose nicht behagt. Im Guten wie im Bösen.»

Seidenschwarz stand auf, griff in seine Jackentasche, um das Fünf-Mark-Stück herauszuholen.

«Lassen Sie Ihr Geld stecken, mein Herr. Ich dachte, Sie wollten etwas über Kepler erfahren?»

Mit einem Mal durchfuhr es Seidenschwarz.

«Das ist unser großer Lehrmeister. Wußten Sie das nicht? Johannes Kepler hat seinen eigenen Tod vorausgesagt, er hat den Tod Wallensteins vorausgesagt, er hat die kommende Kälte wie die hereinbrechenden Türken vorausgesagt. Und Sie, mein Herr, glauben nicht an die Astrologie?»

«Woher wissen Sie...»

«Das stand nicht in Ihren Sternen, aber ich habe es dennoch erfahren. Sie wollen unsern Kepler ehren, aber bitte auch richtig. Dieser Mann ist der Beweis für unsere Kunst. Und daß es sich um eine Kunst handelt, werden Sie nicht leugnen.»

«Also gut.» Seidenschwarz setzte sich wieder auf den niedrigen Stuhl, schlug die Beine übereinander: «Dann überzeugen Sie mich.»

Sibilla warf den Kopf nach hinten.

«Haben meine Aussagen über Sie und Ihren Vater nicht gestimmt?»

«Doch, doch, aber da bin ich befangen, wenn es um mich geht, da können Sie mir viel erzählen. Ich will einen wirklichen Beweis.»

«Den sollen Sie kriegen!»

Sie verschwand wieder hinter ihrem roten Vorhang.

Arnold Seidenschwarz war in Kampfesstimmung, das wäre doch gelacht, wenn so ein Hutzelweib ihn überzeugen könnte! Auf jeden Fall muß ich Kepler dazu befragen, dachte er. Woher weiß die Alte, wer ich bin und was ich vorhabe?

Er besah sich die gläserne Kugel, die auf dem Altartisch stand. Wahrscheinlich war es besser, mit solchen Kugeln zu arbeiten als mit den Sternen, es kam aufs gleiche hinaus. Oder mit dem Kaffeesatz oder mit Karten. Oder Würfeln. Vielleicht widersprachen sich dann die Ergebnisse, und die Zukunft war wieder unklar.

Sibilla betrat den Raum mit einer großen Tierkreistafel. Wie kleine Fähnchen heftete sie Planetenzeichen in die verschiedenen Häuser.

«Bitte sehr», sagte sie mit fester Stimme, lauter als zuvor, «wenn Sie mal sehen möchten.»

Seidenschwarz konnte kaum etwas erkennen, kam näher an die Tafel heran.

«Ich habe hier das Horoskop eines Mannes. Das sind die Planetenstellungen, die ich benutze, um zu erfahren, was mit diesem Mann ist. Hier die Venus, da der Saturn, hier Sonne und da der Mond. Er ist im Zeichen des Stiers geboren, das bedeutet Verwurzelung, also muß ich fragen, wohin schlägt er seine Wurzeln. Da müssen wir das zwölfte Haus befragen, und das verweist auf das Sternzeichen zurück und sagt uns: Beutetier. Das Beutetier ist nicht das Tier, das Beute macht, sondern das Tier, das Beute ist. Können Sie mir folgen?»

Seidenschwarz verneinte, bat aber die Astrologin fortzufahren.

«Der Mann hat im Stier konservierte Energie, die er nicht ausleben kann. In welcher Weise weicht er aus? Die Stelle, wo es herauskommt, das könnte der Uranus sein. Aber die Stelle, wo es raus will, das ist der Mars. Und der steht auf siebzehn Grad Löwe in Haus fünf. Er wird etwas erwirken. Eine Zwangshandlung, da ist die Anlage, voller Energie, die will sich entladen. – Ich kann Ihnen schon sagen, wer es ist, sein Horoskop sagt alles, es war ein französischer Massenmörder. Vielleicht haben Sie von Landru gehört?»

Seidenschwarz kannte den Namen nicht.

«Wieweit ist das jetzt verbindlich?» fragte er, völlig verwirrt von der Sicherheit, mit der Sibilla ihn zu überzeugen suchte.

«Das können Sie als verbindlich ansehen, auf jeden Fall war es verbindlich für all die Frauen, die er umgebracht hat. Denn eigentlich, und das sehe ich aus seinem Horoskop, wollte er sich selbst umbringen, das zeigen die Positionen überdeutlich. Zu morden ist eine Art Abhängigkeit, und die kommt von der Mars-Stellung. Die Aggression, die in Haus fünf steht, ist lebensfeindlich. Da ist ein Rest in seinem Ich, den er nicht ins zwölfte Haus bringen kann, der bleibt dann unbeherrscht. Es entsteht ein Trieb, wie man heutzutage sagt. Und dieser Trieb will raus. Also hat er gemordet.»

Er ließ sich noch mal den Namen des Mörders sagen.

«Landru. Der muß sehr elegant in Paris aufgetreten sein, wahrscheinlich nach außen ordentlich wie ein Stier.» Sibilla streifte seinen Arm. «Wollen Sie noch mehr Beweise?»

Seidenschwarz starrte auf den Tierkreis, als könnte er dort eine Antwort finden.

«Nein. Das nicht. Aber Kepler, der interessiert mich schon.»

«Wenn Sie auch nicht dran glauben, mein Herr, er glaubte. Und wenn Sie etwas über Kepler sagen wollen, dann müssen Sie sich damit befassen. Ob Ihnen das kommod ist oder nicht.»

Sie triumphierte.

«Aber Kepler ist vor dreihundert Jahren gestorben, und hat sich nicht inzwischen die Wissenschaft auf allen Gebieten sehr viel weiter entwickelt? Haben Sie von Einstein mal gehört, von Bohr?»

Er hatte keine Lust, sich von der Astrologin in die Enge treiben zu lassen.

«Ich kann Ihnen Horoskope von Kepler zeigen, wenn Sie dazu bereit sind. Aber ich spüre eine solch ablehnende Haltung, mein Herr, daß es wohl wenig Sinn hat, mit Ihnen darüber weiter zu diskutieren.»

Sibilla räumte die Tafel weg, verschwand hinter ihrem geheimnisvollen Vorhang und ließ Seidenschwarz allein im Zukunftsraum.

«Nein, nein, zeigen Sie schon», rief er, «interessiert bin ich, ganz bestimmt.»

«Es gibt ganz und gar nichtige, grundlose Voraussagen, zum Beispiel, daß der zukünftige Gemahl aus diesem oder jenem Lande sein werde, oder am Körper einen verborgenen Mangel habe, oder daß eine Frau mit ihm nicht zurechtkomme, oder gar, daß sie so und soviel Kinder haben werde, oder daß der Zukünftige zwei, drei oder vier Frauen haben werde. Bei all diesen Voraussagen kann man nicht auf mich zählen. Ich bin der Meinung, daß sie nur als Mittel erdacht sind, der Leute Fürwitz zu wecken; denn, wenn sie viel fragen, beginnen die Astrologen viel zu antworten.»

Die Astrologie, ach Gott, die Astrologie, der Privatdozent bestieg Bücherberge, las über die Göttlichkeit der Planeten und der Könige im Zweistromland, und wie daraus die Sternenkunde entstanden war, wie die Finsternisse des Mondes und der Sonne als besondere Hinweise der Planetengötter gedeutet wurden, wie später dann in Ägypten die Tierkreisastrologie entstand, eine Art Nachtuhr am Sternenhimmel dank der aufgehenden Fixsterne, wie die Regelwerke entstanden, über die Opposition der Planeten, über Konjunktionen, Aspekte, Häuser, wie das ganze System immer weiter erstarrte, trotz neuer Entdeckungen, wie Kepler schon darauf hinwies, daß die Lehre von den verschiedenen Häusern deshalb falsch war, weil die Grundlagen nicht stimmten, der Privatdozent durchschritt Büchertäler und ärgerte sich, daß sein inzwischen geliebter Johannes sich in Sachen Astrologie so oft widersprach, an seinen Fesseln zerrend, wie Seidenschwarz deutlich spürte, die Wirkung der Sterne immer mehr einschränkend, immer vorsichtiger werdend bei seinen Prognostiken, obwohl er damit Erfolg hatte und auch gutes Geld verdiente. – Nur während der Geburt wirken die Gestirne ein, dabei blieb Kepler, aber nicht die Gestirne selber, sondern zwei oder mehr Planeten zusammen, die Aspekte bilden, aufgrund ihrer gegenseitigen Stellung an der Himmelssphäre, die können wirken in Form einer instinktiven Impression, oder besser: anregen, nicht direkt wirken, und Voraussagen kann die Astrologie schon gar nicht machen, ach Gott, warum quälte er sich so mit dieser vermaledeiten Wissenschaft?

Es gibt keinen Weg, die Zukunft zu kennen. Wenn an Kepler das Ansinnen gestellt wurde, er solle diese Zukunft voraussagen, dann wurde er scharf und unwillig, manchmal setzte er zu seinen so entstandenen Prognosen den Satz, weil ich befohlen bin, oder: nach Meinung der Astrologen. Aber immer in Krisenzeiten, da wurde diese Geheimwissenschaft stark, in der Spätantike, in der Renaissance, vor dem Dreißigjährigen Krieg, da nahm man Zuflucht, suchte Rat, wollte den Aberglauben bewahren, um nicht vor Angst zu vergehen, ließ sich von den Astrologen beraten, wie Wallenstein, der stets mit Zeno und später auch Kepler konferierte, bevor er einen neuen Feldzug begann, dazu war die Sternendeutung nütze, und er, Seidenschwarz, er durchschaute diese Zusammenhänge und wußte, daß Kepler sie nicht durchschauen konnte, weil er im Dreißigjährigen Krieg lebte und in den alten Denkmodellen gefangen war, aus denen er sich herauswagte, so weit er konnte. Kepler griff immer wieder ein, denn damals tobte der Kampf zwischen denen, die die Astrologie vollständig verneinten und denen, die sie nicht zuletzt im Interesse eines blühenden Geschäftes hochlobten und gewiß auch selbst daran glaubten, die Wut in den Schriften der Freunde und Gegner beweist es, und Kepler wollte sich zum Mittler machen zwischen den Lagern, so schrieb er «Tertius interveniens», vom Dritten, der dazwischentritt, wollte anhand eigener Beobachtungen und Erfahrungen zeigen, was man von den Sternen und ihren Wirkungen zu halten habe.

Die Astrologie, ach Gott, was Seidenschwarz alles studierte, nur um ein bißchen einzutauchen in diese dunklen Zusammenhänge, der Tierkreis teilt sich in zwölf gleiche Abschnitte, zwölf Monate, zwölf, eine heilige Zahl, die sogenannten Häuser, immer wieder sah er auf die kleine Tafel, die er über seinem Schreibtisch angebracht hatte, damit er die Zeichen für die Planeten, Tierkreise, Aspekte auseinanderhalten konnte, das erste Haus bezieht sich aufs Leben, ganz allgemein, das zweite auf Eigentum und Gewinn, das fünfte auf Kinder und Familie, das siebte auf die Ehe, und dann die Aufgangspunkte, die Aszendenten. Er tauchte so tief ein, daß er anfing, sich selbst ein Horoskop zu stellen, stundenlang verbrachte er damit, sich auszurechnen, was denn mit ihm bei seiner

Geburtsstunde geschehen sei, las nach, wälzte die Folianten, als sei eine Rechenaufgabe mit vielen Unbekannten zu lösen. Seidenschwarz spürte, wie er Kepler näherkam, wie der immer wieder über seinen Tafeln und Tabellen gesessen haben mußte, die Nativitäten stellend für bekannte und unbekannte Leute.

Und erst, wenn er wiederauftauchte, wenn er eine Nacht im Wachen verbracht hatte und plötzlich die Gedanken ganz hell wurden, dann lachte er sich den ganzen Humbug vom Leib, selbst wenn sein geliebter Johannes sich damit ausführlich beschäftigte, brauchte ihn das noch lange nicht zu interessieren, nicht mehr als eine Fußnote wert, dachte Seidenschwarz. Seifenblasen aus dem Mittelalter, mit denen er sich nicht weiter beschäftigen wollte.

Die Astrologie machte allen Angst, die sich darauf einließen, denn mit einem Mal hatte der Astrologe eine Macht über seine Kunden, wußte etwas, was sie nicht ahnen konnten, ließ sie in der Angst, damit sie wiederkamen, zum zweiten, zum dritten Mal das Orakel zu befragen, ob sich was gebessert habe, noch genauer zu studieren, was das Schicksal bringen könnte, und sie ließen sich das etwas kosten, da waren seine fünf Mark für Sibilla keine große Investition.

«Verstehst du, Raffel, es ist dieser luftleere Raum, in dem ich mich befinde, als hätte sich alles ausgedehnt, immer weiter, immer größer, und ich kann es nicht wieder einfangen. Ich könnte zehn Reden schreiben und wär noch nicht am Ende.»

Arnold Seidenschwarz sprach vor sich hin, während er die letzte Runde notierte.

Seit Stunden spielten sie Knöterich in der Wohnung des Hutmachers, die er als Warenlager seiner Werkstatt nutzte. Hier gab es Hasen- und Kaninchenfelle in großen Stapeln, Glasballons mit Reinigungsmitteln und Beizen, Flaschen mit Quecksilber und Salpeterlösungen, mit denen die Haare für den Verfilzungsprozeß aufgespalten wurden. Neben dem blaßroten Sofa fertiggestellte Filzstumpen in jeder Größe. Alles, was Federl nicht dringend in seiner kleinen Werkstatt brauchte, bewahrte er in seiner Wohnung auf. Er ging gern ins Gasthaus, weil sein Heim ihn ständig an Arbeit erinnerte.

Sie tranken Bocksbeutel, das Beste, was sich der Hutmacher leistete. Und außerdem hatte er geräucherten Fisch angerichtet, damit sie nicht zu schnell betrunken wurden.

Rafael Federl nahm den Würfelbecher, legte die drei hölzernen Würfel hinein und schüttelte ihn kräftig mit beiden Händen. Er begann eine neue Runde.

Gleich zu Anfang gelangen ihm eine 16 und eine 17, der dritte Wurf brachte keine Veränderung.

«Fast die halbe Miete, Raffel, wart nur ab, ich komme nach.»

Die Überraschungen bei diesem Spiel hielten sich in Grenzen, und darüber empfanden sie Genugtuung. Der kleine Zufall, die kleine Konkurrenz, die kleine Spannung, überschaubar und mit geringem Risiko. Selbst wenn sie um Geld würfelten, was sie meist am Beginn eines Abends ausmachten, konnte das Spiel nie zu Handgreiflichkeiten führen. Obwohl Seidenschwarz ein paarmal kleine Veränderungen der Regeln vorgeschlagen hatte: zum Beispiel, daß jemand, der drei Einsen warf, das Spiel unterbrechen und vom Gegner nur noch mit der dreifachen Sieben in den nächsten Würfen überboten werden konnte. Federl liebte das gar nicht. Er wollte Knöterich spielen wie immer.

«Es gäbe natürlich auch die Möglichkeit, daß ich erst herausfinde, wer die Rede haben will, verstehst du, Raffel, dann mit ihm rede und danach anfange zu formulieren. Aber ich schrecke davor zurück, jetzt fühle ich mich gut in der Sache, kann etwas zuwege bringen, grad über so einen wie Johannes Kepler.»

Federl nahm die Würfel und drehte sie so, daß alle mit der 6 nach oben lagen.

«Raffel, hier wird nicht gepfuscht. Das hast du nicht nötig, dir fehlt nur noch ein guter Wurf.»

Der Hutmacher packte die Würfel wieder ein und schüttelte den ledernen Becher.

Im nächsten Wurf gelang ihm nichts, und Seidenschwarz war wieder an der Reihe.

Einmal hatten sie versucht, in der Stammtischrunde eine Partie

Knöterich aufzulegen, hatten ausführlich erklärt, wie es ging. Der Lehrer machte gleich einen Verbesserungsvorschlag, es sei ausreichend, wenn jeder nur einmal werfe; der Schmied fand das Spiel entsetzlich aufregend, aber er war überhaupt keine Spielernatur; der Buchhändler schüttelte den Würfelbecher so lange, bis die anderen zu gähnen anfingen.

«Vielleicht hat der Bischof mir den Auftrag gegeben, es ist nicht wahrscheinlich, denn der hat ja seine Leute. Aber wenn er sich rühmen will und ganz im geheimen den Auftrag vergibt, das könnte schon sein, weil niemand darauf kommt, daß er einen Sozi beschäftigt. Das will ich noch versuchen.»

Der Hutmacher tippte mit dem rechten Zeigefinger auf die Würfel und ließ lauter Einsen erscheinen.

«Raffel, ist was? Du bist nicht bei der Sache. Wir spielen Knöterich, das ist was Ernstes.»

Fast ärgerlich nahm ihm Seidenschwarz die Würfel aus der Hand und legte sie in den Becher.

«Du bist dran. Und keine Spirenzchen!»

Die Stehlampe, die den großen Holztisch im Wohnzimmer beschien, gab fahles Licht, das Federls Gesicht sehr wächsern aussehen ließ.

Er zögerte.

«Nun komm schon, du stehst doch gut da!»

Arnold Seidenschwarz wußte nicht, was der Hutmacher wollte. Das war in den Jahren noch nie vorgekommen, daß Federl mitten in der Partie unterbrach. Stets war er es gewesen, der darauf drängte, daß zügig weitergespielt wurde, sonst ging die kleine Spannung verloren.

«Hast du keine Lust mehr?»

Rafael Federl nahm die Würfel aus dem Becher und legte zwei Einsen und eine Zwei.

«Gut, dann machen wir Schluß.» Er hatte verstanden.

Seidenschwarz zählte die Runden zusammen, rechnete die letzte Partie als nicht gespielt.

«Du hast trotzdem gewonnen. Mir fehlen zwei Runden.»

Er schenkte sich aus dem Bocksbeutel ein Glas ein und lehnte sich im Sessel zurück. Sie hatten drei Stunden gespielt, da konnten sie auch aufhören.

Er sah an die staubbedeckte Wand über dem Sofa, auf dem Federl saß, und sagte: «Ist schon ein schönes Spiel, Knöterich, was für ein guter Einfall, den ich damals hatte, du spielst es doch auch immer wieder gerne, Raffel...»

Der Hutmacher nahm die Würfel in die Hand und legte sie verändert wieder hin.

Seidenschwarz addierte: achtzehn. Achtzehn weiße Augen auf blauem Grund, die ihm antworteten.

«Ich hab ein neues Spiel ausgedacht, das wollen wir das nächste Mal ausprobieren: es heißt: Versager raus, mit vier Würfeln, zwei mal zwei Paare, die man miteinander kombinieren muß, und immer, wenn eine einzelne 5 dabei auftaucht, dann hat man verloren. Das sollten wir spielen, ist genauso spannend wie Knöterich...»

Der Hutmacher drehte die Würfel, so daß sie zusammen 5 ergaben.

Arnold Seidenschwarz spürte eine leise Freude, er lächelte seinem Freund zu. Er brauchte ihn nicht weiter auf die Probe zu stellen.

Vielleicht hat er wirklich die Sprache verloren, dachte Seidenschwarz.

«Wie wird das Wetter morgen?» fragte er Federl und sah ihn dabei an.

Der Hutmacher glühte vom Wein. Sein großkariertes Hemd, das er immer am Kragen geschlossen trug, hatte an den Ärmeln Säureflecken von der Filzbeize.

Seidenschwarz schob ihm die Würfel hin.

Der Hutmacher nahm sie einzeln in die Hand, drehte sie ein paarmal hin und her, um sie dann in den Becher zu legen.

Er schüttelte ihn und machte einen Wurf: 12 kam heraus.

Auf dem Nachhauseweg war der Himmel klar, die Sterne gut sichtbar.

Diesmal hatte Seidenschwarz keine Angst, sie zu betrachten.

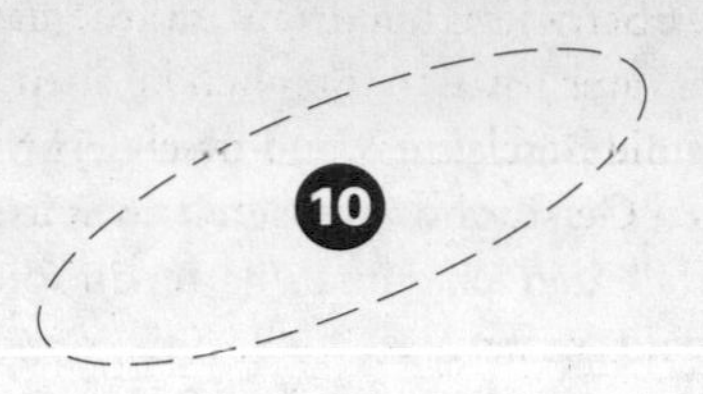

Die Wirklichkeit muß vernünftig sein, die Planeten umkreisen die Sonne harmonisch, die Musik ist geometrischer Wohlklang: nun war Seidenschwarz bei einem Werk Keplers, das ihm für Tage die Träume raubte: Harmonices mundi, das Weltgeheimnis, der Nachweis von Harmonien, die Weltformel: wie alles sich logisch zusammenfügt, die Schönheit von Dreiecken, Würfeln, Intervallen, Planetenabständen.

> «Jawohl, ich überlasse mich heiliger Raserei. Verzeiht ihr mir, so freue ich mich. Zürnt ihr mir, so ertrage ich es. Wohlan, ich werfe den Würfel und schreibe ein Buch für die Gegenwart oder die Nachwelt. Mir ist es gleich. Es mag hundert Jahre seines Lesers harren, hat doch auch Gott sechstausend Jahre auf den Beschauer gewartet.»

Planeten lassen sich als Tonintervalle darstellen, Kontrapunkte und Konjunktionen, mehrstimmige Musik, mit dem Verstand erfaßt, regelmäßige platonische Körper, und welche Planeten in den himmlischen Harmonien den Diskant, den Tenor oder den Baß vertreten, dafür gibt es ein Gesetz, heureka, ich hab es gefunden.

> «Danach richten die Handwerker den Schlag ihrer Hämmer, die Soldaten ihren Schritt. Alles lebt, solange die Harmonien dauern, alles erschlafft, wenn sie gestört sind.»

Seidenschwarz war erschöpft von der Lektüre und traute sich nicht zu, weiter dem nachzuforschen, was er nicht verstanden hatte. Da tauchten Schwierigkeiten auf, mathematische Probleme, die er mit seinem Vater hätte besprechen können, er spürte immer deutlicher, daß er die Beschränkung brauchte für seine Rede, nicht den Kepler, dessen Gebäude so hybride anwuchsen.

«Vergeblich grollt, murrt, brüllt der Kriegsgott und versucht mit seinen Bombarden, Trompeten und seinem ganzen Tatrata zu stören... Laßt uns das barbarische Getön verachten, das durch diese edlen Länder hallt, und unser Verständnis für die Harmonien und unser Sehnen wecken.»

So schrieb Johannes Kepler in seiner «Weltharmonik», die erschien, als der Dreißigjährige Krieg begann.

«Ich bin noch nicht recht entschlossen, Exzellenz, aber ich denke über einen derartigen Schritt nach.»

Arnold Seidenschwarz kreuzte seine Füße unter dem rotseidenen Polsterstuhl.

Der Bischof sah ihn prüfend an.

«Aber Sie wissen, daß ein Übertritt nicht rückgängig zu machen ist. Ich meine, die katholische Kirche ist eine große Mutter für uns alle, wir können uns bei ihr wohl fühlen und geborgen, sie liebt alle ihre Kinder, auch solche, die erst spät zu ihr finden. Oder gar solche, die aus einer anderen Religion abtrünnig werden, weil sie erkannt haben, daß der wahre Glaube...»

Ein Pater betrat den Audienzsaal, der Bischof unterbrach seine Ausführungen.

Sie unterhielten sich leise flüsternd.

Seidenschwarz hatte große Mühe gehabt, ein persönliches Gespräch mit dem Bischof zu erlangen. Immer war er von einem der drei Sekretäre abgewiesen worden. Jetzt saß er endlich diesem runden, von Kratern überzogenen Mondgesicht gegenüber, zwei schwarze Meere als Augenhöhlen. Sein schlichtes Rotweiß paßte gut in diesen mit goldenen Zierleisten, goldenen Bilderrahmen und goldenen Sitzmöbeln ausgestatteten Raum. Die Decke bemalt mit einer himmlischen Jagdszene: Jesus fischt Jünger.

«Nun wieder zu Ihnen, Herr Seidenschwarz», der Bischof knetete die Hände beim Sprechen, mal drückte die linke Hand die Finger der rechten, dann tauschten sie die Rollen. «Ich schließe aus der Tatsache, daß Sie nun schon zum dritten Mal vorstellig werden, wie dringend Ihr Wunsch ist, zum katholischen Glauben überzutreten. Aber, was ich noch nicht in Erfahrung bringen konnte, ist dies: Welches sind Ihre ganz privaten Beweggründe für die Konversion?»

Seidenschwarz hatte sich auf die Frage gründlich vorbereitet. Er sprach von Glaubensdingen, die ihn seit langem bewegten, von Zweifeln, die ihn nie zu einem überzeugten Juden hätten werden lassen.

«Sehen Sie», hob der Bischof mit seiner fistelnden Stimme an, «wir mögen solche Gläubigen nicht, die in schlechten Zeiten unter unser Dach kriechen, um sich hier zu verstecken. Mir ist keineswegs entgangen, was sich draußen tut. Da ist eine Stimmung gegen die Juden; nicht, daß Sie glauben, wir würden diese Stimmung verbreiten. Ganz gewiß nicht. Aber nun kommen auch solche Menschen aus Ihrem Glauben, Herr Seidenschwarz, und wollen sich verstecken. Schnell konvertieren, um keine Schwierigkeiten zu bekommen.»

Seidenschwarz wollte erfahren, ob der Bischof, wie Rabbi Blum für möglich hielt, der Auftraggeber für die Kepler-Rede war. Jetzt saß er mitten in einer Debatte und mußte seine Glaubensbrüder verteidigen. Seidenschwarz hielt dagegen, die Gründe, die er angeführt habe, seien ausschließlich privater Natur, und was die Stimmung gegen die Juden angehe, so müsse sich die katholische Kirche fragen, was sie unternehme, um die Angefeindeten zu unterstützen.

«Das lassen Sie unsere Sorge sein, Herr Seidenschwarz», der Bischof lehnte sich in dem hohen, goldenen Stuhl zurück, «ich habe Sie nach den Gründen für die Konversion gefragt, weil wir Erfahrungen haben. Sie kennen sicher diesen Schmieranten Heine, hat sich Heinrich genannt, hieß aber eigentlich ganz passend Harry. Der ist aus niederen Gründen zum christlichen Glauben übergetreten und hat später die Kirche verhöhnt in einer Weise, daß wir ihn hätten exkommunizieren müssen. Ich glaube, Sie verstehen, was ich sagen will. Ich reiche jedem die Hand, der offenen Herzens zu uns kommt. Jedem verlorenen Sohn, jeder verlorenen Tochter, aber niemandem, der aus Gründen, die außerhalb des Glaubens liegen, zu uns kommen will.»

Geminatio oder *Gradatio*, das ist hier die Frage, dachte Seidenschwarz, der Bischof beherrschte die rhetorischen Mittel.

«Wir müssen die Kirche schützen, sie ist eine mächtige Mutter, aber sie bedarf des Schutzes, sowie sie uns Schutz gibt. Wenn nun in diesen Zeiten eine Menge Juden hereingeströmt kommt, ich will damit gar nichts gegen Ihr Anliegen sagen, verehrter Herr Seidenschwarz, aber ich denke, Sie werden die Probleme ermessen können. Es werden kleine Inseln entstehen, kleine Zellen, und die können ansteckend sein, möglicherweise sogar krank.»

Seidenschwarz roch den Weihrauch, der in den Kleidern des Bischofs hing. Er hatte keine Lust, in diesem Audienzsaal über die Mutter und ihre mißratenen Kinder zu diskutieren, er spürte genau, wie diese Stimmung gegen den Jud längst seine Hochwürdigste Exzellenz ergriffen hatte. Der Papst Pius XI. hatte seinen Bischöfen diesen Titel verliehen, um ihnen mehr Glanz und Würde zu geben. Von diesem Titelträger wäre keine Hilfe zu erwarten.

«Werden Sie dieses Jahr auch über Kepler sprechen, Herr Bischof?»

«Wie kommen Sie nun darauf?»

Das rote Seidenkäppi verrutschte leicht auf der polierten Halbglatze.

«Ich dachte, das könnte eine schöne Aufgabe für Sie sein. Immerhin hat Johannes Kepler in diesem Jahr seinen dreihundertsten Todestag, und er ist lange von der katholischen Kirche verfolgt worden. Da wäre eine Revision aus berufenem Munde durchaus am Platze.»

Das runde Gesicht seiner Exzellenz lief erst rötlich, dann bläulich an.

«Was unterstehen Sie sich? Ich denke, wir sprechen über Glaubensfragen, und nun überfallen Sie mich mit Anschuldigungen.»

Der Bischof japste.

«Ich wollte nur wissen...»

Seidenschwarz amüsierte die Art, wie der Bischof sich echauffierte. Nun war sein Gesicht krebsrot, fast so rot wie sein Käppchen.

«Kepler war ein ganz besonderer Fall. Der wäre katholisch gewesen, wenn man ihn gelassen hätte. Aber er ist immer wieder bedrängt worden. Nicht von der Kirche. Von den Machthabern. Cuius regio eius religio. Wir haben ihn nicht verfolgt, das ist eine Verleumdung.»

Der Bischof erhob sich. Sein massiger Körper füllte den hinter ihm hängenden Bilderrahmen aus, verdeckte das Ölgemälde völlig.

«Die Kirche mußte sich mit den Lehren des Johannes Kepler auseinandersetzen, das hat sie getan, und ich bedaure es nur, daß er nicht die Chance hatte, zu seinem wahren Glauben zu finden.»

«Sie sprechen also nicht zu den Kepler-Feiern?»

Der Bischof fixierte ihn mit seinen schwarzen Meeren.

«Wann sollen diese Feiern sein? Man hat mich nicht informiert.» Er drückte auf die goldene Schelle, die in der Mitte des geschnitzten Tisches stand.

Sofort erschien der Pater, der schon einmal ihre Besprechung unterbrochen hatte.

«Wieso erfahre ich hier durch Zufall, daß wir in diesem Jahr den dreihundertsten Todestag von Kepler haben? Will man mich übergehen?» Seine Stimme war schrill.

Der Pater antwortete flüsternd, daß er darüber noch nichts gehört habe.

«Dann erkundigen Sie sich, Pater Josef, das muß böse Absicht sein, daß wir nicht benachrichtigt werden, wahrscheinlich will man mich umgehen. Diesem Dr. Hoppel wär das zuzutrauen.»

Der Pater schloß die hohe Tür, ganz sanft. Kein Geräusch. Der Parkettboden glänzte in der Abendsonne.

«Wo waren wir stehengeblieben?»

Der Bischof nahm wieder seinen Platz ein, sprach leise, als sei nichts geschehen, knüpfte an die Glaubensdiskussion an.

«Wir haben täglich solche Gläubigen, die mit dem Herrgott im

Streit liegen, die den rechten Weg verloren haben und nun auf der Suche sind. Oft denken sie, sie müßten sich selbst suchen, aber eigentlich suchen sie Gott. Und weil Gott überall ist, müssen sie auch sich selbst erst wiederfinden. Herr Seidenschwarz, was suchen Sie?»

Seidenschwarz sprach von der Unmöglichkeit, sich einen Gott vorzustellen, der alles erschaffen hat, benutzte seine Kenntnisse aus den Kepler-Studien und verwickelte den Bischof in einen wissenschaftlichen Disput.

Der Bischof hatte noch nie von Umlaufgeschwindigkeiten und Lichtjahren gehört, von Fixsternen oder Monden des Jupiters oder gar dem neuen Planeten Pluto, und immer, wenn Seidenschwarz merkte, daß er seine Exzellenz verblüfft hatte, fügte er hinzu: «Das ist es eben, was ich mir so schwer vorstellen kann, daß Gott das alles im einzelnen erschaffen hat.»

«Es mangelt am Glauben, Herr Seidenschwarz, da sind ja nur Zweifel in dem, worüber Sie sprechen. Das Geheimnis unserer katholischen Mutter besteht gerade darin, daß wir ihr vertrauen dürfen. Was sie getan hat, ist recht getan. Und darin liegt ja nun der wirkliche Glaube, daß wir nicht ins Grübeln geraten. Ich weiß, wie sehr die jüdische Religion zum Grübeln, zum Zweifeln anregt. Wenn ich an die Geschichte der jüdischen Philosophen denke, muß ich das bejahen; sie waren immer kritisch, zweifelnd, unsichere Kantonisten. Wenn diese Zweifel Sie plagen, dann kommen Sie zu uns. Konvertieren Sie!»

Seidenschwarz fand Gefallen an diesem Bischof, der sich über alle Widersprüche hinweg in seinem Glauben eingerichtet hatte. Es stimmte also, was Rabbi Blum sagte, er redet gerne, aber weiß nichts.

«Können Sie denn eine Gewißheit geben, daß mit dem Übertritt meine Zweifel beendet sind?»

Der Bischof legte seine schweren Arme auf den goldenen Tisch, der stabil genug war, um nicht ins Schwanken zu geraten.

«Gewißheit ist nicht vonnöten, sondern Glaube, Herr Seidenschwarz! Wozu ist es nütze, daß wir uns die Gedanken machen, die sich der Herrgott für uns gemacht hat? Die katholische Mutter lehrt uns, daß wir die Gnade empfangen, und das heißt auch, die Gnade der Unwissenheit. Wir dürfen glauben, wir dürfen die Augen verschließen und inbrünstig beten, dann werden wir erlöst. Dazu bedarf es keiner Gewißheit in wissenschaftlichen Fragen. Und darüber hinaus sehe ich nur streitende Parteien, die einen behaupten es so, die anderen gerade umgekehrt. Da finde ich den Trost schon eher im Glauben.»

Seidenschwarz erhob sich. «Ich werde darüber nachdenken, Exzellenz.»

«Nicht denken», erwiderte der Bischof, «beten, Herr Seidenschwarz, das sollte Ihre Losung sein!»

Der Privatdozent verließ das bischöfliche Sekretariat in Eile.

Er ging durch die Niedermünstergasse in den Domgarten und wallfahrtete zu jener Skulptur, die er gleich am ersten Tag in Regensburg entdeckt hatte.

An einem Strebepfeiler des Sankt-Peter-Doms stand ein steinernes Schwein, nach dessen Zitzen zwei Juden greifen, ein dritter Jude zieht es am Ohr. Alle drei tragen den Judenhut, damit man weiß, wer sie sind. Das Schwein ist der Teufel und seine Milch das Gift, das die Juden in sich aufnehmen. Ein Spottbild aus dem Mittelalter, wie Luther es schon beschrieben hatte: «Ein Sau in Stein gehauen, da liegen junge Ferkel und Juden drunter, die saugen, hinter der Sau steht ein Rabbiner.»

Seidenschwarz stand vor der Skulptur wie ein kleiner Junge, beinah andächtig.

Schon nach wenigen Augenblicken mußte Seidenschwarz den Blick senken, zurück zur Erde, dann in die gewohnte Perspektive, geradeaus. Wie oft war ihm dies in der letzten Zeit passiert, seit Frau Professor Röhrl ihm von diesen entsetzlichen Geschwindigkeiten gesprochen hatte, aber es gelang ihm nie, den Sternenhimmel zu betrachten und dabei das Tempo zu fühlen, mit dem sich die Erde bewegen sollte, da konnte er nicht ruhig bleiben, das versetzte ihm Herzklopfen, glühenden Kopf, seine rechte Hand fing an zu zittern, es schwindelte ihn, kosmische Angst nannte er diesen Schwindel, dieses Gefühl von rasender Bewegtheit, immer nachts, wenn es still war in der Kramgasse, kein Schritt mehr zu hören, die Lichter der Nachbarhäuser gelöscht, dann sah er aus dem Fenster den schmalen Ausschnitt des Himmels, die Sternbilder, die er inzwischen gut kannte und die ihm Vertrauen einflößten mit ihren seltsamen Geschichten. Um wieviel besser wäre es gewesen, er hätte nie davon erfahren!

Das Gutachten von Professor Jahn war kein Gewinn. Zwar wurde er gelobt, aber der Ton war moderat, nicht überschwenglich: ein guter Wissenschaftler, kein exzellenter, ein ehrenwerter Mann, kein akademisches Genie. Seidenschwarz wußte, daß dies eine neuerliche Bewerbung nicht gerade erleichtern würde, denn solche Gutachten waren wie Pässe, die wurden gelesen und befunden, selten kannte jemand aus der Kommission, die ihn berufen sollte, auch nur einen Aufsatz oder gar seine Habilitation, immerhin konnte er zufrieden sein, daß Professor Jahn nicht auch noch kleine Schlenker eingewoben hatte: So stand in einem Gutachten über einen Kollegen, er habe eine etwas hitzige Natur, was soviel bedeutete wie, aufgepaßt, wenn Sie diesen Mann berufen, dann bekommen Sie Streit ins Seminar.

Der Besuch seiner Mutter war ganz anders als erwartet. Sie warf ihm vor, er habe sich zu weit vorgewagt, die Politik sei im akademischen Betrieb nicht gefragt, das habe ihm doch schon sein Vater gesagt, so eine politische Aussage, die schade nur, und außerdem sei sie unwissenschaftlich, nicht exakt, ganz subjektiv, die Mutter, die er meist als Schatten ihres Mannes erlebt hatte, still, fürsorgend, immer bereit, den Launen zu folgen, hatte nun, Jahre nach dessen Tod, seine Rolle eingenommen, was wird wohl Tante Gertrud sagen, wenn sie erfährt, daß du ohne Anstellung bist, soll ich ihnen mitteilen, daß du hinausgeflogen bist, in hohem Bogen, und was soll denn wirklich aus dir werden? Arnold Seidenschwarz versuchte sich zu wehren, dagegenzuhalten, wollte die Mutter nicht verletzen, aber er wurde merklich kühler, bestimmter, schließlich sei er alt genug, um zu wissen, was er wolle, er glaube nicht, daß es seine politische Überzeugung gewesen sei, derentwegen er die Demission erhalten habe. Seine Mutter ließ sich nicht beruhigen,

Arnold sei ein Hitzkopf, ein unbedachter Mensch, dem politischer Aufruhr im Kopf herumspuke, das habe sein Vater auch immer gesagt, er habe sich stets die schlimmsten Sorgen um ihn gemacht. Sie kehrte schon nach einigen Stunden wieder zurück nach München, im Streit.

Es war die ungewohnte Freiheit, die ihn irritierte, dieses Bodenlose seines Auftrags: in ein paar Monaten eine Rede abliefern, wann und an wen, das war ganz gleich, nur eine Rede für ein schönes Stück Geld, wie lang und worüber, das war ganz allgemein, Kepler, eine Lobrede, nun gut! Jetzt war er ungebunden, konnte jeden Tag verschlafen, um nachts die Sterne zu besehen, die ihn nicht gerade mutiger machten, er war ganz frei, und das ließ ihm wenig Ruhe.

Ein Datum warf Arnold Seidenschwarz aus der Bahn, ein Lesefund, wie ein Beweis vom Gegenteil, den er lieber nicht erhalten hätte: Einen Tag nach Keplers Tod in Regensburg hatte es eine Mondfinsternis gegeben, die allgemein als Zeichen des Himmels verstanden wurde, daß nun der große Astronom dahingegangen sei, daß sich das Universum selbst an der Trauer um diesen Mann beteilige, Zufall oder nicht, wer konnte das sagen, aber Seidenschwarz, der immer weniger von dieser Ach-Gott-Astrologie wissen wollte, war plötzlich ganz zurück in seinen Gedanken, ganz konfus, warum mußte denn nur diese Mondfinsternis am Tag des Begräbnisses stattfinden, das verwirrt doch nur alles wieder, wirft Schatten, wo längst Licht gewesen war, er packte seine verstauten Astrologie-Zitate wieder aus und begann das Spiel von neuem, in der Hoffnung, nur noch Altbekanntes zu entdecken.

Weißen, nannte er es, weißen, wenn ihm alles zuviel wurde, die Fragen überhand nahmen, die Fragen, was wird denn werden, wenn ich keine neue Dozentur bekomme, was werde ich tun, wenn ich mich mit kleinen Aufträgen herumschlagen muß, was wird denn werden, wenn der Auftraggeber unzufrieden ist mit meiner Rede, vielleicht ist es ganz nützlich, daß ich nicht weiß, wer diese Rede halten will, was wird denn werden, bis zum Ruhestand sind es noch einige Jahre, dann weißte er, er schloß die Augen, ganz fest, stellte sich ein Bild vor, eine Landschaft, eine Person, den Rabbi oder Raffel, ein Gebäude, den Regensburger Dom, einen Fluß, meistens die Donau, und langsam, ganz langsam ließ er das Bild immer heller werden, immer weißer, immer greller, bis am Ende nur Weiß zu sehen war, eine ruhige, ausgeglichene weiße Fläche, nicht kalt, sondern weiß, dann konnte er sich fangen, spürte, wie das Blut, das ihm aus dem Gehirn entwichen war, zurückkehrte, wie die Angst, die ihn im Griff hatte, ein wenig kleiner wurde, wenn alles weiß war, hatte er das Gefühl, das Ende sei gekommen.

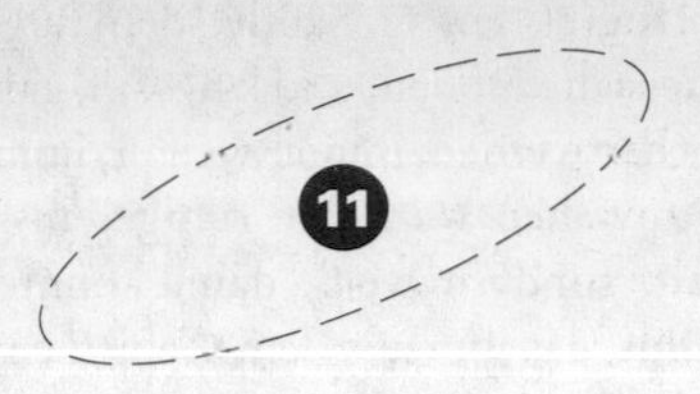

«Ruhe, verdammte Bande!» brüllte der Wirt. Und vorübergehend wurde es stiller.

Es war schon weit nach Mitternacht, und trotzdem standen die Gäste dichtgedrängt in der Bärenschenke. Der dicke Wirt drehte immer wieder an dem großen Knopf des Radios, um den Sender nachzustellen. Er wollte den Beginn des Kampfes nicht verpassen.

Seidenschwarz und die anderen Lügner saßen an ihrem Stammtisch. Eifersüchtig verweigerten sie jedem, der nicht zu ihnen gehörte, einen Sitz.

Nur Federl war nicht da.

«Macht nix», hatte der Wirt auf eine Nachfrage geknurrt, «der red' doch sowieso nicht mehr mit uns.»

Der Lehrer wäre längst zu Bett gegangen, wenn die anderen ihn nicht überredet hätten zu bleiben. Inzwischen war er betrunken.

Der Schmied hatte seinen Sonntagsanzug mit Senf bekleckert, die gelbliche Brühe hatte eine kleine Bahn auf dem Revers hinterlassen. Er saß geradeaus blickend da und wartete, daß der Kampf endlich losging.

Der Buchhändler sinnierte über die schlechten Geschäfte. «Ein paarmal schon haben Kunden dieses Machwerk vom Hitler verlangt, einer hat mir sogar gedroht, wenn ich es nicht besorgen würde, aber so weit bin ich noch nicht heruntergekommen.»

Da würde er lieber wieder als Kolporteur mit Magazinen und Büchern über die Dörfer ziehen. Überhaupt sei das die beste Zeit in seinem Leben gewesen, als er mit einer Kiepe voller Lektüre über Land gegangen sei.

Aus dem Empfänger war nur Rauschen zu hören.

Der Wirt griff nach dem Knopf, verfluchte die neue Technik, versuchte es aber hartnäckig weiter.

In der Zeitung war angekündigt worden, jeder Radiobesitzer könnte an dem Ereignis teilhaben.

Auch der Ehrensperger Ludwig stand an der Theke. Er hatte gleich bei seinem Eintreten Seidenschwarz entdeckt.

Der Buchhändler brachte einen Toast aus: «Vielleicht haben wir noch dreißig Jahr zu leben, wär doch schön. Darauf trinke ich.»

«Wie kommst du auf dreißig Jahre?» fragte der Lehrer. «Dann hätt ich ja nur fünf Jahre was von meiner Pension, das ist zuwenig.» Er leerte sein Glas.

«Du bist dran», sagte der Schmied.

Seidenschwarz bestellte die nächste Runde. Nochmals das gleiche für alle.

Der Wirt schwitzte.

Er hatte so viel zu tun wie noch nie, solange es den Stammtisch der Lügner gab, obendrein lief er immer wieder zum Empfänger. Da fährt ein deutscher Boxer in die Vereinigten Staaten und boxt um die Weltmeisterschaft gegen einen Mann namens Sharkey, und jeder kann dabeisein. Aber die Gäste in der Bärenschenke hatten einen schlechten Empfang. Dafür tranken sie um so mehr.

Arnold Seidenschwarz hatte den ganzen Nachmitag in Professor Röhrls Fundstück geblättert. Keplers Traum vom Mond, was für eine wunderbare Mischung aus Kenntnissen und Phantasie, bevor noch Cyrano de Bergerac oder Jules Vernes ihre Leser auf die Reise schickten. Kepler ließ Raum für die Gedanken und Wünsche, dennoch schrieb er auch alles hinein, was er wußte. Seidenschwarz hatte einen kleinen Brief an Frau Röhrl verfaßt, in dem er sich für diesen Hinweis bedankte.

«Er hat gewonnen. Er ist Meister aller Klassen. Sharkey ist k. o. Er ist Weltmeister.»

Die Stimme des Wirtes ließ alle Gespräche verstummen. Den Kampf hatte man zwar nicht mitbekommen, aber der Nachrichtensprecher aus Berlin wußte Bescheid.

«Deutschland, Deutschland über alles...» Alle sangen mit.

Auch die am Stammtisch stimmten ein, der Lehrer mit tiefer Baßstimme, der Buchhändler in larmoyantem Tenor, der Schmied röhrte ein wenig, weil ihm außer der ersten Zeile kein weiterer Text einfiel, und Seidenschwarz, der mittendrin aufhörte.

«Freibier für alle», rief der Wirt, nachdem der Gesang beendet war. Auch das hatte es noch nie in der Bärenschenke gegeben. Aus dem Empfänger drang Tanzmusik ins Lokal. Obwohl keine Frauen anwesend waren, begann der Tanz, ein schwerfälliges Stampfen.

Der Ehrensperger Ludwig kam und setzte sich neben Seidenschwarz. Er mokierte sich über die Begeisterung und hatte seinen Spott schon in Verse gekleidet.

Wir sind wie neu geboren,
können im Glück uns sonnen,
der Weltkrieg ging verloren,
doch der Titel ist gewonnen.

Seidenschwarz klatschte, bat um Ruhe, damit der Schnellreimer der Sozialdemokraten von allen gehört werde. «Es geht doch noch weiter», sagte Ehrensperger:

Laßt den Kopf uns höher tragen,
Deutschlands Ansehn lag darnieder,
durch den Haken in den Magen
haben wir die Ehre wieder.

«Großartig, Luggi, wirklich, du bist der Schnellste», Seidenschwarz stand auf, er schwankte ein wenig. «Ruhe, Ruhe, der Luggi will was aufsagen.»

Ehrensperger zog ihn wieder auf den Sitz: «Bist du verrückt, die verprügeln mich, wenn ich so spotte. Laß sein, das ist nur für dich aufgesagt. Bitte!»

«Ach Quatsch, wenn was so schön gereimt ist, dann müssen es auch alle hören.» Der Privatdozent klatschte in die Hände: «Ruhe, ich will eine Rede halten.» Er rief mit lauter Stimme.

Aber so sehr er sich auch anstrengte, da war kein Durchkommen.

Ganz heiser gab er es auf.

Am 1. Juli wollte er mit einer Apfelsine und zehn Eiern das Sonnensystem nachstellen. Zwei Briefe brachten ihm den Tag durcheinander.

«Herrn Doktor Arnold Seidenschwarz» stand mit geschnörkelten Buchstaben auf dem bläulichen Umschlag, der als Absender nur «B. M.» angab. Der Inhalt war erfreulich: zehn neue Hundertmarkscheine, glattgebügelt oder frisch aus der Presse. Sorgsam untersuchte er den vornehmen Briefumschlag, aber es fand sich weder ein Gruß noch ein anderer Hinweis auf den Absender. Immerhin, die Zusage war eingehalten, und die Zahlung traf pünktlich ein. Da der Brief keine Marke trug, hatte offenbar Berthold Müller ihn persönlich in den Kasten geworfen. Warum ist er nicht zu mir nach oben gekommen, dachte er, so beschwerlich ist die Stiege nicht, er hätte sich nach dem Fortgang der Arbeit erkundigen können, oder danach, wie ich die Rede anfangen will.

Es war ihm, seit er Keplers Traum entdeckt hatte, von Tag zu Tag besser gegangen, er spürte, wie wichtig Frau Professor Röhrls Fundstück für seine Rede werden konnte. Wie dies posthume Werk all das umspannte, was er über Kepler sagen wollte! Vielleicht wird es doch noch meine Rede. Schade nur, daß ich sie nicht halten kann. Vielleicht ist es gut, daß Müller nicht heraufgekommen ist, er hätte mich aus dem Konzept bringen können.

Der andere Brief hatte einen braunen Umschlag, korrekt stand dort sein Name mit Titel, auch wenn die Kramgasse falsch geschrieben war. Ausgerechnet der aufmüpfige Fuchsmajor aus seinem Oberseminar schrieb ihm: «Es ist mir zu Ohren gekommen, und ich will Ihnen das gleich weiterleiten, was der Grund für Ihre Demission gewesen ist. Seine Magnifizenz, der Rektor, ist ein alter Herr meiner Borussia, und auf dem letzten Kommers gab er einige Getränke. Ich stand in seiner Nähe, als er sagte, die Räumung von jüdischem Personal ist ganz gut gelungen. Es gab keine komplizierten Fälle. Ich wollte Ihnen das nur mitteilen, damit Sie wissen, woran Sie sind. Mit vorzüglichster Hochachtung...»

Seidenschwarz konnte es nicht glauben, daß sein ärgster Widersacher aus dem Oberseminar ihm mit dieser Nachricht einen Gefallen tun wollte. Aber es war auch kein hämischer Brief, obgleich die Formulierung, damit Sie wissen, woran Sie sind, wie eine Bosheit klang. Er begann den Brief nach rhetorischen Figuren aufzuschlüsseln, fand aber kein signifikantes Material und damit auch keinen Hinweis auf die Absicht des Schreibers. Hat Rabbi Blum recht behalten, dachte er. Ich wollte es nicht wahrhaben. Er faltete das linierte Papier, steckte es in den Umschlag und legte ihn auf seinen Schreibtisch. Die beiden Umschläge waren genau gleich groß. Einer bläulich, der andere hellbraun. Als hätten sie sich bei ihm verabredet.

Seidenschwarz rollte den Teppichläufer zusammen.

Es staubte ein wenig. Er schob die Stühle aus dem Arbeitsraum nebeneinander, so daß er die ganze Fläche des Fußbodens nutzen konnte. Als Planeten hätte er auch Pingpong-Bälle nehmen können, aber die rollten hin und her. Außerdem konnte er die Eier später essen. Mit einem dicken Bleistift markierte er Buchstaben auf die Schalen. Die Apfelsine in der Mitte brauchte keine Kennzeichnung. Es würde nicht genau maßstabsgerecht sein, aber er bemühte sich in kleinen Rechnungen, einigermaßen richtige Abstände zu finden.

Die Erde war einen Meter von der Sonne entfernt. Schon bei Jupiter reichte sein Zimmer nicht mehr aus, und er baute das ganze Modell von seinem Schlafraum her neu auf. Saturn lag neben dem Schreibtisch, neun Meter entfernt. Das Mond-Ei war nur wenige Zentimeter neben dem Erd-Ei, der Abstand reichte gerade aus, damit beide sich drehen ließen.

Wenn Kepler in seinem Traum untersuchen wollte, wie die Mondbewohner das Auf- und Untergehen der Erde, er nannte sie Volva, die sich Drehende, erlebten, mußte er sich einen Beobachter auf diesem Ei vorstellen. Seidenschwarz malte einen kleinen Punkt auf das Ei und begann die beiden zu drehen, sowohl um sich selbst und als auch umeinander. Die Apfelsine lag im Schlafzimmer, neben dem Bett, und Seidenschwarz mußte sich anstrengen, sich auch noch die Bewegung um die Apfelsine vorzustellen. Er wollte ergründen, warum, wie Kepler schrieb, für einen Teil des Mondes 14 Tage hintereinander die Sonne nicht zu sehen ist, warum Tag und Nacht zusammen etwa einen irdischen Monat ausmachen. Wenn der Mond in 28 Tagen sich einmal um die eigene Achse dreht, dann wird er die Hälfte der Zeit von der Sonne beschienen. Soviel verstand er.

Was er nicht verstand, war die Tatsache, daß der Mond gegenüber der Erde immer die gleiche Seite zeigte. Er kannte zwar die Begründung, wußte, daß die Rotationszeit die gleiche Periode wie die Umlaufzeit um die Erde hatte, aber wie er sein Modell auch drehte, er konnte es nicht begreifen. Mal drehte er schnell, dann wieder ganz langsam, dann nahm er zwei Äpfel und ließ sie umeinander kreisen, nachdem er sie an Fäden aufgehängt hatte.

Dann glaubte er, daß es einfach nicht stimmte, daß der Mond immer nur die eine Seite der Erde zuwandte. Wenn sich ein Körper dreht, dachte er, dann wird man ihn auch von allen Seiten zu sehen kriegen. Er nahm das feuerrote Buch von Flammarion zu Hilfe, las, was der französische Astronom schrieb: ‹Jedermann weiß in der Tat, daß wir stets nur dieselbe Seite sehen und daß es eine andere Seite am Mondkörper gibt, welche kein Mensch je gesehen hat noch sehen wird. Indem er um die Erde kreist, zeigt unser Satellit uns beständig die gleiche Hälfte, als ob er durch ein starkes Band an die Erde gefesselt wäre. Er vollzieht langsam eine Drehung um sich selbst während seiner Reise, da, wenn er bei den Antipoden vorbeizieht, seine Stellung diametral entgegengesetzt ist derjenigen des Ausgangspunktes, so wie unsere Antipoden eine der unsrigen ganz entgegengesetzte Stellung haben. Der Mond vollzieht eine Drehung um sich selbst genau in der Zeit, da er seinen Umlauf ausführt. Wenn anders er sich nicht um sich selbst drehte, wenn er unter Beibehaltung seiner absoluten Lage um uns kreiste, so würden wir nach und nach während seines Umlaufes alle Teile seiner Oberfläche sehen.»

So oft Arnold Seidenschwarz diese Sätze las, er konnte sich nicht vorstellen, daß der Mond wie festgenagelt mit einer Seite die

Erde ansah und sich dennoch drehte. Ganz erschöpft sammelte er gegen Abend die Planeteneier wieder ein und aß hastig die Sonne.

Der Karmelitensaal war mit roten Fahnen geschmückt, das Grünzeug neben dem Rednerpult war diesmal eher spärlich. Die Kapelle hatte schon «Brüder, zur Sonne, zur Freiheit» intoniert, und die Mitglieder der verschiedenen Gliederungen der SPD hatten stehend die Hymne gesungen.

Seidenschwarz saß in der ersten Reihe. Er war gespannt, wie seine Ansprache aufgenommen wurde, am liebsten hätte er doch selbst geredet, aber Ehrensperger hatte einen Gymnasialprofessor dafür ausgewählt, dem man die Aufgabe nicht wieder entziehen konnte. Immerhin war der Lehrer ein verdientes Mitglied der Partei. Alle seine Briefe trugen im Kopf den Satz: «Der Krieg ist ein Verbrechen!!!»

Von den rund tausend Regensburger SPD-Mitgliedern war ein Drittel erschienen, dazu Genossen aus der Freien Turnerschaft, dem Volkschor, der nach der Ansprache zwei Lieder zu Gehör bringen sollte, der Radfahrvereinigung und dem Schachbund. Der Bezirkssekretär, der dem Reichsbanner Schwarz-Rot-Gold angehörte, sprach die Einleitung und gab dann dem Professor das Wort.

Seidenschwarz bekam feuchte Hände.

Was für ein seltsames Gefühl! Der spricht jetzt gleich, was ich geschrieben habe. Natürlich würde das Publikum davon nichts erfahren, nur wenige wußten, daß Seidenschwarz diese Ansprache formuliert hatte.

Der Professor erhob sich, ging zum Pult. Nahm einen Schluck Wasser und blätterte das Manuskript auf.

Wie das Aufflackern einer Kerze, so schob sich eine Bilderfolge in Seidenschwarz' Kopf: Der Redner kann nicht sprechen, er bekommt keinen Satz heraus, würgt an Buchstaben, nimmt neuen Anlauf, trinkt einen weiteren Schluck Wasser, um die Stimme freizubekommen, läuft rot an, glüht auf, verlischt hinterm Podium.

Gerade zehn Minuten hatte der Professor gesprochen, als er seine Rede abbrechen mußte. Er hatte die *Präliminatio* verlesen, die Steigerung zum Hauptthema der Rede, von Seidenschwarz bewußt einfach formuliert.

Mit Sieg-Heil-Gebrüll drangen hundert Braunhemden in den Saal, Marschtritt.

Mit langen Hölzern schlugen sie auf die hinten sitzenden Zuhörer ein.

Pack!

Pöbel!

Gesindel!

Sozi-Schweine!

Kommunistische Huren!

Verlauste Marxistensäcke!

Sie brüllten, als müßten sie sich Mut machen.

Die Keilerei schob sich immer schneller von den hinteren Reihen nach vorne. Die Musiker packten ihre Instrumente ein. Der erste Trompeter eilte von der Bühne zum Ausgang, andere warfen sich ins Getümmel.

Seidenschwarz dachte an seine Konstitution, schon ein Schlag würde genügen, um ihn von den Beinen zu holen.

Aber zwanzig Sekunden später war dies keine Frage mehr. Denn da holte ein Braunhemd zum Schlag gegen ihn aus, er duckte sich und trat dem Mann zwischen die Beine.

Am besten kleinmachen, dachte er, lieber etwas vorsichtig sein.

Mit einem Sprung rettete er sich hinter das Rednerpult, verbarg sich eine Zeitlang hinter dem Holz und spähte durch ein Astloch. Aber auch da wurde er entdeckt.

Der Gymnasialprofessor lag blutend am Boden. Die Saalordner kümmerten sich um ihn.

Dann plötzlich ein Pfiff.

«Abrücken!»

Kurze Zeit darauf war keiner von den Braunhemden mehr zu sehen, auch ihre Verletzten hatten sie abtransportiert.

Der Saal sah aus, als hätte eine Bombe eingeschlagen.

Die Fahnen waren heruntergerissen, die Grünpflanzen umgekippt, zertrümmerte Stuhlreihen lagen herum.

Die meisten Zuhörer drängten nach draußen.

Einige setzten den Nazis nach.

Seidenschwarz sah, daß an seiner dünnen Jacke alle Knöpfe fehlten, sonst war er ohne Blessuren davongekommen.

«Das wird ein Wahlkampf werden», rief jemand aus der Menge, «Prügel statt Argumente.»

Auf dem Nachhauseweg fand Seidenschwarz seine Fassung wieder. Immerhin mußte jeder einsehen, wo die wirklichen Feinde standen. Es war schade um die nicht gehaltene Ansprache, aber man könnte sie auf anderen Versammlungen halten, die SPD war froh über jeden, der sich an der Agitation beteiligte.

Einmal drehte er sich um, weil er glaubte, daß ihm jemand folge. Dann tat er es als Hirngespinst ab.

Wenn ich weiter so gut mit meiner Traum-Rede zurechtkomme, dachte er, werde ich bald fertig sein. Ich brauche Berthold Müller nichts davon zu sagen, die nächsten Monate muß er mir noch bezahlen.

Er bog am Dom ab und gelangte in die Kramgasse.

Die Haustür stand offen.

Hatte die Meiersche mal wieder nicht aufgepaßt, sonst schloß sie jeden Abend um acht die Tür ab. Ein großes Schild ermahnte die Bewohner, es ihr gleichzutun.

Als er im dritten Stock angekommen war, erschrak er.

Frische Farbe klebte an seiner Tür.

Der gelbe Judenstern.

Auf dem Boden ein Zettel voller Hakenkreuze, daneben in ungelenker Schrift: «Wir kriegen dich, du Judensau! Juda verrecke!»

Seidenschwarz hob den Zettel auf.

Schon war er mit der Jacke an die gelbe Farbe gekommen.

Der Fleck würde bleiben.

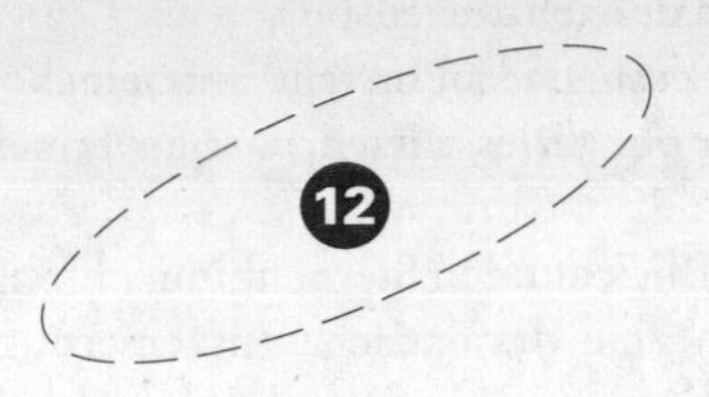

«Jetzt zeige ich Ihnen Kepler.»
Frau Professor Röhrl verließ ihren Platz. Seidenschwarz rieb sich die Augen, bevor er ins Okular blickte. Er mußte sich geraderücken, das große Universum mit seinen hellen Himmelskörpern im tiefen Dunkel ließ seine kosmischen Schwindel aufkommen. Er wußte nicht, wie er diese Nacht überstehen sollte.

Er sah auf dem Mond einen Krater, im gleißenden Sonnenlicht reflektiert, harte Schatten.

«Man hat ihm einen bescheidenen Platz eingeräumt, im Oceanus procellarum, nicht weit vom Krater Kopernikus entfernt, der ein Vielfaches von seinem Umfang hat. Rechts daneben.»

«Wir sehen immer nur die eine Seite des Mondes», sagte Seidenschwarz, ohne das Auge vom Okular zu nehmen.

«Herr Doktor, Sie erstaunen mich», ihre Stimme wurde ein wenig heller, der Mund zugespitzt: «Wissen Sie denn auch warum das so ist?»

Seidenschwarz zögerte, dann behauptete er mit sicherer Stimme, das wisse er schon lange.

Sie hatte ihn in der Kramgasse besucht, ihn aus seinen Studien über die Geschichte von «Keplers Traum vom Mond» herausgeholt, hatte ihm bedeutet, daß ein Blick in den nächtlichen Sternenhimmel unabdingbar sei für eine Rede, der sonst jegliches astronomische Temperament fehlen werde. «Sie werden nachher anders über Ihren Kepler denken», hatte sie ihm versprochen.

Auf dem Weg zur Sternwarte grübelte Seidenschwarz, woher ihr Interesse an seiner Arbeit rührte.

Frau Professor Röhrl sprach erbost von ihrem Kollegen Archenhold, der statt nach Regensburg nach Leipzig gereist war, er habe nicht den geringsten Hinweis auf sein Vorhaben gegeben. «Ich würde nur zu gerne wissen, warum er sich immer wieder ankündigt.»

Sie hatte den Blick auf den Sternenhimmel freigegeben, als handele es sich um eine dramatische Inszenierung. Seidenschwarz mußte sogar die Augen schließen, als sie die hölzerne Kuppel der Sternwarte öffnete. Wie in einer Prüfung mußte er Sternbilder zeigen, er wußte, wo Wagen und Giraffe waren, Cassopeia und Leier. Sie tat sehr erstaunt. Dann sprach sie von Mythen, erzählte Sterngeschichten, bewegte das Fernrohr mittels verschiedener Vorrichtungen und ließ ihren Besucher hindurchsehen, wenn sie die Position justiert hatte.

«Ständig von Wolken bedeckt, dennoch ein schöner Anblick, Herr Doktor. Die Griechen gaben der Venus zwei Namen, am Morgenhimmel heißt sie Phospherus und am Abend Hesperus. Die Venus dreht sich anders herum, dort geht die Sonne im Westen auf und im Osten unter. Manchmal kann man ein schwaches, veränderliches Leuchten beobachten, das man ‹Aschenlicht› nennt. Man weiß jedoch nichts darüber, wie es entsteht.»

Mit einem Mal schwoll sein Glied an.

Heftig.

Er wußte, daß er errötete, war froh, daß im Dunkel diese Peinlichkeit versteckt blieb.

Die Ausbeulung an der dünnen Hose.

Seidenschwarz sah zur Seite.

«Wollen Sie nicht hindurchsehen?» fragte Frau Professor Röhrl.

«Doch, doch», antwortete er eilig, er rutschte auf den Holzschemel, spürte die Wärme ihres Körpers auf dem Sitz.

Er sah auf den Planeten und dachte die ganze Zeit, wie er bloß diese Erektion loswerden konnte.

Einige Male war es ihm mißlungen, mit einer Frau zu schlafen, weil seine körperliche Konstitution nicht danach war. Eine Medizinstudentin, der er lange den Hof gemacht hatte, riet ihm, erst mal seinen Kreislauf in Ordnung zu bringen.

«Sie sind so schweigsam, Herr Doktor, gleichsam unbeeindruckt. Eigentlich ganz selten für meine sonstigen Besucher!»

«Nein, ich...», Seidenschwarz blickte starr ins Okular, «ich versuche etwas zu erkennen.»

Es mußte doch einen Weg geben! Aber je mehr er sich darauf konzentrierte, desto steifer wurde das Glied.

Frau Professor Röhrl sprach über Sternschnuppen, vielleicht hätten sie ja das Glück, an diesem Abend einige zu sehen. «August ist der beste Monat, aber auch im Juli bei klarer Nacht...», sie unterbrach sich, «wollen Sie die Venus gar nicht mehr aus den Augen lassen?»

Seidenschwarz hob den Kopf. Ich muß wie ein Krebs aussehen, dachte er. Dann sprang er vom Hocker.

«In Rußland gibt es eine Legende, daß die fallenden Sterne Teufel sind, die guten Engeln gleichen wollen. Sie steigen auf, um der Welt zu leuchten, dann stürzen die richtigen Engel sie mit vereinten Kräften hinunter. Wenn ein Mensch an eine Stelle tritt, wo eine Sternschnuppe gefallen ist, soll er an Schwindsucht erkranken. Deswegen sagen die Russen schnell Amen, bevor der Stern erloschen ist.»

«Aberglauben, nicht wahr!» warf Seidenschwarz ein, der mit der rechten Hand in die Hosentasche gefahren war und sein Glied nach unten zu drücken versuchte.

«Ja, schon Aberglauben, aber es sind vorläufige Versuche, etwas zu erklären. Die Märchen bestimmen den Kosmos. Wir sollten sie nicht einfach abtun, sonst verlieren wir zuviel Schönes.»

Seidenschwarz forderte sie auf, weiter zu erzählen, wollte nicht, daß eine Pause entstand in dieser nächtlichen Unterrichtsstunde, sie konnte ihn belehren, soviel sie wollte, wenn sie nur diese Peinlichkeit nicht bemerkte.

«Sind Sie noch oben, Frau Professor?» rief eine männliche Stimme.

«Der Kustos», sagte sie leise und antwortete dann lauter: «Ja, ich habe noch einige Stunden zu tun, Sie können schon nach Hause gehen, Herr Barthel.»

«Gute Nacht», kam es von unten herauf.

Einige Stunden, dachte Seidenschwarz, und ihm wurde ganz mulmig. Er war so beschäftigt mit seinem aufständischen Körperteil, daß ihn das schwarze Universum im Moment nicht schreckte. Es setzte kein kosmischer Schwindel ein, keine Angst vor der rasenden Bewegtheit. Er konnte den Anblick ertragen.

«Herr Doktor, was kann ich Ihnen sonst noch zeigen?» ihre Stimme hallte ein wenig in der Kuppel nach.

Ich wüßte, was sie mir zeigen könnte, dachte er, aber er sagte: «Fahren Sie ruhig fort mit den Himmelsmärchen, ich höre sie gerne.»

Er sah, wie sie mit spitzen Fingern an der Okularschraube drehte. Auch das erregte ihn.

Sie bewegte das Linsenfernrohr, um es auf Andromeda zu richten.

> «Fünfzigtausend deutsche Meilen weit im Aether liegt die Insel Levania. Der Weg zu ihr von der Erde und zurück steht sehr selten offen. Unserm Geschlecht ist er zwar dann leicht zugänglich, allein für den Erdgeborenen, der die Reise machen wollte, sehr schwierig und mit höchster Lebensgefahr verbunden. Keinen von sitzender Lebensart, keinen Wohlbeleibten, keinen Wollüstling nehmen wir zu Begleitern, sondern wir wählen solche, die ihr Leben im eifrigen Gebrauch der Jagdpferde verbringen oder die häufig zu Schiff Indien besuchen und gewohnt sind, ihren Unterhalt mit Zwieback, Knoblauch und gedörrtem Fisch und anderen von Schlemmern verabscheuten Speisen zu fristen. Besonders geeignet für uns sind ausgemergelte alte Weiber, die sich von jeher darauf verstanden, nächtlicherweise auf Böcken, Gabeln und schäbigen Mänteln reitend, unendliche Räume auf der Erde zu durcheilen. Aus Deutschland sind keine Männer geeignet, aber die dürren Leiber der Spanier weisen wir nicht zurück.
> Der ganze Weg, so lang er ist, wird in einer Zeit von höchstens vier Stunden zurückgelegt. Die Anfangsbewegung ist das schlimmste, denn man wird gerade so emporgeschleudert, als wenn man durch die Kraft des Pulvers gesprengt über Berge

und Meere dahin flöge. Deshalb muß man zuvor durch Opiate betäubt und die Glieder sorgfältig verwahrt werden, damit sie einem nicht vom Leib gerissen werden, vielmehr die Gewalt des Rückschlages in den einzelnen Körperteilen verteilt bleibt. Sodann treffen den Mondreisenden neue Schwierigkeiten: ungeheure Kälte sowie Atemnot; gegen jene schützt uns angeborene Kraft, gegen diese ein vor Nase und Mund gehaltener feuchter Schwamm. Wenn der erste Teil des Weges zurückgelegt ist, wird uns die Reise leichter. Gewöhnlich klagen die Menschen, wenn sie aus der Betäubung erwachen, über große Mattigkeit in allen Gliedern, von der sie sich erst ganz allmählich wieder erholen können, so daß sie imstande sind zu gehen.»

Sie blickten sich an, lange, ausdauernd, traten ins stumme Gespräch, ließen sich nicht aus den Augen. Immer wenn Seidenschwarz das kleine Männchen mit Zipfelmütze betrachtete, versuchte er, dessen Gedanken zu lesen.

Auf dem Frontispiz der «Rudolphinischen Tafeln» war dieses Bildnis Keplers, der mißtrauisch den Betrachter anschaut, sorgenvoll, mürrisch, verstohlen, verschüchtert, der Blick wechselte, der Anblick auch.

Seidenschwarz wollte das Zahlenspiel lösen, das Kepler mit seinen Händen fast verdeckte: 820138, was konnte das sein? Es begann und endete mit 8, im ersten Teil verringerte sich die Zahl, im zweiten stieg sie wieder an. Die 2 kam mehrfach in der Abfolge vor, denn 1 plus 2 war 3, 3 plus 3 plus 2 war 8. Vielleicht verdeckte Kepler aber auch noch weitere Zahlen? Seidenschwarz ergänzte die möglichen Abfolgen. Oder waren die Zahlen purer Zufall? Daran glaubte er am wenigsten.

Kepler arbeitete bei Kerzenlicht, die Feder über das Tintenfaß gelegt, auf dem Tisch ein paar Taler, die der kaiserliche Adler aus dem Schnabel fallen ließ. Fünf Taler. Am Ende hatte der Kaiser genau 11 817 Gulden zuwenig an seinen Hofmathematikus ausgezahlt. Seidenschwarz wußte, warum Kepler so mürrisch dreinblickte, so verbittert. Er las die Gedanken des Astronomen, dessen

Wahlspruch war: O curas hominum, o quantum est in rebus inane – O Sorgen der Welt, wieviel in allem ist doch eitel!

Nach dem Besuch auf der Sternwarte machte Seidenschwarz große Fortschritte, gar nicht so sehr, weil er nun eigene Anschauung hatte, sondern weil er spürte, daß die Beschränkung auf das eine seltene Werk Keplers ihm die Möglichkeit bot, die er gesucht hatte. Ein Thema für eine Festrede.

Er sprach mit Frau Röhrl auf dem Nachhauseweg über seinen Plan, Keplers «Traum vom Mond» als Gegenstand für seine Rede zu nehmen, und erfuhr dabei, daß sie den Text nur überflogen hatte, gar keine genaue Kenntnis von ihm besaß. «Ich wollte Ihnen dieses Buch so schnell wie möglich zukommen lassen.»

Das klang entschuldigend und war als Ausrede gemeint, und doch, als sie es gesagt hatte, glaubte Seidenschwarz, daß sie zum ersten Mal gelächelt hatte. Er mußte seine Beschreibung, die mit a begann, ändern.

Es konnte aber auch sein, daß Keplers mürrischer Blick daher kam, daß die Erben Tycho de Brahes ein Vorwort zu den «Rudolphinischen Tafeln» geschrieben hatten, in dem sie sich selbst als Inauguratoren des von Kepler so mühsam errechneten Tafelwerks bezeichneten.

Der Astronom stellte in seinem Vorwort fest: «Ich aber, erhabenster Kaiser, was soll ich sagen, nachdem die Widmung des Werkes, an dem ich mich 26 Jahre lang abgemüht habe, an Eure Majestät bereits vollzogen ist? Ich gleiche einem Mann, der in einem fremden Schiff fährt und daher genötigt ist, an Land zu gehen, wo das Schiff eben anlegt.» Wenn Seidenschwarz dem Kepler ins Gesicht sah, wenn er ihn leise ansprach, geliebter Johannes, dann fiel ihm ein, daß er gut für seine Arbeit bezahlt wurde, so gut wie Kepler sein Leben lang nicht.

«Die Nacht der Privolvaner ist 15–16 Tage lang, von erschreckender Finsternis, ähnlich wie sie bei uns an mondlosen Winternächten herrscht, denn sie wird nie von den Strahlen der Volva erleuchtet. Daher starrt Alles von Eis und Schnee unter eisigen wütenden Winden. Dann folgt ein Tag, nicht ganz

14 unserer Tage lang, während welchem unaufhörlich eine vergrößerte und nur langsam von der Stelle rückende Sonne herniederglüht, deren sengende Wirkung durch keine Winde gemildert wird. Dadurch entsteht auf jeder der uns abgewandten Halbkugeln während der Zeit eines unserer Monate, d. h. eines Levania-Tages (Mondtages) einmal eine unerträgliche Hitze, wohl fünfzehnmal so glühend, wie die in unserm Afrika, und dann wieder eine Kälte, unerträglicher als wie irgendwo auf Erden.

Für die Mondbewohner steht die Volva fest, wie mit einem Nagel an den Himmel geheftet, unbeweglich am selben Ort. Im großen ganzen scheint die Volva zwei Hälften zu haben, eine dunklere und gewissermaßen mit zusammenhängenden Flecken bedeckte und eine etwas hellere. Die Gestalt der Flekken ist sehr schwer zu beschreiben, jedoch erkennt man in dem östlichen Teil das Bild eines bis an die Achseln abgeschnittenen Kopfes, dem sich ein Mädchen in langem Gewande zum Kusse hinneigt, mit dem nach rückwärts lang ausgestreckten Arm eine heranspringende Katze anlockend. Der größere und ausgedehntere Teil der Flecken erstreckt sich jedoch ohne besondere Gestaltung nach Westen. Auf der anderen Hälfte der Volva verbreitet sich die Helle weiter als der Flecken. Seine Gestalt könnte man mit einer an einem Strick hängenden nach Westen geschwungenen Glocke vergleichen.»

«Sie sehen, meine verehrten Zuhörer, daß es für die Entwicklung eines Menschen von ungeheuerlicher Bedeutung ist, auf welchem Boden er aufgewachsen ist. Nur so können wir uns die Unterschiede erklären zwischen einem Norddeutschen, der am Wasser, auf Sandboden seine wichtigsten Entwicklungsjahre verbracht hat, und einem, sagen wir, Bayern, der auf Granit und anderem Felsgestein seine Erziehung genoß. Aber die Wissenschaftler leugnen hartnäckig meine Theorien und dabei wissen sie genau, daß ich recht habe.»

Der Nebenraum der «Wurstkuchl» war voller Qualm. Das schwache Licht über dem Tisch, an dem Konrad Kammermeier dozierte, beschien drei magnetische Apparate, die ständig in Rotation waren. Der Abend, der unter dem Titel stand: «Erdenbürger sind wir allzumal, oder Magnetismus als Lösung aller Probleme», hatte großen Zulauf gefunden. Kammermeier tönte mit seiner vollen Stimme. «Die Beziehung zwischen uns und dem Gestein, auf dem wir leben, nicht nur in seiner Verschiedenartigkeit, nein, gerade in dem, was alles Gestein vereint, macht uns zu Brüdern und Schwestern. Aber wir müssen auch den Einfluß anerkennen, der von diesem Gestein ausgeht, der uns geprägt hat und immer prägen wird. Wie lächerlich sind doch diese Sterndeuter, die behaupten, die Gestirne, Lichtjahre entfernt, hätten einen Einfluß auf uns. Nein, sage ich, nein ganz falsch, es ist das Erdgestein, das unser Leben bestimmt.»

Arnold Seidenschwarz wollte sich ein paar Notizen machen, aber der Raum war zu dunkel, um etwas zu Papier zu bringen. Die Ankündigung dieses Vortrages hatte ihn amüsiert. Er mochte diese Welterklärer, diese Zusammenhangserfinder, diese Unikausalisten, alles hängt davon ab, und dann konnte er beliebig ergänzen. Er ließ sich gerne überraschen von einem Mann, der sich einem gefundenen Prinzip verschrieben hatte.

«Meine verehrten Zuhörer, es gibt Gestein, das Wärme hat, jeder, der einmal Speckstein anfaßte, jeder, der über Schiefer strich, weiß, daß das Wort vom kalten Stein eine Lüge ist, eine ganz gezielte Lüge, um die richtigen Erkenntnisse zu diffamieren. Es gibt Stein, der kalt ist, aber er kann zugleich auch warm sein. Was uns aber mit dieser Diffamation eingebleut werden soll, ist dies: Stein ist tot, er lebt nicht mehr, man kann ihn zerhauen und unbedenklich zu menschlichen Zwecken mißbrauchen.»

Kammermeier machte eine Pause des Mitleids. Jetzt gedenken wir der verachteten Kreatur Gestein, dachte Seidenschwarz, der seinen Bleistift zurück in die Hosentasche beförderte und das bereitgehaltene Papier zusammenfaltete. Hier gab es nur die steinernen Gedankengänge eines Mannes zu verfolgen, der im schwachen Licht sein Wissen ausbreitete. Seidenschwarz beobachtete die Gesichter der Zuhörer, die mit großer Aufmerksamkeit dem Vortragenden folgten.

«Schon Paracelsus wußte um die Heilkraft eines Gesteins, des einzigen Gesteins, dem wir Leben zubilligen: des Magneten. Was ist das für eine seltsame Kraft, die von diesem Stein ausgeht? Von dem die indischen und chinesischen Sagen behaupteten, daß man die Magnetberge nicht besteigen kann, wenn man Schuhe mit eisernen Nägeln trägt, oder Schiffe, die nicht über den magnetischen Meeresboden fahren dürfen, weil sie sonst zerfallen. Es ist eine Kraft, und niemand kann das je bestreiten, aber es ist auch eine Kraft, die niemand je erklären wird. Der Magnet ist der sichtbare Beweis, daß unser Gestein lebt. Wir können seinen Einfluß spüren, und Paracelsus hat damit sogar geheilt. Durch Magnetauflage zwischen den Schulterblättern heilte er Krämpfe. Und später war es Mesmer, der uns mit seinen magnetischen Kuren bewies, wie das Fluidum wieder zum Zirkulieren gebracht wird. Ich habe selbst solche Kuren mitgemacht und erlebt, welche Kraft sie einem geben. Man sitzt um einen Baquet, einen mit Wasser, Glas und Eisenspänen gefüllten Bottich, von dem ein Seil ausgeht, das alle Patienten anfassen, wir bilden eine Kette und lassen die magnetischen Kräfte wirken. Manche konnten dabei sogar hellsehen.»

Die Ahs und Ohs der Zuhörer, die eine ganze Weile sehr still gewesen waren, setzten ein. Auch Seidenschwarz ließ sich beeindrucken. Hellsehen, das Zauberwort! Er spürte, wie die Frau neben ihm in Aufregung geriet. Ein leichtes Zittern, Vibrieren, bei einer nicht ganz zufälligen Berührung fühlte er ihre Gänsehaut. Die Erotik des Staunens. Konrad Kammermeier demonstrierte seine magnetischen Apparate.

«Sie setzen eine Spule in Gang, weil sie zwischen einen Nord- und einen Südpol gespannt sind.» Er erwähnte die Erfindung des Italieners Pacinotti und später des Franzosen Gramme, der mit seiner Ringmaschine die elektrische Welt revolutionierte. «Was für eine Erkenntnis! Nach Millionen Jahren der Unwissenheit, der dunklen Erfahrungen mit dem Magneten, der Mystik eines Gesteins, jetzt die Klarheit des Gedankens, der Beweis meiner Theorie, vor fast hundert Jahren, und wieder will man nur die mechanischen Dinge zur Kenntnis nehmen. Es sind die akademischen

Wissenschaftler, die Unbelehrbaren, die ihre Experimente durchführen und mich ins Abseits stellen. Aber sie werden meine Erkenntnisse zu würdigen wissen, wenn die Zeit gekommen ist. Das kann in hundert Jahren sein oder später. Sie, meine verehrten Zuhörer, erfahren heute schon davon. Ich mache jetzt eine kleine Pause.»

Der Applaus setzte ein.

Erst verhalten, dann stärker werdend. Die Tür zur Gaststube wurde geöffnet. In dicken Schwaden zog der Qualm ab. Das gelbliche Licht, das hereinflutete, wurde zu einem Nebel. Seidenschwarz stand schnell auf und ging zu dem Vortragenden.

«Ich hätte eine Frage», sagte er, «Sie haben da vorhin über die weit entfernten Sterne gesprochen, denen Sie keinen Einfluß auf uns Menschen zubilligen...»

«Nein, nein, da haben Sie mich falsch verstanden, mein Herr.» Konrad Kammermeier ergriff seine Hand. «Ich sprach davon, daß der Einfluß des Bodens, auf dem wir aufwachsen, weil er uns ja viel näher ist, sehr viel größer sein muß als der der Gestirne. Immerhin sind die Sterne ja auch gewaltige Gesteinsmassen. Natürlich stehen wir auch unter diesen Konjunktionen, ganz gewiß sogar, aber darüber darf das Erdgestein nicht vernachlässigt werden. Verstehen Sie?»

Seidenschwarz bedankte sich für die Antwort. Er betrachtete die magnetischen Maschinen, die auf dem Holztisch standen. Kleine Kunstwerke der fortgeschrittenen Technik.

Nach der Pause setzte Kammermeier zu seinem Höhenflug an. Er sprach von den ungenutzten Kräften des Kosmos, der ungeheuren Energie, die zur Verfügung stehe, die immer noch nicht ausreichend erforscht sei, von Windgeneratoren und Sonnennetzen, und kam dann zu seinem weltumspannenden Plan, der leider keine Zustimmung beim Münchener Patentamt gefunden hatte, auch die Firma Siemens interessierte sich nicht für diese grandiose Erfindung.

«Gerade wie diese kleine Maschine, die nach Gramme gebaut wurde, gerade so würden meine Magnetpolenergiegewinner funktionieren. Sehen Sie, wenn man ein gewaltiges Rad baut, dessen Stahlteile am magnetischen Nordpol aufgestellt werden.»

Kammermeier entrollte eine Karte und zeigte die Stellungen der magnetischen und der geografischen Pole. Auch deshalb, fügte er hinzu, sei die magnetische Kraft nicht zu unterschätzen, weil der Magnetpol tatsächlich nach Norden zeige, beziehungsweise nach Süden, und nicht wie die geografischen Pole aus der Achse verschoben seien.

«Also, wir bauen ein gewaltiges Rad mit Magneten, die am Nordpol zwecks Abstoßung auf denselben gepolt sein müssen, am Südpol natürlich auf jenen. Die ungeheuren Kräfte, die diese Räder antreiben, weil sich ja die gleichen Pole abstoßen, leiten wir über Kabel in ein Transformatorenwerk und können damit alle Kontinente bis zum Äquator mit Strom versorgen. Es ist ein genialer Plan, das muß ich gestehen.»

Seidenschwarz notierte sich das Wort «Magnetpolenergiegewinner».

«Wenn Sie so freundlich wären und am Ende meiner kleinen Darlegung eine Petition an den bayerischen Landtag unterzeichnen würden, damit meine Ideen nicht an sturen Bürokraten scheitern. Verbindlichsten Dank.»

Seidenschwarz überlegte einen Augenblick, bevor er sich in die lange Liste eintrug.

Friedrich Kreideweiß, schrieb er hin.

Eine 5 bedeutete, dazu habe ich keine Lust, eine 16 hingegen, dazu habe ich Lust. Die 17 bedeutete, das weiß ich, die 4, das weiß ich nicht. So gab es zehn Oppositionen, die Federl mit dem Ikosaeder nutzte. Bei Wiederholungen stellte Seidenschwarz fest, daß sein Freund genau die gleiche Zahl wählte. Damit bestätigte er zugleich seine Festlegung.

Schon an dem Abend, als sie das letzte Mal Knöterich spielten, war ihm auf dem Nachhauseweg in den Sinn gekommen, daß die sechs Seiten eines Würfels nicht ausreichten, um sich mit Federl zu verständigen. Damals hatte er eine hohe Zahl gewählt, wenn ihm etwas gefiel, und eine niedrige, wenn etwas nicht nach seinem Gusto war. So hatte es angefangen. Wenn man die Anzahl der Würfel erhöht, ergaben sich mehr Möglichkeiten, aber diese Lösung überzeugte ihn nicht. Es blieben grundsätzlich nur die sechs Seiten.

Arnold Seidenschwarz fand in einem kleinen Laden in der Kreuzgasse Holzmodelle der fünf regelmäßigen, platonischen Körper, die er für zwei Mark erstand. Sie hatten sogar die richtige Größe zum Würfeln. Er entschied sich für den hölzernen Ikosaeder, zwanzig gleichseitige Dreiecke, und damit zwanzig Möglichkeiten für eine Mitteilung. Mit einem schwarzen Malstift markierte er die Zahlen, immer so, daß die zwei gegenüberliegenden Nummern 21 ergaben. Er freute sich an dieser Symmetrie.

Mit dem Ikosaeder, der neben ihm lag, konnte Federl nun, während sie spielten, Seidenschwarz Fragen beantworten.

Dieser Hutmacher war auf einer Donaufahrt einmal beinah vom Dampfer gestürzt. Wie hatte Raffel da um sein Leben geschrien! Eine rauhe bayerische Stimme.

Seidenschwarz war aufgefallen, daß man nur mit dem Achtflächner nicht spielen konnte, er rollte einfach nicht so gut wie die anderen. Am besten war der Dodekaeder, die regelmäßigen Fünfecke, zwölf Felder, der rollte ausgezeichnet. Irgendwann hatte er angefangen, ein Spiel zu entwerfen, in dem alle diese Körper, mit Zahlen versehen, eingesetzt werden konnten. Es wurde eine Abwandlung von Knöterich, mit dem Vierflächner und dem sechsseitigen Würfel warf man niedrige Zahlen, mit den beiden hohen Flächnern die hohen Würfe, die dann mit dem Oktaeder multipliziert wurden. Ob Kepler mitspielen würde?

«Obgleich nun ganz Levania nur ungefähr 1400 deutsche Meilen im Umfang hat, d. h. nur den 4. Teil unserer Erde, so hat es doch sehr hohe Berge, sehr tiefe und steile Täler und steht so unserer Erde sehr viel in bezug auf Rundung nach. Stellenweise ist es ganz porös und von Höhlen und Löchern allenthalben gleichsam durchbohrt, hauptsächlich bei den Privolvanern, und dies ist für diese auch zumeist ein Hilfsmittel, sich gegen Hitze und Kälte zu schützen. Das Wachstum geht sehr schnell vor sich: Alles hat nur ein kurzes Leben, weil es sich zu einer so ungeheuren Körpermasse entwickelt. Bei den Privolvanern gibt es keinen sicheren und festen Wohnsitz, scharenweise durchqueren die Mondgeschöpfe während eines einzigen ihrer Tage ihre ganze Welt, indem sie teils zu Fuß, mit Beinen ausgerüstet, die länger sind als die unserer Kamele, teils mit Flügeln, teils zu Schiff den zurückweichenden Wassern folgen, oder, wenn ein Aufenthalt von mehreren Tagen nötig ist, so verkriechen sie sich in Höhlen, wie es jedem von Natur gegeben ist. Die meisten sind Taucher, alle sind von Natur sehr langsam atmende Geschöpfe, können also ihr Leben tief am Grunde des Wassers zubringen, wobei sie der Natur durch die Kunst zur Hilfe kommen. Denn in jenen sehr tiefen Stellen der Gewässer soll ewige Kälte herrschen, während die oberen Schichten von der Sonne durchglüht werden.
Alles, was der Boden hervorbringt, entsteht und vergeht an einem und demselben Tag, indem täglich Frisches nachwächst.

Die schlangenartige Gestalt herrscht im allgemeinen vor. Wunderbarerweise legen sie (die Mondgeschöpfe) sich mittags in die Sonne, gleichsam zu ihrem Vergnügen, aber nur ganz in der Nähe ihrer Höhlen, damit sie sich schnell und sicher zurückziehen können. Einige sterben während der Tageshitze ab, aber während der Nacht leben sie wieder auf, umgekehrt wie bei uns die Fliegen.»

Seidenschwarz wußte nicht, ob Frau Professor Röhrl ihn gesehen hatte. Er blickte unaufhörlich in ihre Richtung. Sie trug an diesem Abend ein enges, schwarzes, hochgeschlossenes Kleid, ihre langen, welligen Haare hingen auf die Schultern, eine rote Stoffnelke schmückte ihre Brust.

Sie stand an der Garderobe und gab den leichten Mantel ab. Seidenschwarz machte ein paar Schritte auf sie zu, wollte sie begrüßen, möglicherweise sich mit ihr verabreden.

Federl tippte ihm auf die Schulter. Er trug, wie immer im Theater, seinen dunkelbraunen Anzug, silbrige Fliege, schwarze Lackschuhe.

«Raffel, diesmal nicht zu spät wie sonst? Schön, dann gehen wir rein.»

Die Münchener Kammerspiele gaben ein Gastspiel mit «Wilhelm Tell». Der Saal des Capitol war ausverkauft.

Nur einmal blickte Seidenschwarz sich noch um, sah, daß Frau Röhrl vier Reihen hinter ihm Platz nahm.

Jetzt grüßte sie. Knapp, fast ohne Bewegung. Sie studierte das Programmheft.

Es war eine langweilige Aufführung, selbst das schöne Stück vom Hut setzte Patina an. Besonders wenn es als Klassiker gegeben wurde, ein Märchen aus vergangenen, längst überwundenen Zeiten. Rebellion als Krippenspiel.

«Seht ihr den Hut dort auf der Stange», der Schauspieler grimassierte schrecklich.

Am Anfang des Winterhalbjahres zahlte Seidenschwarz seine Gebühr, ein Abonnement auf alle Gastspiele, und dann saß er seine Zahlungen ab. Ganz gleich, was geboten wurde.

Dieser Schiller war zum Einschlafen.

Selbst der Schuß war ein einfallsloser Bühnentrick. Jeder merkte, daß die Armbrust gar nicht gespannt wurde, der Apfel fiel auch früher, als der Schuß hinter der Bühne losging.

Der Knabe stand am hinteren Ende der Dekoration und wakkelte mit dem Kopf, der Apfel hatte keine Chance. Man vertauschte ihn schnell, während das Publikum durch ein paar laute Rufe abgelenkt wurde, gegen einen anderen, der mit einem Pfeil durchbohrt war.

Seidenschwarz mußte lachen.

Kurz darauf war Pause.

Sie gingen in die Vorhalle.

Der Privatdozent wollte gerade etwas zu trinken besorgen, stellte sich in der Schlange an, als jemand laut rief: «Das ist der Federl, der nicht mehr spricht.»

Seidenschwarz drehte sich um und sah, wie sich eine kleine Traube um seinen Freund bildete.

«Eine Unverschämtheit ist das!»

«Der will Regensburger Bürger sein!»

«Was war er für ein netter Geschäftsmann, aber heute, ist wohl was Besseres. Sag mal was, Herr Federl!»

Ein Mann im schwarzen Anzug zupfte den Hutmacher am Jakkett.

«Hast wohl das Stimmchen verloren, du Suffkopp. Das kommt von den Schnäpsen, Alter.»

«Wenn man in die Jahre steigt, gehts nimmer so, he?»

«Nun laß dich doch nit solange bitten, machs Maul auf!»

«Lassen Sie den Mann in Ruhe», rief Seidenschwarz mit harter Stimme, «der hat Ihnen nichts getan!»

«Halten Sie sich heraus, der Federl ist gemeint.» Ein älterer Herr meinte, den Schiedsrichter spielen zu müssen.

Eine Frau mit einem rosa Kapotthütchen mischte sich ein: «Ist doch selber schuld, der artige Herr Federl, wenn man so die Menschen aufregt, wie er das tut.»

Seidenschwarz dachte daran, wieviel Grund die Besucher gehabt hätten, sich über das Stück zu unterhalten oder sich über die altmodische Inszenierung zu echauffieren, oder auch über diesen unverschämten Geßler, der von Tell den Schuß verlangt, aber sie erregten sich über Federls Absonderlichkeit.

«Komm, wir gehen, das ist nicht der rechte Platz, sich anspukken zu lassen», sagte Seidenschwarz, faßte Federl unter und wollte ihn nach draußen geleiten.

Aber der Hutmacher blieb stehen, er ließ sich nicht fortziehen, entwand sich dem Griff.

Sofort setzten die Beschimpfungen wieder ein.

Federl rührte keine Miene.

Seidenschwarz sah die aufgeregten Gesichter, die rot angelaufen waren, die Hälse gereckt, auch sie gerötet, die wütenden Blicke der Männer, die verletzten der Damen, die hinter vorgehaltener Hand tuschelten.

Und irgendwann war es ganz plötzlich wieder ruhig.

Dann schellte es.

Arnold Seidenschwarz sagte: «Ich geh da nicht mehr rein. Das hat mir gereicht.»

Der Hutmacher blieb stehen.

HOCHVEREHRTE ANWESENDE O. S. Ä.

Der Mann, den wir zu ehren heute hier zusammengekommen sind, hat uns ein paar Täuschungen erspart, hat uns sehen gelehrt, was wir nicht sehen, hat unsere Einbildungskraft erregt.

Ich spreche von Johannes Kepler, der vor dreihundert Jahren in unserer Stadt gestorben ist. Es wäre vermessen, in einer kurzen Festansprache sein ganzes Werk zu erörtern, darum möchte ich mich beschränken auf eine Schrift, die erst nach Keplers Tod erschienen ist: «Somnium seu Astronomia Lunaris», zu deutsch: Mondastronomie. Es handelt sich dabei um nichts weniger als den ersten Scienti-Fiction, wie das moderne amerikanische Wort dafür lautet. Eine wissenschaftliche Phantasie auf empirischer Grundlage, wie sie erst Jahrhunderte später in Mode kam. Johannes Kepler war seiner Zeit weit voraus.

Aus Lukians Phantastereien möchte ich ein wenig zum besten geben, weil sie einen so schönen Kontrast bilden zu dem, was Kepler sich ausgedacht hat. «Ich will euch nun erzählen, was ich bei meinem Aufenthalt auf dem Monde Neues und Wunderbares erlebt habe. So werden die Seleniten nicht von Weibern, sondern von Männern geboren. Sie haben auch Männer zu Frauen, und in ihrer Sprache fehlt das Wort Frau vollständig. Bis zu einem Alter von fünfundzwanzig Jahren wird jeder geheiratet. Später heiratet er dann selbst. Der Foetus sitzt bei ihnen nicht im Leibe, sondern in der Wade. Etwas oberhalb des Knies wächst ihnen ein Bart, an den Füßen haben sie nur eine Zehe, die keinen Nagel trägt. Die Reichen tragen weiche Kleider aus Glas, jene der Armen sind aus Erz gewebt, denn die dortigen Gegenden sind sehr erzreich. Ich scheue mich, von ihren Augen zu sprechen, denn nur zu leicht könnte man meinen, ich lüge, weil es gar so unglaublich klingt. Ich will es aber trotzdem tun! Sie allesamt besitzen Augen, die sich abnehmen lassen. Wem es beliebt, der nimmt sie sich heraus und ist dann blind, bis er es wieder nötig hat zu sehen. Viele, die ihre Augen verloren haben, leihen sich welche von Bekannten aus und sehen dann mit diesen. Es gibt aber auch Leute, die viele Augen vorrätig haben – dies sind in erster Linie die Reichen.»

All dies ist wunderbar erdacht, von einem griechischen Schriftsteller vor mehr als siebzehnhundert Jahren, aber Lukian warnt seine Leser selbst davor, ernst zu nehmen, was er beschreibt: «Ich habe nie etwas davon gesehen, von dem ich berichte.»

Auch Dantes «Göttliche Komödie» berichtet von dem Flug durch die Himmel, von Besuchen auf Merkur und Venus, von der Reise Dantes und Beatrices zur Sonne, wo Thomas von Aquin über die Theologie doziert, und der Reise zum Mars, wo sie die Kriegerseelen antreffen, bevor sie nach kurzen Ausflügen zu Jupiter und Saturn die Sphäre der Fixsterne erreichen und dann erst den eigentlichen Himmel erblicken, der mit Heiligen und biblischem Personal angefüllt ist. Aber auch bei Dante gibt es nicht einen wissenschaftlichen Hinweis.

Anders dagegen Kepler, der uns mit seiner Schrift etwas beibringt:

Am Beispiel des Mondes will er uns die Bewegung der Erde lehren. Kein einfaches Denkspiel, kein simples Rechenkunststück. Wer es selbst einmal probiert hat, Keplers Gedankengängen zu folgen, wird feststellen, wieviel Einbildungskraft dazu erforderlich ist. Denn das von Kopernikus entworfene und von Kepler richtig berechnete Planetensystem widerspricht ja gerade unserer Erfahrung. Jeden Tag sehen wir die Sonne «aufgehen», unsere Sprache gibt diesen Eindruck wieder, und jeden Tag «geht sie unter». Weil der seine Welt beobachtende Mensch von der Bewegung der Erde und damit seiner eigenen nichts empfindet, hält er sich für den Mittelpunkt. Und das ging mehr als tausend Jahre gut, seit Ptolemäus. Dann kommt einer wie Kepler und stellt alles auf den Kopf, durchdrungen von der Aufgabe, an dem geistigen Genuß der Ordnung «alle Menschen von Schulbänken minderen Ranges, den gemeinen Pöbel, Garamanten und Inder» teilhaben zu lassen, nimmt er uns die Wahrnehmung und setzt an ihre Stelle die Wissenschaft. Mit seiner Mondastronomie zeigt er, wie das, was der Erdenbürger sieht, sich für den Mondbewohner ganz anders darstellt.

«Da naves, aut vela caelesti aurae accomoda, erunt qui ne ab illa quidem vastitate sibi mentuant», so schreibt Kepler 1610 an Galilei, «gib Schiffe oder richte Segel für die Himmelsluft her, es werden Menschen dasein, die sich nicht vor der öden Weite fürchten». So könnte ein Motto lauten, wenn wir heute über Keplers Traum vom Mond sprechen. Denn wer wollte nicht diesen Planeten verlassen? Eine Reise, die bisher nur in unseren Köpfen stattfinden kann. (Auch wenn Hermann Oberth vor vier Jahren in einem Aufsatz von neuen Raketensystemen schrieb, die uns eines Tages dazu befähigen werden.) Ein kühner Traum, den Johannes Kepler entwarf, denn nur im Traum sind wir fähig, Zeit und Raum im Flug hinter uns zu lassen.

Aber bedarf es nicht gerade der kühnen Träume? Der Gedankenspiele, die uns neue Ziele zeigen? Neue Hoffnung auf neue Erkenntnisse und Welten. Wir sind festgebunden durch die Gravitation, aber noch viel mehr sind wir beschränkt durch unser Denken, das trotz Keplers Erkenntnissen geozentrisch geblieben ist. Wir sind der Mittelpunkt. Tatsächlich aber sind wir winzige Kreaturen in einem gigantischen Universum, hilflos allem ausgesetzt, was uns vom All her zufliegt, schutzlos gegenüber kleinsten Naturkatastrophen.

Auch das will Kepler uns mit seinem Mondtraum zeigen. Wir möchten gerne Wichtigkeiten sein, aber angesichts des Universums sind wir Nichtigkeiten.

Johannes Kepler hat zeit seines Lebens, als Erforscher der unbekannten Welten im All, an seinem Mondtraum gearbeitet, der ihn begleitet hat, ihn in schwere Bedrängnisse gestürzt, zu schönsten Ausflügen verleitet: ein widersprüchliches Werk eines Genies.

Begonnen hat es damit, daß er als Dreiundzwanzigjähriger in

Tübingen einem Kommilitonen, mit Namen Christoph Besold, Thesen über die Himmelserscheinungen verfaßte, die dieser in einer öffentlichen Disputation verteidigen sollte. Besold fiel durch. Und damit auch Kepler. Aber die Gedanken blieben, so heftig sie auch von der Fakultät negiert wurden. Damit stand für Kepler fest, daß er sich für immer den kopernikanischen Entdekkungen verschrieben hatte. Jahre später diskutierte er mit Wackher von Wackenfels, dem kaiserlichen Rat, über die Flecken auf dem Mond, forschte einen Sommer lang, und schrieb aufgrund der früheren Thesen den Text der Mondastronomie. Gemeinhin nimmt man an, daß dies 1609 gewesen ist. Aber er veröffentlichte sein Werk nicht, vielleicht diente es eher zur Selbstbelehrung. Oder, was auch angenommen werden kann, er traute sich nicht damit hervor.

War das weise Voraussicht? Hatte Kepler für sich die Sterne richtig gedeutet? Denn sein Mondtraum geriet in die Mühlen der Inquisition. Keplers Mutter wurde der Hexenprozeß gemacht. Sie soll ein «böses, zänkisches Weib» gewesen sein, das mit dem Teufel paktierte, der Zauberei verfallen. Die Frau eines Glasers, der sie einen Kräutertrank gab, soll später geisteskrank geworden sein, auch der Metzger will Schmerzen im Bein verspürt haben, als die Keplerin an ihm vorüberging. Ein klassischer Fall von Hexenschuß. In einem Brief aus dem Jahre 1616 bemerkte Johannes Kepler, daß «die Relation dahin verlautet, daß ich selber verbotener Künste bezichtigt werde». Er spielte darauf an, daß ein handschriftliches Manuskript seines Mondtraumes bei den untersuchenden Behörden vorliegen mußte. Denn in seinem «Traum vom Mond» heißt es: «Besonders geeignet für die Reise sind ausgemergelte, alte Weiber, die sich von jeher darauf verstanden, nächtlicherweise auf Böcken, Gabeln und schäbigen Mänteln reitend, unendliche Räume auf der Erde zu durcheilen.» Da war die Gleichsetzung schnell erreicht: Keplers Mutter galt als eine ausgemergelte Hexe. Sechs Jahre dauerte das Kesseltreiben gegen sie. Vierzehn Monate legte man sie in Eisen. Sie schwieg, als man ihr die Folterinstrumente, den Spanischen Esel und die Pommersche Mütze, zeigte. «Ich weiß nichts zu bekennen.» Kepler erreichte eine fürstliche Weisung, daß sie keiner weiteren Tortur ausgesetzt werden dürfe. Damit war sie frei. Ein halbes Jahr später starb sie, an den Folgen der Torturen.

Erst 1620 beginnt Kepler, sich wieder für seine Jugendarbeit zu interessieren, nachdem er Plutarch und Lukian studiert hat. Der Krieg und die Wirrnisse der Zeit unterbrechen seine Arbeit erneut, wieder muß er für seine Familie neue Unterkunft suchen, die er letztlich bei Wallenstein in Sagan findet, wo er sich am Ende des Jahrzehnts dem Mondtraum zuwenden kann. Als die ersten sechs Seiten gedruckt sind, stirbt er.

Was für ein Schicksal, das ein wissenschaftlich-phantastischer Text und sein Autor durchleiden! Was für eine Odyssee durch mehr als dreißig Jahre! Und welche Berg- und Talfahrten eines Gedankens! Johannes Kepler hat ihn geliebt, seinen Traum vom Mond, hat ihn gehätschelt, hat ihn gebraucht, denn er fand in ihm auch eine Zuflucht.

In zwei Briefen an seinen Freund Matthias Bernegger spürt man etwas davon. Hören wir ihn selbst.

1623 schreibt er: «Campanella hat vom Reich der Sonne geschrieben, warum ich nicht von dem des Mondes? Tue ich etwas Ungeheuerliches, wenn ich die Zyklopensitten unserer Zeit lebhaft schildere, aber aus Vorsicht die Szene von der Erde auf den Mond verlege? Helfen wird es freilich nicht. Weder Morus mit seiner ‹Utopia›, noch Erasmus mit seinem ‹Lob der Narrheit› blieben unangefochten: sie mußten sich verteidigen. Wir wollen lieber das Pech der Politik dahinten lassen und auf den grünen Auen der Philosophie verbleiben.»

1629 schreibt er: «Die Einsamkeit ist es, die mich hier abseits von den Städten des Reiches beengt, da die Briefe nur langsam und mit großen Kosten hin- und hergehen. Die Wirrnisse der Reformation, die mich unberührt läßt, mich aber ebenso im geheimen nicht übersieht, führen mir gleichwohl Beispiele und traurige Bilder vor die Augen, indem Bekannte, Freunde, Nahestehende vernichtet werden, indem der mündliche Verkehr mit den Eingeschüchterten durch die Angst unterbrochen wird. Was würdest Du sagen, wenn ich Dir zur Erheiterung meine ‹Astronomie des

Mondes oder der Himmelserscheinungen auf dem Monde› zueignete? Verjagte man uns von der Erde, so wird mein Buch als Führer den Auswanderern und Pilgern zum Monde nützlich sein können.»

Man spürt die Bedrängnisse und fühlt die Hoffnungen, man erfährt von Keplers Leid und lächelt über die Ironie eines Mannes, der wie Münchhausen sich selbst an den Haaren aus dem Sumpfe ziehen will.

Kepler fand Trost bei den Sternen, bei seinen spielerischen und phantastischen Überlegungen, bei seiner Arbeit. Um nicht im Hagel der Geschosse, im Mief der Gegenreformation, im Zwang der Inquisition umzukommen, gab es für Kepler nur ein Mittel: unablässiges Arbeiten. «Wenn der Sturm wütet und der Schiffbruch des Staates droht, können wir nichts Würdigeres tun, als den Anker unserer friedlichen Studien in den Grund der Ewigkeit zu senken.» Oder den Blick auf die friedlichere Welt des Mondes zu lenken, möchte ich ergänzen.

Der Mondtraum setzt ein mit Keplers eigener Lebensbeschreibung. Der Knabe Duracotus, er wählte diesen Namen, weil er schottisch klang, lebt mit seiner Mutter Fiolxhilda auf Island. Fiolx war der Name für diese nördliche Insel, den Kepler auf einer alten Karte fand. Der Vater war Fischer, der mit 150 Jahren starb, als sein Sohn erst drei Jahre alt war. Kepler hat seinen Vater kaum gesehen, weil dieser in Kriegsdienst und Händeln aller Art unterwegs war. Fiolxhilda handelt mit Kräutern, die in kleine Beutel aus Widderhaut eingenäht werden, und spricht mit den bösen Geistern. Mit vierzehn Jahren öffnet Duracotus aus purer Neugierde einen solchen Beutel, worauf seine Mutter den Jungen wütend an einen Schiffskapitän verkauft. Dieser setzt ihn auf der dänischen Insel Hven ab, wo er unter Anleitung von Tycho de Brahe Astronomie studiert. Kepler selbst hatte de Brahe 1600 kennengelernt, und tatsächlich waren dessen Zahlen über die Bahn des Mars sein wichtigstes Material, um die Planetengesetze zu berechnen. Als Duracotus nach dem Studium nach Island zurückkehrt, beschwört Fiolxhilda als Willkommensgruß einen guten Geist aus Levania. Das Wort leitete Kepler aus der hebräischen Bezeichnung für den

Mond «Lavanah» ab, wobei Lavan für Weiß steht. «Nach Vollendung einiger Zeremonien kehrte sie zurück und setzte sich, mit ausgestreckter Hand um Ruhe bittend, neben mich. Kaum hatten wir, wie verabredet, unsere Häupter mit den Gewändern verhüllt, als plötzlich Geflüster einer heiseren, übernatürlichen Stimme hörbar wurde und in isländischer Sprache wie folgt begann.» Und nun läßt Kepler einen Geist erzählen über Levania und wie man dorthin gelangt. Schon dieser Bericht des Duracotus wurde eingeleitet, als habe der Autor einen Traum von einem Buch gehabt, so daß der Leser nun zum dritten Mal entrückt ist von der Darstellung. Ein Traum von einem gelehrigen Knaben, der seinerseits einem Geist lauscht. Man wird es wohl als Camouflage bezeichnen müssen, was Kepler hier mit diesem Text betreibt, denn er mußte sich immer fürchten vor jenen, die das geozentrische Weltbild nicht angetastet sehen wollten.

Die Reise zum Mond, so belehrt uns der Geist, kann nur bei Mondfinsternis unternommen werden und muß deshalb binnen vier Stunden geschehen. Am Anfang ist die Beschleunigung das Schlimmste, was der Mondreisende auszustehen hat, deshalb muß er mit Opiaten betäubt werden. «Wenn der erste Teil des Weges zurückgelegt ist, wird uns die Reise leichter, dann geben wir unsere menschlichen Begleiter frei und überlassen sie sich selbst: wie die Spinnen strecken und ballen sie sich zusammen und schaffen sich durch ihre eigene Kraft vorwärts, so daß schließlich ihre Körpermasse sich von selbst dem gesteckten Ziele zuwendet.»

Kepler hat diesem phantastischen Werk, das rund 20 Druckseiten umfaßt, Anmerkungen beigegeben, die 150 Seiten lang sind. Er hat alles erklärt, wissenschaftlich belegt, verdeutlicht, um nicht mißverstanden zu werden. Und an dieser Stelle weist er nun auf die Schwere und den Magnetismus hin, doch hören wir ihn selbst:

«Die Schwere definiere ich als eine Kraft, die dem Magnetismus ähnlich ist, mit der Attraktion in Wechselwirkung steht. Die Gewalt dieser Anziehung ist größer unter nahestehenden als unter entfernteren Körpern; daher leisten sie der Trennung voneinander stärkeren Widerstand, wenn sie sich noch nahestehen.»

Johannes Kepler stand kurz davor, das erst hundert Jahre später von Newton berechnete Gravitationsgesetz zu formulieren. Er erklärte diese Anziehung noch mit dem Weltmagnetismus anstatt mit der gegenseitigen Anziehung der Himmelskörper, aber ohne diese Gedanken aus dem Mondtraum sind auch Newtons Entdekkungen nicht vorstellbar. Kepler war es, der bemerkte, daß die Kraft der Sonne, mit welcher sie alle Planeten um sich kreisen läßt, mit der Entfernung von ihr immer geringer wird und daß die Planeten, je weiter sie von ihr entfernt sind, sich desto langsamer bewegen.

Zurück zur Mondreise, denn die Luftschiffer haben noch ein weiteres Problem zu bewältigen. «Infolge der bei Annäherung an unser Ziel stets zunehmenden Anziehung würden die Menschen durch zu harten Aufprall an den Mond Schaden leiden, deshalb eilen wir voran und behüten sie vor dieser Gefahr. Die Rückkehr zur Erde steht uns nur dann frei, wenn diese die Sonne verfinstert. Dann warten wir, zu Scharen vereint, im Schatten des Mondes, bis, wie es häufig geschieht, dieser mit seiner Spitze die Erde trifft und stürzen uns mit demselben wieder unter ihre Bewohner. Daher erklärt sich, daß diese die Sonnenfinsternis so sehr fürchten.»

Nach der Schilderung der Mondreise kommt Kepler auf die Verhältnisse auf unserem Trabanten zu sprechen. Ein Tag auf dem Mond dauert etwa vierzehn Erdentage und eine Nacht genauso lange, denn der Mond braucht einen Monat, um sich einmal um die eigene Achse zu drehen, das heißt genauso lang, wie er für einen Umlauf um die Erde benötigt. Das ist übrigens der Grund, warum wir ihn immer nur von der gleichen Seite betrachten können. Die Erde wird von den Mondbürgern Volva genannt, was Kepler aus dem Lateinischen revolvere, das man mit rotieren übersetzen kann, ableitete. So gibt es eine Hälfte, die der Erde ansichtig wird, die Halbkugel der Subvolvaner, und eine, die niemals den blauen Planeten betrachtet, die Halbkugel der Privolvaner. «Alles, was der Boden hervorbringt, entsteht und vergeht an ein und demselben Tage, indem täglich Frisches wächst. Die schlangenartige Gestalt herrscht im allgemeinen vor. Wunderbarerweise legen die Mondgeschöpfe sich mittags in die Sonne, gleichsam zu ihrem Vergnügen, aber nur ganz in der Nähe ihrer Höhlen, damit sie sich schnell und sicher zurückziehen können.» Kepler ist sich ganz sicher, daß Geschöpfe auf dem Mond leben. Seine Erfindungen entstehen aufgrund der wissenschaftlichen Erkenntnisse über Helligkeit und Temperatur, er bindet seine Denkspiele an handfestes Wissen. Insofern ist es berechtigt, ihn als ersten Autor von Scienti-Fiction zu würdigen.

Und nun aufgewacht, Ihr Träumer!

«Als ich so weit in meinem Traum gekommen war, erhob sich ein Wind mit prasselndem Regen, störte meinen Schlaf und entzog mir den Schluß des aus Frankfurt mitgebrachten Buches. So verließ ich den erzählenden Dämon und die Zuschauer, den Sohn Duracotus und dessen Mutter Fiolxhilda, die ihre Köpfe verhüllt hatten, kehrte zu mir selbst zurück und fand mich in Wirklichkeit, das Haupt auf dem Kissen, meinen Leib in Decken gehüllt, wieder.»

Es kann nicht darum gehen, nun aus heutiger Sicht zu vergleichen, was Kepler sich vom Mond erträumt hat und was wir nach dreihundert Jahren besser wissen als er. Nicht der Vergleich zwischen seinen Voraussagen über die Mondwirklichkeit und dem, was uns die besseren Fernrohre zeigen, ist es, was seinen Mondtraum so wertvoll macht.

Er ist neben vielem anderen auch ein Stück geheimster Biographie. Denn in den Geschöpfen, die den Mond bevölkern, seltsamen Kreaturen, immer auf der Flucht vor Hitze und Wind, reptilartigen Wesen, sind hier alle versammelt, die Kepler ein Leben lang bedroht haben. Er führt sie uns verzerrt vor, auf den Mond projiziert. Insofern ist der Traum auch der Alptraum seines Lebens. In all seinen Werken hat sich Kepler nie so dargestellt wie in seinem Mondtraum: eine Flucht in eine verrückte Reise, eine Befreiung von allen Bedrängnissen.

In einer Fußnote zum «Somnium» steht, was als Credo des Johannes Kepler bezeichnet werden kann:

«Im Traum wird Freiheit des Denkens gefordert, zuweilen auch dafür, was in Wirklichkeit wohl nicht besteht.»

Wissenschaftliche Perspektive und Einbildungen sind für Kepler kein Gegensatz. Nicht der Kampf der Aufgeklärten gegen die Phantasten, nicht das Lächeln der Träumer über die Vernünftigen, nicht hier Wissenschaft und dorten die Kunst! Kepler will die ästhetisch-künstlerische Betrachtung und sucht zugleich nach der geometrischen Struktur des Universums, er will angesichts von regelmäßigen Körpern in Verzückung geraten, Mathematik und Traum zugleich. Und dazu braucht es Freiheit des Denkens, wie Kepler sie ein Leben lang gesucht und manchmal nur in seinem Gegenstand, der Welt der Sterne, gefunden hat.

Als Mahnung zum Schluß zitiere ich ein weiteres Mal den Brief, den Kepler 1623 an Bernegger schrieb, zugleich ein Beweis für seine Bescheidenheit:

«In meiner Schrift stecken ebenso viele Probleme, als sie Zeilen enthält, Probleme, die auf astronomischem, physikalischem oder historischem Weg zu lösen sind. Doch was ist zu tun? Wie wenige werden sich daran machen, sie zu lösen? Die Leute wollen, daß, wie sie sagen, derartige Kurzweil sich mit molligem Arm an ihren Hals wirft, sie wollen beim Spiel nicht ihre Stirn in Runzeln legen.»

Ich danke Ihnen für Ihre Aufmerksamkeit o. s. ä.

Die Ahnengalerie war fünfzig Meter lang. Zu beiden Seiten des mit rotem Teppichläufer ausgelegten Flurs hingen drei Meter hohe Porträts, Familienvorfahren in Öl: bärtige Rittersleut in der immer gleichen, wuchtigen Rüstung. Die Ahnen reichten bis 300 nach Christus zurück. Die Gesichter rund, die Augen starr, männlich, mutig. Die Porträts nach 1500 wurden individueller, ausdrucksvoller, nur die Rüstungen blieben gleich. Als hätte ein Regiment Infanterie Aufstellung genommen, stämmige Körper, lange Kerls. Im 19. Jahrhundert ließen sich zwei Ahnen in Zivil abbilden, brokatbesetzte Phantasieuniformen.

Ein grauhaariger Sekretär hatte Seidenschwarz in Empfang genommen und ihn wie einen alten Bekannten begrüßt: «Er wird ganz bestimmt für Sie Zeit haben, Herr Doktor.»

«Wie soll ich ihn ansprechen?» fragte Seidenschwarz mit gedämpfter Stimme, die dem dicken Teppichläufer und den finster blickenden Ahnen geschuldet war.

«Durchlaucht, sagen Sie einfach Durchlaucht, das genügt», antwortete der Sekretär, der mit kerzengeradem Gang die Würde des Hauses darstellte. Die Schritte, wie mit dem Zirkel gemessen, immer gleich lang, er hätte eine militärische Parade anführen können.

«Bitte, einen kleinen Augenblick», der Sekretär hob leicht die Hand und bedeutete Seidenschwarz, daß er warten sollte.

Behutsam öffnete der Sekretär die hohe Tür.

«Ja, soll reinkommen, nein, eine Sekunde!»

Seidenschwarz konnte die Stimme des Fürsten hören, ein sonorer Bariton mit leicht bayerischem Akzent.

«Sie wissen doch, Schuhmacher, das Reichsgericht hat alle bayerischen Titel verboten, und nun mault ihr, weil ihr die Titel behalten wollt, Sie sind ja nicht der einzige, weil Hoflieferant sich als Werbung so schön macht. Ich kann nix dafür, gar nix! Da müßt ihr euch woanders beschweren.»

Der Fürst stand am Fenster, im Gegenlicht. Ein Mann von bulligem Äußeren, streng nach hinten gekämmtes Haar, seine fleischigen Ohren standen frei, das Gesicht straff auf den Knochen.

«Schön, daß ich Sie kennenlerne», rief er und streckte Seidenschwarz die Hand entgegen.

«Wieso?» stotterte der Privatdozent, leise.

«Sie schreiben doch für mich!» sagte der Fürst. Er ließ Seidenschwarz' Rechte nicht los.

«Das wollte ich in Erfahrung bringen.»

«Wußten Sie denn nix.... das hätte mein Herr Müller Ihnen aber doch mitteilen müssen. Ganz gleich! Was möchten Sie zu sich nehmen? Um diese Tageszeit», der Fürst schaute mit elegantem Schwung auf seine Uhr, «servieren wir meistens einen kleinen, aufmunternden Sherry. Wie wärs damit?»

Seidenschwarz nickte.

Der Fürst erteilte dem Sekretär den Auftrag, in der Küche Bescheid zu sagen. «Sie bleiben doch zum Essen, nicht wahr?» bestimmte er.

Seidenschwarz kaute an der Anrede. Wie klingt das wohl, wenn ich Durchlaucht sage, dachte er.

Der Fürst trug ein offenes, großkariertes Hemd, Knickerbokkerhose in Dunkelbraun, derbe Lederschuhe. Dagegen sah Seidenschwarz in seinem hellen Sommeranzug feingemacht aus.

«Sie haben die Rede mitgebracht?» fragte der Fürst ohne Umschweife.

«Nein, nein», erwiderte Seidenschwarz, der die Anrede nicht herausbekam. Warum hab ich den Text zu Hause gelassen, dachte er jetzt.

«Wir haben genügend Zeit, September soll der Festakt stattfinden, keine Eile.»

Dann standen sie sich schweigend gegenüber.

Ein Diener kam herein und brachte den nachmittäglichen

Sherry, braun-samtene Farbe, schillernde Kristallgläschen, edler Schliff. Die rechte Hand auf den Rücken versteckt, beugte er sich vor dem Fürsten um wenige Grad und stand aufrecht vor dem Privatdozenten. Sie sahen sich an. Zwei Bedienstete auf verschiedenen Niveaus.

«Wir trinken, um zu genießen», sagte der Fürst.

Seidenschwarz nippte an seinem Glas.

«Bevor wir uns nun auf Kepler stürzen, Herr Doktor, will ich Ihnen ein wenig von meinem Schloß zeigen. Das werden Sie wohl nicht gesehen haben, bisher, und danach können Sie uns auch besser verstehen.»

Seidenschwarz trank aus. Der Sherry machte ihn so leicht, so tänzerisch, daß sein Kreislauf aus dem Takt geriet. Der blaue Salon faszinierte ihn, wo er auch hinblickte, ein Wunderwerk der farblichen Abstimmung, ein helles Ultramarin, das im schweren Teppich, auf den Polstersesseln und in den drei Ölgemälden auftauchte, gab den Rahmen, zu dem die anderen Farben in Bezug oder Kontrast standen.

«Sehen Sie sich ruhig die Bilder an, Herr Doktor, wir haben Zeit, denke ich. Und solche Bilder sieht man nicht in jeder Galerie, was meinen Sie? Da vorne ist mein Urgroßvater mit seiner ganzen Familie, die Frau neben ihm ist die Gräfin, von der in Österreich sehr oft die Rede war, und neben ihr der Kardinal aus Salzburg, sie hatten gerade den Heiratsvertrag geschlossen, tu felix Austria, werden Sie sicher kennen, beachten Sie im Hintergrund die beiden Burgen, die damals zum Familienbesitz hinzukamen.»

Seidenschwarz erschrak bei dem Gedanken, daß er in seinem Sommeranzug am Abendessen teilnehmen sollte. Da wird mein heller Anzug deplaziert wirken, dachte er, wenn in Dunkel getafelt wird. «Was halten Sie von unserer Familie?» fragte der Fürst.

Seidenschwarz zögerte.

«Sagen Sie, was Sie denken, keine falsche Zurückhaltung!» Das Lachen des Fürsten war laut.

«Ihre Familie hat mit Hilfe von Schwarzen Kabinetten eine schöne Machtposition erreicht», Seidenschwarz stellte sein Sherryglas ab.

«Getroffen, Herr Doktor, anders hatte ich es nicht erwartet. Aber mich trifft es nicht. Alles, was Sie Schreckliches über meine Familie gehört haben, stimmt zur Hälfte und zur Hälfte nicht. Ich kann Ihnen jedoch nicht sagen, welche Hälfte es ist. Gehen wir, machen wir einen kleinen Salto durchs Schloß!»

«Aber das mit den Schwarzen Kabinetten stimmt, oder? Ihre Vorfahren ließen die Briefe öffnen, die ihnen zum Transport überlassen wurden, und dann konnten sie bessere Geschäfte machen und hatten dazu Nachrichten...», Seidenschwarz insistierte.

«Na ja, unser Reichtum, den neidet man uns, nicht wahr?» der Fürst verließ den blauen Salon. Seidenschwarz wußte nicht, wo er sein Sherryglas abstellen sollte.

Der Fürst schritt kräftig aus.

Der Blick auf den Innenhof des Schlosses war großartig: der weiße Kies, die rostroten Fensterläden, die hellgrauen Mauern aus Naturstein.

«Ich will das gar nicht beschönigen», sagte der Fürst, «und für Sie als Sozialdemokraten sind das natürlich wichtige Erkenntnisse über unsere Familientradition, nur mit mir hat das alles nichts zu tun. Glauben Sie, daß die Reichspost heutzutage nicht ähnlich verfährt? Briefzensur, mein Gott...»

«Aber ihre Familie hat damals einen steilen Aufschwung genommen...» Seidenschwarz unterbrach sich, denn erst jetzt hatte er begriffen, was der Fürst gesagt hatte, ein Sozialdemokrat wie Sie, der Satz klang nach. Warum engagiert er mich als Redenschreiber, oder ist Kepler längst Vergangenheit, dachte er, will er mich prüfen, hätte doch andere seiner Couleur finden können? Seine Gedanken überstürzten sich. Nun wußte er, wer die Rede in Auftrag gegeben hatte, und es behagte ihm nicht.

«Wir gehen durch einen Geheimgang, Achtung, den Kopf ein bißchen einziehen!»

Das breite Kreuz des Fürsten, das in dem hell erleuchteten Gang, der steil nach unten führte, fast ständig an die Wand stieß, versperrte ihm die Sicht.

Wenige Minuten später standen sie vor dem Pferdestall.

Drei Stockwerke hoch.

Vierzig Ställe im Quadrat angeordnet, zehn auf jeder Seite. «Das sind meine Lieblinge», begann der Fürst mit einem Vibrato in der Stimme, «ich wäre bestimmt Reiter geworden, und nicht mal ein schlechter, wenn meine Eltern mir nicht dieses Erbe auf die Schultern gelegt hätten. Mein Stall bringt Geld, mehr kann ich nicht verlangen. Aber wir investieren auch einen ganzen Batzen, was meinen Sie, ich habe ein paar Prachtexemplare dabei, die sind Hunderttausende wert.»

Der Fürst zeigte, welches seine Lieblinge waren, wie seine Lieblinge gefüttert wurden, gebadet, gestriegelt, poliert, gehätschelt, die Schwänze mit den Farben der Familie geflochten, Seidenbänder, allein dafür gab es zwei Spezialisten, die in Windeseile einen Pferdeschwanz bearbeiteten, was Seine Durchlaucht vorführen ließ. «Dafür muß Zeit sein, Herr Doktor.» Die Lieblinge stammten aus verschiedenen Gestüten und Geblüten, Araber und Holsteiner, Iren und Südamerikaner. Und dann die Derbysieger der verschiedenen Jahrgänge und der Saal, in dem alle errungenen Trophäen ausgestellt waren; die Lieblinge waren der Beachtung wert, und jeder noch so kleine Husten bedurfte sorgfältigster Aufmerksamkeit. Überhaupt war alles mit größter Sachkenntnis und Liebe gepflegt.

«Ich will Ihnen nicht alle unsere Kutschen zeigen», sagte der Fürst, als beide mehr als eine Stunde später den Pferdehof verließen, dabei öffnete er ein hohes Portal, und sie betraten eine riesige Halle, in der Zwei-, Drei-, Vier-, Sechs-, Acht-, Zwölfspänner standen, Kutschen und Kaleschen, offene Sportwagen und gelbe Postfuhrwerke. «Ich sammle sie», sagte der Fürst bescheiden, «wir haben alle diese in Betrieb gehabt. Was das allein an Unterhalt gekostet hat und ständig weiter kostet! Na ja, das wird Sie wenig scheren, es ist eben ein Hobby.»

Als nächstes kam der Gobelinsaal, Familienteppiche zur Geschichte des Hauses, die der Fürst mit dem Satz kommentierte, die Familie habe schon vor Jahrhunderten in den entscheidenden Schlachten gesiegt. Behänge mit Amor und Psyche, Urwaldlandschaften, Grotesken, Wirkteppiche mit Jagdszenen. Seidenschwarz brachte sein Erstaunen auf vielfältige Weise heraus, mal war es nur ein Vokal, mal ein Halbsatz. Was er auch fragte, Seine Durchlaucht konnte alles beantworten. Er wußte, welches Motiv welchem Künstler zur Vorlage gegeben wurde, wie viele Fäden auf den Quadratzentimeter verwoben waren, wie das geheimnisvolle Grün hieß, das im Dunklen Leuchtkraft besaß.

«Es wird Zeit, zu Tisch zu gehen. Sie werden sich sicher noch etwas frisch machen wollen, Herr Doktor. Sie können meinem Herrn Vötsch folgen, der wird Sie zu einem Zimmer geleiten, wo Sie das Nötigste finden.»

Der Fürst betätigte eine Schelle und überließ dann Seidenschwarz dem Bediensteten.

Die Suite, in die Herr Vötsch ihn führte, war so groß wie seine gesamte Wohnung in der Kramgasse. «Ich hole Sie in einer halben Stunde wieder ab, damit Sie sich nicht verlaufen», sagte der Kammerdiener und machte eine leichte Verbeugung.

Seidenschwarz inspizierte die Suite, als handele es sich um sein neues Domizil. Besonders das Badezimmer erregte seine Aufmerksamkeit, mit seinen vielen Wasserhähnen, der großen Porzellanwanne und den drei Duschen. Er konnte nicht widerstehen, eine halbe Stunde würde gerade reichen, und nach soviel Pferdegeruch konnte eine Brause nicht schaden. Er entkleidete sich und drehte an den Hähnen, es dauerte eine ganze Weile, bis er die richtige Temperatur eingestellt hatte.

Er war seit mehr als drei Stunden im Schloß, und nicht ein Wort war über seine Arbeit gefallen, als habe Seine Durchlaucht keine Lust, mit ihm über dieses Thema zu sprechen. Beim Abendessen wollte er das Gespräch darauf lenken.

Die Dusche war kräftig, selbst als er nur das heiße Wasser aufdrehte und sich fast verbrühte, kam ein starker Strahl.

Seidenschwarz faßte den Entschluß, auf keinen Fall davon zu sprechen, daß er seine Rede fertig hatte, das würde ihn sicher allzusehr kompromittieren. Er wollte abwarten, wollte den Fürsten aushorchen.

Im Ankleidezimmer hingen zwei gedeckte Anzüge, die ihm beide paßten, samt Krawatte und frischgestärktem Oberhemd. Das Nötigste, dachte Seidenschwarz, davon hat der Fürst gesprochen, aber meinte er wirklich, daß ich nun meinen Anzug gegen einen der beiden Unerschwinglichen tauschen soll?

Er konnte sich nicht entscheiden. Ihm war in seinem hellen Sommeranzug wesentlich wohler, aber den konnte er unmöglich zum Diner anziehen. Also stieg er um, band sich sorgfältig einen Windsorknoten.

Alle Achtung, sagte er zweimal, als er sich im mannshohen Spiegel besah.

Nur Schuhe waren nicht vorhanden, also putzte er behutsam mit dem feuchten Handtuch seine dunkelbraunen Lederschuhe, damit sie ein bißchen Glanz bekamen.

Er kämmte sich die Haare und machte entgegen seiner Gewohnheit auch einen Scheitel hinein.

Beim letzten prüfenden Blick klopfte es.

Herr Vötsch stand vor der Tür. «Wenn Sie mir folgen wollen, bittesehr.»

Der Eßsaal war nicht besonders groß, es hatten sechs Personen an der Tafel Platz. Der Fürst ließ seine Frau mit Unpäßlichkeit entschuldigen, dann traten nacheinander zwei ältliche Damen herein, die sich bis auf die weißen, langen Handschuhe glichen, zwei Tanten des Fürsten, ein Geistlicher, der als Doktor Pönsgen vorgestellt wurde, ein rheinischer Jesuit, und ein blonder Enkel, der einen tiefen Diener vor Seidenschwarz machte und dabei einen bayerischen Abendgruß entbot.

Der Fürst lobte den Privatdozenten in den höchsten Tönen, ein ausgewiesener Fachmann in Sachen Kepler und Rhetorik, wie er keinen besseren habe gewinnen können, der ihm bei der Erstellung der Festrede behilflich sein werde.

«Nun zum Essen.»

Der Fürst hatte sich ebenfalls umgezogen, er trug einen dunkelblauen Seidenanzug mit weinroter Fliege.

Er betete.

Der Jesuit ergänzte das Gebet durch einen Segen, und alle durften Platz nehmen.

Vor seinem Gedeck fand Seidenschwarz ein kleines Tischkärtchen, auf dem sein Name stand.

Er zählte die Gabeln und richtete sich auf ein langes Diner ein.

«Was meinen Sie denn nun, Herr Seidenschwarz, werden die Linken im September die Macht übernehmen?»

Der Fürst polterte in den Suppengang hinein, der von drei Serviererinnen aufgetragen wurde. «Ich denke, es wird ein knapper Ausgang werden.» Seidenschwarz band sich die Serviette um.

«Also, die Sozialdemokratie, was ja Ihre Partei ist, Herr Doktor, da kann ich nur sagen, die haben ganz anständige Leute, wenn es die nur alleine wären, vor denen bräucht man sich ja nicht zu fürchten, aber in ihrem Gefolge kommen halt die Kommunisten, das lehrt uns das russische Beispiel, da werden wir nichts zu lachen haben.»

«Der russische Bär, der trinkt gern Honig und Fürstenblut», warf der Jesuit ein, «das wird eine Hatz, Durchlaucht!»

Die beiden Tanten warteten, bis der Fürst seinen Löffel in die Suppe eintauchte, dann begannen sie ebenfalls zu essen.

«Aber die Kommunisten haben doch schon mal eine Revolution verloren, die müssen wissen, daß es hier in Bayern keinen Zweck hat», der Enkel tupfte sich den Mund ab und nahm einen Schluck aus dem Krug, in dem Malzbier war.

«Sie versuchens immer wieder, weiß Gott», sagte der Fürst, «die Frage ist nur, ob die Leut drauf reinfallen. Sehen Sie, Herr Doktor, wenn einer Sozialdemokrat ist, so wie Sie es sind, dann weiß man meist, mit wem man es zu tun hat. Das sind ordentliche Menschen, geradeheraus, die haben ihre Ansichten, da kann man reden, und solche Männer wie Ebert, Noske, Zörgiebel, ich muß sagen, das sind ehrenwerte Gestalten, was meinen Sie. Wenn wir einige von denen nicht gehabt hätten, denken Sie an Scheidemann, dann wär hier die russische Krankheit ausgebrochen und dann Gnade uns, Vaterland deutscher Nation!»

Arnold Seidenschwarz schmeckte nichts von der Suppe, weil er so sehr auf das Gespräch konzentriert war, möglicherweise schmeckte aber auch die Suppe nach nichts. Ehrenwerte Gestalten, dachte er, und gerade die in seiner Partei, denen er am fernsten stand. Zörgiebel, Berliner Polizeipräsident, verantwortlich für den Blutmai 29, der wird hier gelobt.

In Windeseile trugen die Bediensteten die Suppenteller ab und die Fischvorspeise auf.

«Wir nehmen dazu einen trockenen Nahewein, ein Verwandter hat dort eine Domäne.»

Der Fürst hob sein Glas: «Wir trinken, um zu genießen.»

Die beiden Tanten brachten ihre Gläser zum Klingen, ein sirrendes Geräusch, kurz vorm Zerspringen.

«Es ist halt immer die Frage, wer den Kopf vorne hat, das ist wie im Rennen, man kann es nie wissen, und muß es doch schon ahnen. Sie glauben gar nicht, lieber Pönsgen, was das für eine Umstellung war für unsere Kreise. Vor Achtzehn war ja alles klar. Man wußte, wer oben war, wer das Sagen hatte, wer kommandierte. Die mußte man kennen, und dann konnte auch nichts Dummes mehr geschehen. Aber heute? Gewinnen die Sozialdemokraten und die Linken die Wahl, muß man mit denen können, bleiben unsere Konservativen dran, verhandeln wir mit ihnen. Sogar die werden immer frecher in ihren Forderungen, nur weil sie Parlamentarier sind...»

«Seltsame Arier», echote der Enkel, der kaum älter als zwölf Jahre sein konnte.

«Oder Ministerialdirigenten oder gar Kabinettsmitglieder. Gut, sag ich mir, die haben sich zur Wahl gestellt und obsiegt, also muß man mit ihnen reden. Aber leicht fällt das einem wie mir nicht. Wenn es einen Grund gibt, warum ich mich in die Zeit vor Achtzehn zurücksehne, dann sicher nur, weil damals alles geordneter, klarer, durchsichtiger war. Ansonsten können mir alle gleich», der Fürst zögerte, «lieb sein.» Der geräucherte Fisch schmeckte ausgezeichnet, Lachsröllchen und Aalpastete, Hering in Gelee, und alles ganz frisch. Dennoch konnte der Privatdozent auch diesen Gang nicht sonderlich genießen, weil ihm ein fürchterlicher Gedanke in den Kopf kam. Die Wahl zum Reichstag war Mitte September, die Kepler-Feiern würden zehn Tage später beginnen, es konnte doch sein, daß sich der Fürst von verschiedenen Redenschreibern einen Text ausarbeiten ließ, je nachdem, welche Partei die Wahl siegreich beendete, ob die Sozialdemokraten und damit die Linke an die Macht kam oder...

«Schmeckt Ihnen das Essen nicht, Herr Doktor? Meine Leutchen in der Küche geben sich stets die größte Mühe.» Der Fürst legte seine schwere Hand auf die rechte von Seidenschwarz.

«Doch, ausgezeichnet.» Der Privatdozent errötete.

«Es ist ganz exorbitant», sagte der Enkel und trank seinen Malzkrug leer. Der Fürst sah in die Runde, blickte jeden Gast lange an.

«Ich könnte mir die Demokratie anders vorstellen, genauso gerecht, auch mit dem eingebauten Wechsel, aber nicht mit diesem Roulettespiel Reichstagswahl. Alle zehn Jahre übernimmt eine andere Partei das Ruder. So lange haben die einen, sagen wir die Konservativen, Zeit, Politik zu gestalten, Entscheidungen zu treffen, Richtlinien festzulegen, ohne Parlament, Opposition, Quatschbuden, wie Fürst Bismarck sie richtig nannte, ohne all dieses Drumherum. Danach kommen zehn Jahre die anderen dran, ganz legal, ohne großes Murren. Dann hätten wir klare Verhältnisse. Aber so, daß man gar nicht weiß, was kommt, wer hält morgen Einzug in die Regierung, das ist zu ungewiß. Und wenn dann erst mal alle paar Monate gewählt wird, dann ist das Chaos komplett. Ich denke, ich sollte mal einen Vorstoß in dieser Richtung machen. Was meinen Sie, meine Herren?»

«Am besten ist und bleibt die Monarchie», der Enkel war der Schnellste in seiner Antwort. Er hatte große blaue Augen, einen Strichmund und eine spitze Nase. Sein dunkler Anzug saß tadellos.

«Das würde nicht gehen, Durchlaucht, dazu ist die Demokratie ja nicht gemacht, daß das Volk, kaum daß es aufgefordert wurde, seine Vertreter zu wählen, schon wieder ausgeschaltet wird. Ich würde von solchem Vorstoß abraten, um ganz ehrlich zu sein.» Der Jesuit nahm die Serviette vor den Mund und hustete hinein.

Die beiden Tanten erzählten sich stumme Geschichten, sich dabei unentwegt anblickend.

«Und was meinen Sie, Herr Doktor Seidenschwarz?» Der Fürst nickte ihm ermunternd zu.

«Wir müssen davon ausgehen, daß die Republik ein Fortschritt ist. Wenn Sie das nicht akzeptieren können, dann sind alle folgenden Modelle nachrangig.» Seidenschwarz spürte einem Fischrest in seinem Mund nach. Er schmeckte wirklich ausgezeichnet. An diese Küche könnte ich mich gewöhnen, dachte er.

«Starke Worte, ohne Zweifel», der Fürst betätigte die goldene Tischglocke, damit der nächste Gang aufgetragen werden konnte.

«Wie gefällt Ihnen das Zimmer?» fragte er fast beiläufig den Privatdozenten.

«Eine sehr schöne Suite», antwortete Seidenschwarz.

«Sie können gerne im Schloß wohnen, wenn Sie Gefallen daran finden.» Eine deutliche Einladung, mit der Seidenschwarz nicht gerechnet hatte.

Die Wände des kleinen Eßsaales waren mit gewirkten Tapeten behangen, Szenen aus dem Leben Jesu, ein holländischer Meister, der mit kräftigen Farben die Stationen des Kreuzweges illustrierte, eingefaßt mit breitausladenden Holzrahmen, auf denen farblich angepaßte Schnitzereien zu bewundern waren. Die Decke war ein Sternenzelt mit fünf Planeten.

Arnold Seidenschwarz sagte: «Ich werde mir Ihr Angebot überlegen.»

«Sie könnten hier auf eine der größten Bibliotheken zurückgreifen. Es ist zu dumm, daß ich Ihnen die Pferde gezeigt habe, die mochten Sie nun gar nicht. Ich hätte Ihnen die Bibliothek zeigen sollen, das werden wir gleich nach dem Essen erledigen, daß ich das nicht berücksichtigt habe! Schließlich sind Sie Wissenschaftler und ganz bestimmt kein Pferdenarr!»

Als Hauptgang wurde Hirschragout gereicht, mit jungen Kartoffeln, Rotkraut und Preiselbeeren, gedünsteten Äpfeln und Backpflaumen. Die Teller schmückte das Wappen des Hauses, drei ineinander verkeilte Löwen in leuchtendem Rot auf grünem Blattwerk, das wie Eiche aussah.

«Wir sollten kurz an die Fürstin denken», sagte der Fürst und ließ das Besteck sinken, «hoffen wir inständig, daß es ihr morgen wieder besser geht.»

Der Jesuit sprach einen kurzen Segen.

«Immerhin wird die Fürstin in diesem Jahr 60, und wir haben

einige Feierlichkeiten geplant, wozu Sie selbstverständlich hiermit herzlich eingeladen sind. Wir wollen mit einer Serenade im nächtlichen Schloßhof beginnen, ein Fest der Jugend, ein Ständchen, die Fürstin liebt über alles ‹Die kleine Nachtmusik›, die soll sie zu hören bekommen, ich habe extra aus Berlin Mitglieder der Philharmonie bestellt, und abschließend das Kaiserquartett. Sechzig kleine, weißgekleidete Mädchen werden einen Reigen tanzen im Licht von über hundert Fackeln. Auch der Bischof wird ein paar Worte sprechen. Ich denke, es wird ein würdiger Vorabend des Geburtstages werden. Sie möchte nicht allzuviel Aufhebens machen, so bleibt der eigentliche Tag im allerkleinsten Familienkreis. Wir werden nicht mehr als vierzig Personen sein.»

Das Hirschragout hatte schon etwas an Geschmack verloren, weil die fürstliche Ansprache andauerte, zuletzt pries er noch den wunderbaren Rotwein an, den ihm ein enger Verwandter aus Italien jedes Jahr zukommen ließ, zu einem sehr günstigen Preis.

Seidenschwarz hatte inzwischen eine klare Vorstellung, wie das Essen fortgesetzt werden würde. Nach dem Hauptgang käme der Käse, dann ein, vielleicht zwei Desserts, danach der Kaffee, oder ein Mokka mit Gebäck und einem Likör, wahrscheinlich von einem Mitglied der Familie aus Frankreich, und dann wären alle so satt, daß ein Gespräch über Kepler ausgeschlossen sein würde. Er sollte sich getäuscht haben.

Zwei Stunden später saßen sie in der hohen Bibliothek, die über mehrere Stockwerke ging, lange Leitern hingen an den Regalen, ganz unten die kirchliche Abteilung, darüber die geografischen Werke, dann Geschichte und Philosophie, daneben Kunst und Naturwissenschaft. Allein die Veröffentlichungen über die Hausgeschichte nahmen eine ganze Wand ein.

«Worüber werde ich denn sprechen, Herr Doktor?»

Seidenschwarz war ziemlich ermüdet, denn in der Abfolge des weiteren Diners hatte er sich nicht getäuscht.

Er nahm sich zusammen und sprach von einigen vagen Überlegungen, Kepler als Genie, als sich ständig irrender Forscher, der neugierig genug war, um das Universum zu erkunden, der aber auch an kleinsten mathematischen Berechnungen seine Freude hatte. «Wußten Sie», Seidenschwarz stockte, jetzt wäre die Anrede fällig gewesen, «daß Kepler auch eine Zahnradpumpe erfand, die noch heute in Benutzung ist?»

«Das klingt ja ausgezeichnet», sagte der Fürst, «was meinen Sie. Es kommt doch genau meiner eigenen Meinung entgegen, denn ich möchte eins ganz besonders herausgestellt wissen: Unser Johannes Kepler hat jahrhundertelang im Schatten von Galilei gestanden, als sei er ein Nichts, und dabei, glaube ich, trägt dieser Italiener ganz unverdient diesen Ruhm.»

«Interessant», sagte Seidenschwarz, um etwas zu sagen.

Das matte Kerzenlicht fing sich in der Goldprägung der ledernen Buchrücken. Die langgestreckten schwarzen Fensterscheiben waren mit weißen Stegen eingefaßt.

«Was war denn dieser Prozeß gegen Galilei? Eine Farce. Er hat auf seine Gesundheit verwiesen, sein Alter, als Siebzigjährigem könne man ihm nicht mehr so viel zutrauen, und dann hat er abgeschworen, anstatt bei seiner Meinung zu bleiben. Kepler hatte ihn ja sogar brieflich aufgefordert, wenn mehr Leute wie er für das kopernikanische System öffentlich einträten, dann würde es sich schneller durchsetzen. Aber Herr Galilei schwört ab. Er ist niemals auch nur einen Tag in eine Zelle der Inquisition gesperrt worden, sondern hatte eine Wohnung mit Blick über St. Peter, ganz ungewöhnlich für einen Gefangenen, er wird mit Wein und Speisen versorgt. Später darf er sich in der Villa Trinità del Monte aufhalten und dann im Palast des Erzbischofs Piccolomini in Siena, das wird dann Verbannung genannt. Nichts da, Herr Doktor, dieser Galilei ist ein überschätzter Mann, und das will ich geraderücken.»

Seidenschwarz wollte sich nicht niederreden lassen und schon gar nicht in dieser Manier, denn der Fürst war zum ersten Mal seit ihrer nachmittäglichen Bekanntschaft lauter geworden: «Immerhin ist Galileis Dialog verboten worden, das ist für einen Wissenschaftler schlimm genug!»

«Aber doch nur, weil er selbst plötzlich wieder überzeugt war, daß er die Ansichten, die überholten Ansichten des Ptolemäus nicht bestritten und die richtigen Ansichten des Kopernikus nur als Modell diskutiert habe, was nicht der Fall war. Auf Druck reagiert er mit Schwäche. Wie anders ist da Kepler!»

Der Privatdozent wußte, daß der Fürst im Recht war, man konnte die beiden Männer im Vergleich so sehen, aber ihm war nicht wohl bei diesem Thema.

Er widersprach, dies sei sicherlich eine richtige Feststellung, aber als Ausgangspunkt für eine Festrede doch noch zuwenig.

«Ich will Sie keineswegs beeinflussen, Herr Doktor, aber das ist für mich der Kernpunkt meiner Rede. Auf dem Grab von Galilei steht, und was für ein Grab hat der Mann in Florenz bekommen, im Pantheon der Kirche Santa Croce, gleich neben Michelangelo und Machiavelli, da steht, und ich habe es selbst gelesen: Eppure si muove – Und sie bewegt sich doch. Nichts da, sag ich, genau das hat der Mann am Ende seines Lebens, unter Druck, wenn Sie so wollen, geleugnet. Da war die Erde wieder ein feststehender Planet, um den sich alles drehte. Gigantischer Unfug! Ich finde, man sollte das nicht unerwähnt lassen.»

Seidenschwarz atmete tief durch, bevor er seine Erwiderung fand: «Die wichtigere Frage scheint mir zu sein, wie mit Johannes Kepler umgegangen worden ist, Durchlaucht. Er mußte ja ständig seinem Geld hinterherlaufen.»

Der Fürst hob sein Glas, in dem französischer Cognac war.

Die Anrede ist mir herausgerutscht, dachte Seidenschwarz, beinah selbstverständlich. Er wollte sich konzentrieren, damit es nicht wieder vorkam.

Der Fürst erhob sich aus dem schweren Sessel.

«Sie schreiben die Rede, Herr Doktor, dafür sind Sie zuständig, dann werden wir weitersehen. Nur vergessen Sie meine Gedanken nicht. Sie verstehen...»

Seidenschwarz wollte nicht vom Thema abkommen und sprach davon, daß er schon Weil der Stadt aufgesucht habe, Keplers Geburtsort, und daß er gerne nach Sagan fahren möchte, um die letzte Wirkungsstätte Keplers kennenzulernen.

«Gewährt», sagte der Fürst knapp, «wir werden Ihnen einen Reisezuschuß zur Verfügung stellen. Natürlich müssen Sie in Sagan gewesen sein, um über Kepler zu schreiben.» Mit dieser Zusage hatte Seidenschwarz nicht gerechnet, soviel Großzügigkeit war ungewohnt, er hatte die Reise nach Sagan nicht erwähnt, um einen Zuschuß zu erhalten.

«Ich meine, wir sollten noch einmal auf die Frage kommen: Wie man die schwierigen Umstände beschreiben soll, unter denen Kepler wirken mußte? Das kann nicht unerwähnt bleiben, meine ich!»

Der Fürst wanderte in der geräumigen Bibliothek auf und ab und formulierte seine Gedanken: «Sicher, darauf muß ich zu sprechen kommen, aber es ist eine Festrede, eine Ehrung, ein Lob, da darf nicht nur mit dunklen Farben gemalt werden. Die Bedrükkungen, ja und auch, damit komme ich zurück zu dem, was ich vorhin ansprach, im Gegensatz zu diesem Galilei, der ja nicht einen Tag solche Bedrückungen erleben mußte wie unser Kepler. Der ja immer Unterstützung hatte von Fürsten und Kirche, bis zu dem Zeitpunkt, wo er sich mit einem Kardinal anlegte, weil er dessen Warnung übersah und sich kein Imprimatur für sein Buch holte. Mein Gott, es waren persönliche Auseinandersetzungen, die zu diesem weltberühmten Prozeß führten, nichts weiter. Ich habe das alles in Italien während meiner Studienzeit genau erforscht, auch wenn die italienischen Mitglieder unserer Familie meine Einschätzung nicht teilen, niente da fare, Italiener halten zusammen. Die Kirche wollte beweisen, daß sie die Macht hatte, auch so einen Wissenschaftler wie Galilei zu brechen, aber er, welche Rolle spielt er? Was meinen Sie.»

Seidenschwarz biß sich auf die Lippe, antwortete nicht.

Der Fürst schenkte ihm Cognac nach.

Sie schwiegen.

«Unser Kepler ist ein Genie, und das müssen wir herausbringen.»

Der Fürst faßte Seidenschwarz an den Schultern.

«Darauf sollten wir uns einigen: Kepler, ein deutsches Genie, ein paar Bemerkungen über Galilei, und ansonsten zeigen, welch großer Geist vor dreihundert Jahren gestorben ist. Das könnte es sein.»

Er richtete sich wieder auf.

«Eigentlich hatte ich erwartet, als mir am Nachmittag Ihr überraschender Besuch angekündigt wurde, daß Sie mit einer fertigen Rede erscheinen...», Seine Durchlaucht machte eine Pause, «aber wir haben ja Zeit. Fahren Sie nach Sagan, studieren Sie und schreiben Sie einen schwungvollen Text. Das Publikum will amüsiert sein, auch mit geschliffenen Wendungen. Sie sind schließlich der Rhetoriker, nicht ich!»

Arnold Seidenschwarz versank in seinem Sessel, er wollte antworten, daß er mit der Rede noch nicht weit gekommen sei, aber es bedurfte augenscheinlich dieser Antwort nicht.

Der Fürst sah aus dem Fenster: «Wenn man sich das so vorstellt, daß da draußen, wo die Sterne funkeln, überall Nichts sein soll, bis auf die paar Himmelskörper, die herumfliegen, daß da alles schwarz ist, dunkel, das kann einen schon das Fürchten lehren. Als Kind habe ich oft in den Nachthimmel geblickt oben von der Zinne aus, wir hatten auch ein paar astronomische Geräte, ganz brauchbare, aber leider inzwischen überholt, mein Patenonkel, ein englischer Lord, der nahm mich mit, wenn er nachts in den Himmel schaute. Wundervoll. Er konnte darüber sprechen, als habe er all diese Sterne besucht, dort gelebt, mit den Bewohnern geplaudert, die uns alle überlegen sind, wie mein Onkel Lord Bulwerstone betonte, very intelligent people out there. Er tat so, als wäre es eine Last, auf der Erde zwischen all den Grobianen und Dummköpfen zu wohnen. Aber er hat natürlich Märchen erzählt. Schöne Märchen, muß ich zugeben.»

Arnold Seidenschwarz hörte dem Fürsten zu, wie man einem Gebirgsbach lauscht, an dem man seit Tagen kampiert. Ihn beschäftigte immer mehr die Frage, warum Seine Durchlaucht die Rede nicht selbst verfaßte.

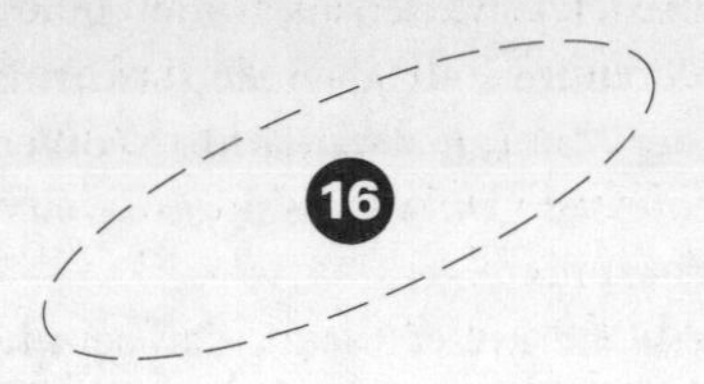

Der Privatdozent wankte über den Schloßhof. Er wußte nicht, ob er betrunken war oder ob die Erde schaukelte. Wenn er zusammenrechnete, was er seit dem Nachmittag alles getrunken hatte, es war auch nicht bei dem einen Cognac geblieben, das Quantum reichte aus, um seinen Zustand zu erklären.

Er war verstört. Am meisten ärgerte ihn, daß er nicht auf seine fertige Rede zu sprechen gekommen war. Wenn er es recht bedachte, hatte er immer nur versucht, die Gedanken des Fürsten abzuwehren. Das wichtige Werk über die Reise zum Mond war nicht einmal erwähnt worden. Ein Fauxpas, ohne Zweifel.

Arnold Seidenschwarz ging durch die Gassen der Stadt, die nur schwach beleuchtet waren, Zickzack, bog ab, um weiterzulaufen, kehrte mitten in einer Straße um und lief zurück.

Ich muß mich mit diesem Galilei beschäftigen, dachte er, noch ein Astronom, aber wenn der Fürst darauf besteht! Wie geläufig mir am Ende sein Titel von den Lippen ging, Durchlaucht, wie Knoblaucht, wie Erleuchteter, wie das geheimnisvoll leuchtende Grün auf den Gobelins. Eine Leuchtkraft. Wenn er neben einer der Kerzen in der Bibliothek stand, strahlte er mehr als jene. Ganz schön renommiert hat er mit seinen Pferden und Kutschen. Aber so übel ist er nicht. Warum er einen Sozialdemokraten beschäftigt, dachte Seidenschwarz und wußte keine Antwort.

Dann fiel ihm ein, daß Stammtisch war. Er hatte gar nicht so lange im Schloß bleiben wollen, vielleicht eine Stunde oder höchstens zwei, ein Bier wäre jetzt genau das Richtige.

Die Bärenschenke war fast leer, nur am Stammtisch der Lügner saß das nimmermüde Häuflein.

Der Wirt musterte Seidenschwarz von unten nach oben und dann von oben nach unten: «Haben Sie Konfirmation?»

Die Reaktion der Mitlügner war ähnlich, ob er geheiratet habe, ob er endlich Professor geworden sei, ob er eine Freundin habe, die ihn so ausstaffiert hätte.

Seidenschwarz bemerkte erst jetzt, daß sein heller Sommeranzug noch im Schloß war.

Der Lehrer sagte: «Ein wunderbares Stöffchen, das muß ich schon sagen, von so was träume ich schon seit Jahren.»

Der Privatdozent bestellte das Übliche. Der Wirt verschwand eilig hinter seiner Theke, polierte am Bierhahn, ohne seine großen Ohren zu verschließen.

Der Buchhändler nickte anerkennend: «Ich habs gewußt, wenn einer von uns mal Karriere machen tut, dann ists der Doktor, der hat noch die Stufen vor sich, da ist die Leiter nicht am End.»

Der Schmied sagte erst gar nichts, weil er immer im guten Anzug zum Stammtisch kam, was schon lange keiner mehr bemerkte, aber er sah natürlich auch, daß es zwischen gutem Anzug und gutem Anzug einen Unterschied gab. Er ließ sich zu der Bemerkung herab, das sei ein Stoff für die Ewigkeit, das sehe er gleich.

Am liebsten wäre Seidenschwarz aufgestanden und gegangen, zurückgelaufen zum Schloß, hätte seinen Anzug geholt, und dann... Aber er blieb, setzte sich und schwieg.

Genau wie Federl, der ihm gegenübersaß.

Seidenschwarz suchte ein Sitzkissen, denn jeder Stammtischbruder hatte sein angestammtes Kissen, dann sagte er: «Ich war beim Fürsten.»

«Nein, das hätte ich nicht gedacht», entfuhr es dem Buchhändler, «ein Sozi beim Fürschten, gratuliere, der Herr!»

Der Lehrer starrte in sein Glas: «Und wie isser, der Durchlauchtigste?»

Der Schmied schaltete sich ein, er wisse gar nicht, was so besonders daran sei, er habe ein paarmal fürs Schloß gearbeitet, die Stücke seien alle anstandslos abgenommen worden und anständig wie prompt bezahlt, er verstehe nicht, was dieses Getue solle.

«Aber du hast ihn selbst nie gesehen, he?» der Buchhändler konnte sich nicht beruhigen.

Der Lehrer, der immer nur dann lachte, wenn keiner lachte, bog sich und prustete los: «Du und der Fürst, Arnold, das muß ein schönes Bild gegeben haben. Wenn man da von dir schmalem Hemd überhaupt etwas sieht. Da hilft auch der Anzug nicht weiter.»

Der Wirt brachte den gefüllten Bierkrug. Seidenschwarz mußte nun auch noch eine Maß auf die Alkohol-Rechnung setzen.

«Stimmt das, daß Sie beim Fürsten waren? Da hätte ich eine Bitte, wenn Sie beim nächsten Mal für mich ein gutes Wort einlegen, weil der Fürst», der Wirt kam nah an Seidenschwarz heran, «vergibt gute Aufträge.»

«Jetzt, mal ehrlich, wie ist er, dieser Herr von Standesdünkel?» der Buchhändler tippte mit seinem Weinglas an den Bierkrug, was eine Aufforderung zu einer Antwort und zum Trinken zugleich war.

«Anders, als ihr denkt», sagte Seidenschwarz und setzte den Humpen an. Er trank gierig. «Er nimmt einen für sich ein.»

«Was das Geld angeht», unterbrach ihn der Lehrer, «da nimmt er was ein.» Er lachte wieder.

«Könnte er nicht auch blasiert sein?» wollte der Buchhändler wissen.

«Ich bin gerade von ihm zurück», wehrte sich Seidenschwarz, «hab noch den Anzug an, den ich fürs Diner verpaßt bekam, ich kann...» Seidenschwarz hielt inne.

Das allgemeine Gelächter war so laut geworden, daß jeder Vorbeigehende glauben mußte, in der Bärenschenke herrsche Hochbetrieb.

«Nein, das hätte ich nicht gedacht, ein fürstlicher Anzug auch noch», der Buchhändler sprang auf.

«Nein, nein, nicht was du meinst, wo ich mich frisch gemacht habe, da hingen zwei Anzüge...»

Es half nichts mehr, Seidenschwarz war zum Gespött der Runde geworden.

«Hat er dich gekauft?» fragte der Lehrer.

Mit einem Mal wurde es still.

«Blödsinn», sagte Seidenschwarz, nahm den Bierkrug, als wolle er ihn nach dem Lehrer schleudern. Wenn Federl doch etwas sagen würde zu seiner Verteidigung, der wußte Bescheid über seinen Auftrag, der kannte seine Versuche, den Auftraggeber zu finden.

«Ein Fürstengünstling, unser Seidenschwärzchen!» Der Buchhändler setzte nach, so betrunken er war.

Seidenschwarz stand auf: «Mit euch kann man kein vernünftiges Wort reden. Ich geh nach Hause.»

Er zahlte. Gab viel zuviel Trinkgeld.

Als er vor der Tür stand, war Tumult in seinem Kopf. Alles durcheinandergeschüttelt.

Von drinnen hörte er Gelächter.

«Wird jetzt ein feiner Pinkel, der Herr Doktor», brüllte der Lehrer.

Und der Buchhändler: «Redet nur noch mit Herrschaften, Durchleuchten, Obrigen!»

Seidenschwarz setzte seine Wanderungen durch die Stadt fort, er mußte mit jemand reden, das spürte er.

Er ging zu den Schwibbögen und stellte sich in den Eingang des Hutmacherladens. Wartete.

Eine halbe Stunde später kam Federl.

Sie umarmten sich.

«Raffel, ich bin ganz durcheinander, wie im Taumel, grad, als hätte mir ein Sturm durch den Kopf geblasen, mich weggerissen, ich weiß nicht, wie es kommt, dabei war der Abend doch ruhig und so gebildet, und trotzdem, vielleicht ist's auch nur der Alkohol, der mich jetzt schlägt, ich muß dirs erzählen, Raffel, damit wenigstens einer zuhört.»

Der Hutmacher führte ihn in die Wohnung, schaltete das Licht ein, drückte Seidenschwarz förmlich auf den Sessel und nahm neben ihm Platz.

Er war verschwitzt vom vielen Laufen, spürte, wie der Wein sich mit dem Bier vermengte, der Sherry mit dem Cognac tanzte, dazwischen die Bilder vom Fürsten mit seiner Denkmalsstatur, die Worte wählend und immer neue Toasts ausbringend.

«Er ist kein unmöglicher Mensch, wirklich, das mußt du mir glauben, Raffel, er ist ein wirklicher Kenner, ich hab fast das Gefühl, daß er mehr weiß übern Kepler als ich, auf jeden Fall weiß er viel übern Galilei, das hat mich verblüfft. Ich bin dahin zum Schloß, weil ich nun wirklich wissen wollte, wer diese Rede bestellt hat, und dann lauf ich durch offene Türen, ihm direkt in die Arme. Gut, jetzt weiß ich Bescheid. Schlecht, jetzt weiß ich, was er will. Und das ist, mit Verlaub gesagt, was ganz anderes, als ich will.»

Arnold Seidenschwarz hielt inne, zwang sich, nicht alles herauszusprudeln in diesem Tempo, er mußte darum fürchten, daß er auch den Alkohol nicht bei sich behalten würde, mitsamt dem exorbitanten Essen, wie der vorlaute Enkel es genannt hatte.

Federl bewegte die Lippen. Zuckte mit den Mundwinkeln. Dann stand er auf und verließ den Raum.

Vielleicht bin ich auch nur verrückt, dachte Seidenschwarz, und drehe mich in einer Spirale, die immer enger wird, vielleicht muß ich mal richtig ausschlafen und dann neu anfangen, darüber nachzudenken, was der Fürst nun eigentlich gesagt hat. In diesem Augenblick war es ihm selber unangenehm, daß er noch den fürstlichen Anzug trug. Das wird er mir bestimmt übelnehmen.

Rafael Federl kam zurück und brachte den Ikosaeder, legte ihn auf den Tisch. Er zeigte eine 17.

Seidenschwarz versuchte sich daran zu erinnern, aber bekam nicht mehr zusammen, was die 17 bedeutete.

Er wollte es seinem Freund gegenüber nicht zugeben, wollte warten, bis er eine Zahl legte, die er zu dechiffrieren wußte.

«Er hat mir angeboten, im Schloß zu wohnen, Raffel, grad als sei ich ein Freund. Eine Suite, das kannst du dir nicht vorstellen, schöner als in einem Museum, alles teure Möbel, die Wände mit Bildern, da könnt ich tagelang hinsehen, Porzellane, eine Badestube, grandios, so was hast du noch nicht gesehen, und alles für mich, wenn ich nur will, das ist kein Luxus mehr, das ist der Alltag, lauter feine Sach, Raffel, nur die guten Waren, die Hüte, die du als Sonderstücke machst, das ist da die Regel. Aber will ich dort einziehen? Soll ich dort einziehen?»

Arnold Seidenschwarz sah, wie Federl den Zwanzigflächner bewegte, die Zahl sagte ihm, daß er sich das gut überlegen müsse, und die zweite Zahl wies ihn daraufhin, daß es eine Gelegenheit sei, etwas Neues kennenzulernen.

Was für ein Unterschied, vor weniger als einer Stunde hatte er noch in der Bibliothek gesessen, parliert, gestritten mit einem mächtigen Mann, im Kerzenschein, mit edlem Cognac und reichem Vokabular, und jetzt in dieser Handwerksstube, die voller Gerümpel stand, mit zerschlissenen Möbeln, Gespräch mit einem stummen Hutmacher. Und alles auf der gleichen Erdkugel, dachte er.

Federl sah ihn unverwandt an.

«Es ist halt so, er gibt das Geld, und ich soll schreiben, austüfteln, geschliffene Formulierungen finden, das Publikum will amüsiert sein, Raffel, das kann er alles haben, aber welcher Inhalt, welche Rede, was will er sagen, das ich ihm schreiben soll, verdammt, es wäre besser, er schriebe diese Rede selbst, schriebe sich das, was er sagen will, und nimmt nicht mich als Sprachvorleger, als kleinen Wicht, der ihm die Sprache reicht, und dabei weiß ich nicht, ob es nur mich gibt, denn er könnte zehn beschäftigen, mit dem Geld, das er hat, ist's sogar wahrscheinlich.»

Der Hutmacher wippte mit den Beinen, nahm den großen Würfel in die Hand.

Seidenschwarz glaubte, ein Lächeln auf seinem Gesicht zu entdecken.

Federl würfelte. Die Zahl, die oben lag, war eine 11.

Er zeigte darauf.

Elf, die bedeutete, bleib dabei, bleib dabei, war es nicht so?

«Ich bin ein Esel, wirklich, ich hab doch eine Rede fertig, mit der ich ganz zufrieden bin, aber ich hab mich nicht getraut, einfach nicht den Mumm gehabt zu sagen, Durchlaucht, die Rede bring ich Ihnen morgen, sie handelt von einem posthumen Werk Keplers, seinem Traum vom Mond, und sie enthält alles, was ich an diesem Mann erwähnenswert finde, schön formuliert und noch dazu eine Rarität, weil kaum einer dieses Werk je zur Kenntnis genommen hat: Das hätt ich sagen können und wär aus dem

Schneider gewesen. Dann hätte er sie lesen müssen und mir dann sagen, was er will, so stehe ich da und habe mir seine Meinung abgeholt, Raffel, ich bin ein Esel.»

Federl sah geradeaus. Bewegte auch den Würfel nicht mehr.

Arnold Seidenschwarz war erschöpft vom vielen Reden, es war aus ihm herausgebrochen wie aus einem Steinbruch bei einer Sprengung.

«Ich werd jetzt schlafen gehn, danke, daß du mir geraten hast, Raffel, ich konnt nach diesem Debakel in der Schenke nicht schlafen, das wär nur ein größeres Debakel geworden, aber jetzt werde ich ruhiger, gelassener, ich muß nachdenken, was mir da passiert ist, und morgen ist auch noch ein Tag, und wenn ich noch mal eine ganz neue Rede schreibe, auf den Kepler, da kann man wohl tausend Reden schreiben, und keine gleicht der anderen. Gute Nacht und vielen Dank!»

Arnold Seidenschwarz reichte ihm die Hand.

Sie sahen sich an.

Was er auch versuchte, wie er es anstellte, er konnte keinen Schlaf finden, schon lange war der Alkohol aus seinem Hirn gewichen, schon lange fühlte er sich nüchtern, aber je klarer sein Denken wurde, desto schwankender war alles, der Zimmerboden, die Decke, die Wände, das Bett, das er immer wieder verließ, wenn er aufsprang, hin und her rannte. Vom zweiten Stock her wurde um Ruhe gebrüllt. Gegen Morgen gab er es auf und vertiefte sich in die beiden Briefbände, die in diesem Jahr erschienen waren, Keplers Briefe, las hastig, flüchtig, Seiten überblätternd, ruckend, erfaßte Sätze, Worte, legte das Buch weg, starrte an die Decke. Kepler hatte eine rege Korrespondenz, immer schrieb er seine Gedanken an Freunde, an Briefpartner, an Unbekannte, die von ihm wissen wollten, was von der Astrologie zu halten sei, von den wirklichen Bewegungen der Sterne, von den Temperamenten der Menschen, von den Feinden. Hätte er ihm nicht auch schreiben können? Kepler erklärte sich selber, was er anderen erklären wollte, er gab Antworten auf Fragen, die sich ihm stellten, er ließ die Adressaten teilhaben an seinem Leben, an seinen Gedanken und Träumen, denn immerfort waren es Überlegungen, wie das Leben in diesen schweren Zeiten zu meistern, wie ein Überleben zu sichern wäre, wenn alles in die Brüche ging, und in Keplers Leben ging sehr oft alles in die Brüche. Die Briefe waren ein Kompendium für Schiffbrüchige, die nichts dringender brauchten als Land oder ein Boot, das sie aufnahm, oder wenigstens ein Stück Holz, mit dem sie schwimmen konnten.

Seidenschwarz las bis gegen Mittag, dann packte er den entliehenen Anzug unter den Arm und begab sich zum Schloß.

Der grauhaarige Sekretär empfing ihn mit der gleichen Höflichkeit wie am Tag zuvor. «Werden Sie heute Ihr Zimmer beziehen?» fragte er in freundlichem Ton.

Seidenschwarz wippte mit dem Kopf, was der Sekretär als Einverständnis auffaßte.

«So schnell wird das nicht gehen», erwiderte Seidenschwarz, «ich muß noch einige Dinge regeln.»

«Es steht zu Ihrer Verfügung.» Der Sekretär nickte einige Male.

«Der Anzug.» Seidenschwarz reichte ihm nicht nur den Unerschwinglichen, sondern auch das Oberhemd und die Krawatte.

‹Ja, ich laß den Ihrigen gleich bringen.» Der Sekretär winkte einen Boten heran, besprach mit ihm die Angelegenheit.

Seidenschwarz wußte, daß er nicht wegen des Anzuges zum Schloß gekommen war, jetzt wo er nüchtern, aber übermüdet war, wollte er gerne noch mal mit dem Fürsten sprechen, besonders weil er seine Mondrede gar nicht erwähnt hatte. Das kann ich heute nachholen, wo ich schon einmal da bin, dachte er.

Der Sekretär sprach über den wunderschönen Sommer, wieviel Glück sie in diesem Jahr hätten, wie besonders gut die Ernte ausfallen werde.

«Kann ich Seine Durchlaucht denn für ein paar Minuten stören?» fragte Seidenschwarz und sah über den Sekretär hinweg.

«Das wird nicht gehen, mein Herr. Der Fürst ist auf seine Besitzungen in Österreich gefahren. Er war schon früh auf den Beinen.»

«Wie lange wird er Regenburg fernbleiben?»

«Das kann man bei ihm nicht wissen. Er gibt nie seine Reisepläne bekannt. Geht es um die Zahlung ihrer Reisekosten, wenn ich mir die Frage erlauben darf, davon sprach er heute morgen?»

Seidenschwarz errötete, sagte aber nichts.

Der Bote kam und brachte in Packpapier eingewickelt seinen Anzug, wieder flüsterten die beiden Bediensteten.

Der Sekretär übergab das Paket: «Gerade fertig geworden in der Bügelei.»

Sie standen an der Pforte, die jeder zu passieren hatte, wenn er in den Schloßhof vorgelassen werden wollte.

«Ach ja, die Reisekosten. Wir könnten das sofort in die Hand nehmen, wenn Sie darauf bestehen.»

Der Privatdozent versuchte sich zu konzentrieren, aber es war einer von diesen Augenblicken, in dem ihm das nicht gelang.

«Sonst bekommen Sie das Geld mit der nächsten Zahlung unsererseits.»

«Wir werden Sie unterrichten, wenn Seine Durchlaucht wieder im Schloß ist. Sie können das aber auch selbst erkennen, denn auf der höchsten Zinne wird die Flagge gehißt, wenn er anwesend zu sein beliebt.»

Mit einem Mal war Seidenschwarz hellwach, er glaubte eine Spur von Ironie gehört zu haben.

«Ist er eigentlich ein Gestrenger, der Herr Fürst?» fragte er.

«Wie meinen Sie das, Herr Doktor?» Der Sekretär runzelte ein wenig die Nase.

«Wie ich es sage. Ob er ein strenger Herr ist?»

Arnold Seidenschwarz sah, wie der Sekretär die Antwort im Mund kaute, wie er sie abschmeckte: «Seine Durchlaucht muß streng sein, sonst wäre ein solches Erbe nicht zu bewältigen, er ist ein liebenswürdiger Mensch. Ich kenne niemand, der so liebenswürdig ist, wenn es mehr solche Herren gäbe, dann würden die Menschen wieder etwas haben, zu dem sie aufschauen können. Reicht Ihnen das, Herr Doktor?»

Der letzte Satz war scharf akzentuiert, eine Spitze.

«Durchaus, das reicht.›

Seidenschwarz wollte sich verabschieden. Aber der Sekretär hielt ihn mit der Gegenfrage auf, was für einen Eindruck er denn von Seiner Durchlaucht gewonnen habe, schließlich hätten sie ja einige Stunden miteinander verbracht, was beim Fürsten nicht gerade üblich sei.

Seidenschwarz überlegte lange, dann sagte er: «Nur den besten Eindruck.»

Der Wichtigtuer, der aufgeblasene Frosch, der eingebildete Astronom, der sich von Fürsten aushalten ließ, Galileo Galilei, der italienische Sternengucker, dem niemals solche Ehre hätte zuteil werden dürfen!

Seidenschwarz beeilte sich, den Gedanken seines eben gefundenen Auftraggebers nachzugehen, er wollte ein Bild von diesem Galilei erhalten, einen Eindruck, denn es stand fest, daß der Italiener übermächtig war, und schmächtig dagegen sein geliebter Johannes.

Der Abend des 24. April 1610 in Bologna, im Hause des Astronomen Magini, versammelt waren die Geistlichkeit und manche aus der philosophischen Fakultas, nur die erste Garnitur. Galilei wollte einen Beweis antreten: Der Jupiter hat Monde, die Herren möchten sich zum Fernrohr begeben, dann könnten sie diese mit eigenen Augen sehen. In der Bibel steht nichts von Jupitermonden, soll einer gesagt haben. Ein anderer ergänzte, deshalb kann es sie auch nicht geben. Aristoteles hat nie von Monden des Jupiter berichtet, wieder ein anderer der gelehrten Herren. Warum sollen wir durch dieses Rohr dort blicken? Ebenfalls ein studierter Mann, der nun fragte.

Da standen diese Herren in ihren Roben, Gewändern, Uniformen, Maskeraden und lehnten es ab, durch das Fernrohr zu blikken. Galilei wollte dem unaufhörlichen Disput ein Ende machen: Bitte sehr, sehen Sie doch selbst! Es ist alles eingestellt. Sie betrachteten das neumodische Gerät, befühlten es, kein besonders interessanter Gegenstand. Eine Röhre aus Blei, zwei Gläser an den Enden, was sollte das sein? Der Himmel ist ja nicht mehr klar, soll einer der italienischen Philosophen gesagt haben. Das Gerät ist ziemlich wacklig, ein älterer Kirchenmann. Wer garantiert denn dafür, daß Galileo nicht die gewünschten Monde einfach auf die

Linse gemalt hat – ein hoher Geistlicher, der lieber zu der Heiligen Schrift zurückkehren wollte, dort ist doch bewiesen, daß die Erde im Mittelpunkt steht. Denn soviel hatten sie begriffen, dieser Astronom wagte einen Angriff auf ihr Weltbild. Dann ließen die Herren den Galileo allein zurück, marschierten geschlossen aus Maginis Haus, hinaus in die Unwissenheit, die ihnen bequemer war. Vielleicht hatte doch einer gewagt, durch das Fernrohr zu sehen, aber er konnte nichts sehen, weil er nichts sehen wollte. Wie mußte dem damals zumute gewesen sein, dem Galileo Galilei?

Galilei hatte das Fernrohr nicht erfunden, wie er vorgab, es kam aus Holland, gebaut von Lippershey, und hundert Jahre zuvor hatte es Leonardo konzipiert, ein Perspicillum. Wie dringend Kepler um dieses neue Fernrohr von Galilei gebeten hatte, welche wundervollen Entdeckungen er trotz seiner Sehschwäche hätte machen können, aber, und da hatte der Fürst Recht, Kepler bekam es von Galilei nicht, der enthielt es ihm vor, aus Konkurrenzneid? Weil beide mehr als 700 Kilometer voneinander entfernt über die gleichen Gegenstände forschten? Von Galilei wurde auch berichtet, daß er aus Keplers «Weltgeheimnis» Vorlesungen hielt, ohne den wirklichen Urheber zu nennen. Und später dann in dem berühmten Prozeß hatte Galilei sich nicht einmal auf Kepler bezogen.

Dann der Streit mit Kepler, der gar kein Streit war, nicht mal eine wissenschaftliche Auseinandersetzung, bloß ein enthusiastischer Deutscher, der den italienischen Kollegen treuherzig feierte und nie auch nur ein Wort der Anerkennung dafür bekam. Kepler, der sein «Weltgeheimnis» dem Gelehrten nach Padua schickte und die Antwort erhielt, daß der große Mann schon sein Vorwort gelesen habe, immerhin! Er sei schon länger Anhänger des kopernikanischen Systems, hatte ihm Galilei geschrieben, er habe viele Beweise dafür, aber er wage nicht, sie zu veröffentlichen. Gäbe es mehr Astronomen wie Kepler, würde er an die Öffentlichkeit treten, da das nicht der Fall ist, halte ich mich zurück. Und dann dreizehn Jahre Schweigen, trotz mehrerer Briefe des Deutschen.

Erst als Kepler in seiner «Unterhaltung mit dem Sternenboten» ein Werk Galileis kommentierte und ihn ungeachtet aller Proteste unterstützte, warum soll ich nicht einem hochgelehrten Manne glauben, der weit davon entfernt ist, einem Trugbild zu verfallen, als Kepler die neuen Jupitermonde, ohne sie je gesehen zu haben, akzeptierte, erst da rührte sich Galilei wieder, bedankte sich für die freimütige Unterstützung. Aber das Fernrohr schickte er nicht.

Seidenschwarz wurde immer deutlicher, warum er seinem Auftraggeber keine Rede schreiben wollte, die nur politisches Ränkespiel wäre. Der Italiener sollte abgewertet werden, damit die deutsche Größe erhöht würde. Und das in einer Zeit, in der die nationalen Töne schon schrill genug waren. Dazu gab ihm sein geliebter Johannes keine Vollmacht.

Seidenschwarz traute seinen Augen nicht.

Frau Professor Röhrl tanzte nackt auf der Donau-Aue. Sie hielt einen Schleier in der rechten Hand und sprang über die Wiese.

Er wandte sich ab, doch sie hatte ihn schon gesehen. Rief ihn heran.

Seidenschwarz legte sein Fahrrad ins Gras. Frau Röhrl nahm ein Badetuch und schlang es sich um den Körper.

Sie standen sich gegenüber, schwiegen, nachdem Seidenschwarz kurz gegrüßt hatte, ein stummes Nicken.

«Das hat mir gut gefallen», begann sie mit lachender Stimme.

«Was?»

«Neulich, im Theater, war das Beste des ganzen Abends. Wie Sie Ihren Freund verteidigt haben! Sehr mutig, wirklich! Ich hab es gesehen.»

Seidenschwarz wußte nicht, wohin er seine Augen wenden sollte. Das Badetuch ließ viel frei.

«Warum redet denn Ihr Freund nicht?» fragte Frau Röhrl.

«Er hat es mir nicht gesagt», antwortete Seidenschwarz.

Die Donau-Aue, die für die Regensburger seit Jahren an heißen Tagen zum Ausflugziel wurde, der ruhige Strom.

«Sie reden auch nicht viel heute.» Sie sah ihn angriffslustig an. «Also, entweder ziehen Sie sich aus, oder ich ziehe mich an.»

Seidenschwarz schüttelte den Kopf.

«Ich bin Anhängerin der Freikörper-Kultur, ich esse Sonne,

wenn Sie das kennen. Könnten Sie auch gebrauchen, so blaß, wie Sie aussehen, mitten im Sommer. Richtig studierstubenfahl sehen Sie aus.»

Wie kann man sich nur so ungeniert ausziehen, dachte Seidenschwarz. Er rührte sich nicht von der Stelle.

Frau Professor Röhrl wandte sich ab und nahm mit behenden Bewegungen ihre Kleider auf. Der Blick auf ihren schmalen Hintern war großartig.

«Fertig», sagte sie, drehte sich um, «fühlen Sie sich jetzt wohler?»

«Ja, sicher, nein, ich meine, es kann ja jeder...» Seidenschwarz wollte drei Sätze zugleich anfangen.

«Sie werden doch wissen, wenn er Ihr Freund ist, warum er so beharrlich schweigt?» setzte Frau Röhrl nach.

Seidenschwarz ging in die Hocke.

«Ich würde es Ihnen sagen, wenn ich es wüßte. Bestimmt.»

Sie band sich den Schleier zu einem kleinen Turban um den Kopf.

«Was macht der Kepler?» fragte sie mit fester Stimme.

Erst erschütterte sie ihn mit ihrem nackten Körper, dann mit dieser Frage.

«Ich habe eine Rede fertig, aber sie paßt nicht ganz.»

«Wieso? Das müssen Sie erklären.»

Seidenschwarz zögerte. Er saß mit dieser unberechenbaren Frau in der Donau-Aue, sollte sich nun erklären, und alles auf einmal. Er berichtete von dem Auftrag, von seiner Suche nach dem Auftraggeber, von dem Fürsten und dessen Vorstellungen. Frau Professor Röhrl hörte sich die ganze Geschichte an und sagte: «Ich wußte schon länger, daß der Fürst in der Walhalla spricht. Aber ich dachte, Sie hätten Ihre Gründe, mir das zu verschweigen.»

Mehr sagte sie nicht dazu.

Ich hätte sie nur fragen müssen, dachte Seidenschwarz, dem wieder Szenen aus dem nächtlichen Gespräch in der fürstlichen Bibliothek in den Sinn kamen.

«Was werden Sie nun tun?» fragte sie.

RABBI BLUM: Und wenn sich in Wirklichkeit alles ganz anders verhält? Wenn wir nur glauben, wir sehen Sterne, die am Firmament glitzern, ein paar von denen haben wir Planeten genannt, neun Himmelskörper von Milliarden. Wenn wir uns das alles nur einbilden, weil wir das Modell eines Herrn Kepler im Kopf haben? Arnold, was ist dann?

SEIDENSCHWARZ: Wie kommst du darauf?

RABBI BLUM: Ich frage ja nur. Als du das letzte Mal fortgegangen bist, hab ich ungestört durch deine Einwendungen nachgedacht. Es kann alles so ein, wie wir bis jetzt zu wissen glauben, aber es muß nicht so sein.

SEIDENSCHWARZ: Meinst du, Kepler hat sich bei seinen Planetengesetzen geirrt?

RABBI BLUM: Das will ich nicht behaupten, und beweisen kann ich es schon gar nicht. Ich stelle nur die Frage: Was wissen wir denn schon über das Universum? Wir haben allen Sternen Namen gegeben und glauben deshalb, daß sie uns gehören. Wie kleine Kinder, die ihren Puppen Namen geben. Wir können Entfernungen berechnen, aber haben doch diesen Planeten nie verlassen.

SEIDENSCHWARZ: Flugzeuge verlassen ihn. Und Oberth spricht sogar von Raketen, die eines Tages ...

RABBI BLUM: Gut, aber was heißt das? Ein paar tausend Kilometer in den Raum hinein, und die restlichen Millionen Lichtjahre? Wir tun so, als wüßten wir eine Menge.

SEIDENSCHWARZ: Das Wissen hat zugenommen und wird weiter zunehmen, industrielle Revolution, ein gigantischer Aufschwung, Demokratisierung, ein politischer Erfolg, nimm doch nur mal die Zeit vor 1918, es besteht die Chance, zum ersten Mal wirkliche Demokratie in Deutschland zu bekommen.

RABBI BLUM: Ich will auf etwas anderes hinaus. Wir machen uns ein Bild von der Welt...

SEIDENSCHWARZ: Und in der Bibel steht, wir sollen uns kein Bild machen, Rabbi. Ist es das?

RABBI BLUM: Am Anfang stand der Zweifel, damit geht es los. Und der Zweifel bleibt, auch wenn du versuchst ihn abzustellen. Der Steinzeitmensch glaubte noch, daß irgendein höheres Wesen ihm die Blitze persönlich auf die Erde schleuderte, weil er irgend etwas falsch gemacht hatte. Er versuchte herauszufinden, was das sein könnte, und versuchte auch, den Blitzgott milde zu stimmen. Zweifel wird zu Glauben und damit zu einem wichtigen Gerüst.

SEIDENSCHWARZ: Halt, nicht so schnell, willst du jetzt an deinem Gott zweifeln?

RABBI BLUM: Später haben wir erfahren, was Blitze sind, schon brauchten wir keinen Blitzgott mehr, denn den gab es nicht. Wirklich? Gibt es wirklich keinen Blitzgott? Genau kann mir das bis heute keiner sagen, und wenn morgen ein Wissenschaftler kommt, der ihn beweisen kann, wird man ihn mit Ehrenzeichen dekorieren, und alle glauben wieder...

SEIDENSCHWARZ: Man wird ihn ignorieren, Rabbi. Ich habe das Gefühl, daß du dich verrennst in eine Feindschaft gegen die Wahrheitssucher...

RABBI BLUM: Mitnichten. Ich will nur, daß wir uns nicht einbilden, wir wüßten eine ganze Menge, wir seien wirklich so weit, daß uns nichts mehr überraschen kann.

SEIDENSCHWARZ: Worauf willst du hinaus?

RABBI BLUM: Ich will Skeptiker bleiben. Ein radikaler Skeptiker.

SEIDENSCHWARZ: Es kommt mir so vor, als ob du zu tief in die Zweifel geblickt hast und kehrst nun zurück in Abrahams Schoß. Die Rückkehr zu den alten Vorstellungen, den Gesetzen der Thora, der Vorbestimmung des Schicksals. Wir Menschen als Spielbälle in der Hand Jahwes. Ich kann so nicht leben, Rabbi, und denken schon gar nicht.

RABBI BLUM: Arnold, du verstehst mich ganz falsch. Ich will keine Tüllvorhänge vor der Realität, keine Modellrechnungen nach dem Motto, nehmen wir mal an, um dann die feste Überzeugung auszusprechen, so ist es und nicht anders. Dafür hat es zu viele Irrtümer gegeben.

SEIDENSCHWARZ: Sie werden weniger.

RABBI BLUM: Das mußt du denken, Arnold, ich weiß. Aber laß doch einen Augenblick den Fortschrittsglauben fahren, nur einen Augenblick.

SEIDENSCHWARZ: Ich bin keineswegs so fortschrittsgläubig, wie du denkst, Rabbi. Ich will nur die Hoffnung nicht verlieren. Wenn es keine Veränderung zum Besseren mehr gibt...

RABBI BLUM: Was ist das Bessere?

SEIDENSCHWARZ: Du wirst zynisch, das hätte ich nicht gedacht.

RABBI BLUM: Nein, sag es mir. Ich weiß es oft nicht. Unsere alten Gesetze sind immer wie Blei für mich gewesen, haben mich festgehalten, bis ich die Schnüre abgeschnitten habe. Gibt es eine Entwicklung zum Besseren, Arnold? Ich sehe Blut und nochmals Blut.

SEIDENSCHWARZ: Keine Hoffnung mehr?

RABBI BLUM: Ich würde es nicht Hoffnung nennen, eher Glauben.

SEIDENSCHWARZ: Ich nenne es Hoffnung.

RABBI BLUM: Um dich daran zu klammern. Ich könnte nicht nur ein radikaler, sondern auch ein fröhlicher Skeptiker sein.

SEIDENSCHWARZ: Einen fröhlichen Skeptiker hat Gott gern.

RABBI BLUM: Der sich bescheidet und sagt, wir können nichts vorhersagen, weil uns das Wissen fehlt und immer fehlen wird, und das ist auch nicht von Übel, damit könnte ich mich einrichten. Aber es langt mir nicht. Am Anfang war der Zweifel, sage ich, und bei Kepler sieht man, wohin es führt, wenn ihn jemand nicht aushält, zum harmonischsten aller Modelle, in dem alles, aber auch wirklich alles ganz gleich gebaut ist. Da wird auch der sechseckige Schnee zum Beweis der göttlichen Geometrie.

SEIDENSCHWARZ: Bei der Frage, wer hat den Schnee so gemacht, haben wir als Kinder immer gerufen, der Schneemann. Aber wer ist das gewesen?

RABBI BLUM: Sollte Gott einen Baukasten mit ein paar gleichseitigen mathematischen Figuren gehabt haben und dann die Welt erschaffen? Und wer hat ihm den Baukasten gegeben?

SEIDENSCHWARZ: Jetzt erstaunst du mich: als sei alles plötzlich aus purem Zufall entstanden. Wo kommt dein Gott denn bei dir noch vor?

RABBI BLUM: Auf jeden Fall nicht in der Mathematik, da bin ich mir sicher. Hat Gott ebenfalls zwei und zwei zu vier addiert?

SEIDENSCHWARZ: Wenn es diesen Schöpfer gibt...

RABBI BLUM: Hat sich nicht herausgestellt, daß die bloße Erkenntnis einer Sache noch gar nichts zum Leben hinzutut? Also, wo bleibt die Ethik, wenn ich weiß, daß Plus und Minus den Strom fließen lassen? Oder wie die Planeten kreisen? Da, genau an dieser Stelle, gibt es für mich den Schöpfer.

SEIDENSCHWARZ: Und das Interesse an Erkenntnis, gilt das für dich nichts?

RABBI BLUM: Welches Interesse an Erkenntnis? Wenn du mit der Frage nach dem Nutzen kommst, wird alles noch schwieriger.

SEIDENSCHWARZ: Aber auch reicher, vielfältiger.

RABBI BLUM: Eine schöne Vereinfachung täts auch für den Anfang, damit man sich an was festhalten kann.

SEIDENSCHWARZ: Wann wird dieses Zweifeln gefährlich?

RABBI BLUM: Nachts. Am Tag sehe ich zuviel, was nicht einstürzt. Wenn dann im Dunkel die Gedanken aus der Kreisbahn geraten, dann wirds rasant. Aber ich fange mich wieder.

SEIDENSCHWARZ: Im Gebet.

RABBI BLUM: Mach dich ruhig lustig darüber. Du mußt die Kraft haben, die Gedanken nicht zu bremsen, nicht gleich wieder umzukehren, wenn es gefährlich wird.

SEIDENSCHWARZ: Also fangen wir wieder beim Staunen an. Wir wundern uns und blicken erstaunt zum Himmel auf und sagen: ach, wie schön, wir wissen gar nichts.

RABBI BLUM: Wenig, würde ich sagen, wenig.

SEIDENSCHWARZ: Und wozu diese Skepsis, dieser anhaltende Zweifel, was soll uns der?

RABBI BLUM: Aha, jetzt wacht der Seidenschwarz auf.

SEIDENSCHWARZ: Wieso?

RABBI BLUM: Auf die Frage hatte ich längst gewartet.

SEIDENSCHWARZ: Und die Antwort.

RABBI BLUM: Ich weiß sie nicht. Nur kann ich die Zweifel nicht einfach unterdrücken.

SEIDENSCHWARZ: Kannst du dich an deinen Zweifeln festhalten?

RABBI BLUM: So wie du an deiner Hoffnung? Nein, bestimmt nicht.

SEIDENSCHWARZ: Kannst du dir das Zweifeln dann noch leisten?

RABBI BLUM: Solange es mich nicht umbringt. Da besteht die größte Gefahr. Wenn nichts mehr feststeht, wenn alles mit Fragezeichen versehen wird, nur weil ich unsere Gesetze über Bord geworfen habe...

SEIDENSCHWARZ: Als Rabbi?

RABBI BLUM: Für die Gemeinde sieht das anders aus, da bin ich der gesetzestreue Vorsteher. Aber die Gesetze haben mir den Atem genommen, und plötzlich kamen die Zweifel, die Skepsis. Wie befreit bin ich gewesen, habe aufgeatmet, unabhängig im Denken, bis...

SEIDENSCHWARZ: Warum hörst du auf zu reden, Rabbi? Rast dir das Hirn?

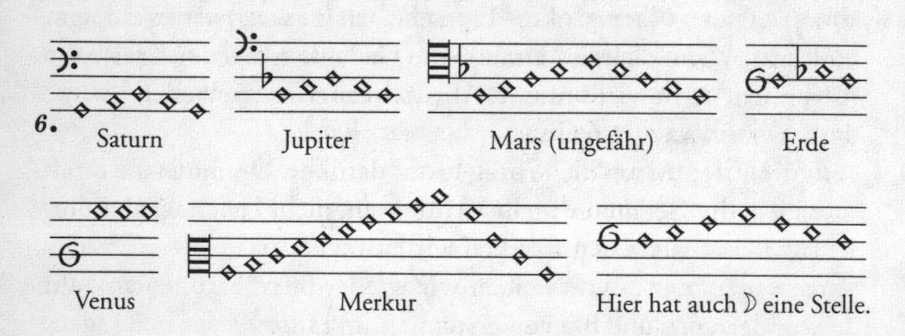

Der Bericht von der Saalschlacht in Nürnberg fiel Seidenschwarz an diesem Morgen bei der Lektüre seiner «Volkswacht» als erstes ins Auge. Im Herkules-Velodrom sprach der kommunistische Reichstagsabgeordnete Rummele. Schon beim Einlaß entwaffnete die Polizei 44 Personen, die Hakenkreuze trugen. Dann rief einer von den Braununiformierten, der Kommunist Bücher habe 100 000 Mark veruntreut (was so nicht stimme, schrieb die «Volkswacht»), und dann kam es zu einer Schlägerei mit Bierkrügen, Flaschen, Stuhlbeinen, alles ging zu Bruch, Polizei dazwischen mit Gummiknüppeln, die Feuerwehr setzte die Hydranten in Tätigkeit. Bilanz: 90 Verletzte, davon 19 schwer. Wie weit bin ich eigentlich weg mit meinem Kepler?

Er hatte eine Versammlung absagen müssen, zu der ihn der Genosse Ehrensperger verpflichtet hatte, seine schlechte Konstitution, der Kreislauf erlaubte es nicht, eine solche Anstrengung zu unternehmen.

Eine Prophezeiung stand in seinem sozialdemokratischen Tagesblatt. Aus Preßburg wurde gemeldet, daß der evangelische Pfarrer Johannes Csike in der Gemeinde Tana, der schon früher Katastrophen voraussagte, die auch prompt eingetroffen seien, daß dieser gleiche Kirchenmann für den 14. September einen schrecklichen Zyklon voraussagte, der eine Reihe von Städten und viele hunderttausend Menschen vernichten werde. «Weltuntergang am Wahltag» kommentierte die «Volkswacht» mit ironischem Unterton. Auf jeden Fall herrsche in der Region schon einen Monat vorher große Aufregung, der Tag werde mit Angst und Bangen erwartet. Arnold Seidenschwarz kam ins Blättern, solche Nachrichten konnte er am wenigsten vertragen. Er wunderte sich, daß seine Zeitung dafür Platz hatte.

Es war kein großer Wahlkampf, den die Sozialdemokraten führten, ihnen fehlten die Kräfte. Anfang des Monats September schickte die Partei den neuen Tonfilmwagen, das sollte die zentrale Kundgebung für die Region werden. Die Hauptrede sollte der Genosse Enders halten, Thema: «Zertrümmerung oder Ausbau der Sozialversicherung.» Vergeblich hatte sich Seidenschwarz im Wahlkampfkomitee gegen dieses Redeangebot gewandt, hatte argumentiert, gestritten, war mit hochrotem Kopf hinausgelaufen und später wieder zurückgekehrt. Genosse Enders sei ein Fachmann, daran gebe es nichts zu rütteln, und außerdem sei ja die Attraktion des Abends der Tonfilm, die Riesenleinwand unter freiem Himmel, vor der Stadthalle, da würden Tausende aus reiner Schaulust kommen. Soviel man wußte, enthielt der Wahlkampf-Film Auszüge aus Reden von Hertz, Breitscheid und Wissel, den führenden SPD-Genossen, und dazu würden die Berliner Arbeiterchöre singen, auch das ein Anreiz. Seidenschwarz sollte sich nicht so haben, sie würden bestimmt großen Zulauf finden. Als es dann an die Verteilung der organisatorischen Aufgaben ging, duckte sich Seidenschwarz, aber der Ehrensperger Ludwig war nicht gewillt, ihn zu übersehen. Deshalb übernahm er die Aufgabe, am Abend belegte Brote zu verkaufen, was der Parteikasse zukommen sollte. Das zeigte seine Bereitschaft zur Mitarbeit und garantierte, daß er nicht weiter behelligt würde. Einer der Genossen sagte am Ende des Vorbereitungstreffens, man dürfe nicht vergessen, die Kapelle des Reichsbanners einzuladen, damit die Internationale intoniert werden könne; er sei bereit, die Texte rechtzeitig und in ausreichender Zahl zu vervielfältigen. «Dabei wird mir immer warm ums Herz», schloß er seine Ausführungen.

An diesem Tag stand in der «Volkswacht» anstelle eines Witzes ein Gedicht über den Prinzen August Wilhelm, den designierten Nachfolger Wilhelms II., eine Karikatur zeigte einen arbeitslosen Obrigen.

> Jestatten – äh – Nationalsozialist
> Vater war Kaiser – äh – wie Ihr wißt
> Republik Schweinerei, Karriere futsch
> zur Verfügung – äh – für nächsten Putsch!

Arnold Seidenschwarz beendete seine morgendliche Lektüre und ging ins Bad. Er duschte länger als gewöhnlich. Kalt.

Vereinzelt kamen Rufe.
Dann war wieder Stille.
Pferde trappelten über die Gasse.
Zwei Katzen schrien in Geilheit.
Die Hand verkrampft, hinein in den Boden.
Der Fuß verdreht, die Zehen gespreizt.
Verloren der Ort.
Kramgasse.
Donau-Aue.
Dörnbergpark.
Schwarzholz.
Ein Taumel durch die Räume, durch Plätze, durch Verstecke. Es begann mit dem klaren Bild einer hohen Kiefer, einem breiten Stamm, einem Bild aus einem künftigen Leben, ein klares Bild zwischen den Jahreszeiten, zwischen den Temperaturen, zwischen Hitze und Eis, ein Baum mit tiefer Wurzel, getragen vom Wind, geschüttelt vom Sturm, gestreichelt von Böen, eine Kiefer, hinausgewachsen, mit Ästen und Zweigen und langen Nadeln, ein männlicher Baum.
Und dann die Dunkelheit, die er wahrnahm wie eine Drohung, eine Warnung, bleib in deiner Stube, rühre dich nicht vom Fleck, geh keinen Schritt mehr, du könntest stürzen.
Er wußte nicht, wo er war, und wann er wo war und wie er wann war, hatte sich an den Boden gekrallt, um die Krämpfe zu ertragen, das wußte er.
Es war nicht geschehen, wie es früher geschah, hatte ihn überfallen mit einer solchen Gewalt, daß er sofort zu Boden stürzte, die Bilder wie in einem Wasserfall hinunterrauschten, er keinen Halt fand, nicht mal, als er auf dem Boden lag.
Die Rufe wieder.
Und jetzt das Getrappel.
Und dann die Stimmen lauter.
Und lauter.
Dröhnend fast.
Dann Schreie.
Dann Krawall.

Keinen Schritt mehr, keine Bewegung, denn die verursachte einen neuen Wasserfall, ruhig liegen, ganz gleich, wo du jetzt liegst, ganz gleich, ob Ameisenheere über dich wandern, ob der feuchte Boden dich krank macht, nur ruhig, nur Ruhe. Ruhe.

Er konnte nicht zurückdenken, wie es geschehen war, wie er gestürzt war, nicht mal das Fallen konnte er zurückholen, als gebe es keine Vergangenheit mehr, alles ausgelöscht, als seien die nächsten Sekunden das ganze Leben.

Die Hände im Krampf.

Der Nacken starr.

Das Herz im Schritt und Tritt.

Die Füße nach außen gebogen.

Das Becken wie Blei.

Die Augen, wo waren die Augen geblieben?

Es war keine Stimme, die er hörte, er rief sich selbst, tonlos.

Mit welchem Namen.

Auch kein Windhauch, der über ihn ging, der Wind bin ich.

Er konnte kein Getrappel verspüren, außer in seinem Magen.

Und dann schwanden die Sinne, glitten hinüber in eisige Berge, gerieten ins Rutschen, auf glattem Wasser, tauchten ab in hohe Algen, verschmierten sich mit Sand und Kleie.

Er flog mit langsamen Bewegungen, gleitend.

Anhaltend, mit Blicken ringsum.

Umher und nach oben.

Der Himmel ein einziges schwarzes Meer, nicht mal die Sterne angeknipst.

Dann wieder die Schreie. Und Laufen auf den Gassen.

Und Pferdegetrappel, ein Automobil in schneller Fahrt.

«Schon gegen acht, was ist geschehen?»

Deutlicher kamen die Worte.

Das war seine Stadt, sein Gebiet, er kannte die Gassen, den Fluß, der sich noch langsamer bewegte als er, darüberfliegend, den Strom, der stillstand, jetzt sah ers genau. Die Donau stand auf der Stelle, nur ein leichtes Schwappen an den Rändern.

Die Dunkelheit saß über der Stadt, wie ringsum im ganzen Land.

Sie thronte.

Sie brachte die Leute in Aufregung.

«Was ist denn los, verdammt? Warum wirds nicht hell?»

Ein paar hatten Fackeln vor den Geschäften, die rußten hinauf.

Ein paar standen ratlos vor den Häusern.

Eine Menge vorm Rathaus.

War das der Oberbürgermeister?

Nein, der schlief wohl noch.

Das Dunkel, so plötzlich, so überraschend, hatte sie aus den Häusern getrieben, sie durch die Straßen stolpern lassen.

«Schulfrei!» Ein paar hellere Stimmen.

Er stand in der Luft, ein Bussard über seiner Beute.

Ganz ruhig.

Kein Flug.

Eher ein Aussichtsposten.

Ein Tag ohne Sonne brach an.

Die Schreie, die lauter wurden und wieder abebbten, die anschwollen und wieder niedergeschrien wurden, die Schreie, die nichts, aber auch gar nichts vermochten.

Er spürte die Hände, in gichtigem Krampf erstarrt.

Hier oben brauchte er keinen Halt, er brauchte die Hände nicht.

Die Glocken begannen zu läuten.

Erst von Sankt Peter, dann von der Neupfarrkirche, von Sankt Emmeram, und zum Schluß bimmelte auch die evangelische Kirche dazwischen.

Heraus zu den Bittgesängen!

Hervor zu den Gebeten!

Kommt her zu uns, wir tun unser Möglichstes in Sachen Heil, Abteilung: Wunder.

«Wo bleibt denn die Sonne? Und das im August!»

Synkopisch, rhythmisch das Geläut, das Stimmengewirr übertönend, dann erstes Hupen von Automobilen.

Der Krach.

Wie hatten die Alten versucht, mit Lärm die bösen Geister zu verscheuchen, im Karneval und in der letzten Nacht des Jahres, mit Knallerei und Krachern dem Bösen Einhalt zu gebieten, jetzt sollte ihr Geschrei die Sonne hervorlocken.

Warum hatte sich der geliebte Johannes nur selten mit der Sonne befaßt, die er in den Mittelpunkt seines Weltgebäudes plazierte, da in der Mitte, die riesige Apfelsine, die noch blendete, trotz der ungeheuren Entfernung, wenn sie schien.

Aber sie schien nicht.

Und auch der Lärm brachte keine Veränderung.

Auch nicht die Gebete.

Die Sonne war erloschen.

Vergangen.

Hatte sich entfernt.

Davongestohlen, ohne der Menschheit vorher eine Notiz zukommen zu lassen.

Noch hatten es nicht alle begriffen.

Aber er hatte Gewißheit, Klarheit in seiner luftigen Höhe, die ihn hielt ohne sein Zutun.

Ein Tag ohne Sonne. Schon war alles durcheinander.

Er sah sie rennen, die Polizisten, die Feuerwehr, die Männer in öffentlichen Ämtern, die Würdenträger mit verrutschter Montur, die Großkopfeten, die in jeder Situation einen Ausweg wußten, auf Plätzen Leute um sich versammelten, an Straßenecken sich mit ihren Schutzleuten umgaben, sich berieten, ratlos.

Wie in Zeitlupe jetzt die Bewegungen verlangsamt, kurz vor dem Kollaps, dem endgültigen Stillstand.

Eine Stadt in Trance.

Im Dunkel.

Er konnte sehen, als habe er stets im Dunkeln sehen können.

Er sah hinein, wo andere nichts zu sehen glaubten.

«Schon gegen halb neun, was sollen wir machen?»

Die Krämer begannen die Waren zurück in die Läden zu räumen, berechneten die Verluste des Tages, unsicher, ob denn die Sonne jemals wiederkehrte, das Lichtermeer wurde größer, die Kerzen, dahinten eine Prozession.

Geißelgesänge.

Gesündigt.

Wie allzumal gesündigt.

Die bitteren Worte des Priesters, der Tag der Rache.

Und alles nur, weil die Sonne ihr Erscheinen eingestellt hatte, wie eine bankrotte Zeitung.

Hühner flatterten über der Stadt.

Die stillstehende Donau grinste.

Die steinerne Brücke schunkelte, das Brückenmännchen gab den Takt vor.

Die hohen Wohntürme knackten vor Vergnügen.

Der Dom tanzte.

Die Menschen eilten durch die Straßen, verstört, im Kampf und Hader mit sich selbst, in Angst.

Gelage, schon begannen die ersten Gelage, ein Wirtshaus gestürmt, das Bier im Faß auf die Gasse gerollt, sie saugten das Bier aus dem Hahn.

Der Tag ohne Tag, ohne Licht, ohne Tun, ohne Plan.

Kein Zweifel war bei ihnen, daß sie noch lebten, sie amüsierten sich kopflos.

Einer gähnte, ganz laut, als wollte er damit die anderen wecken, die immer noch schliefen.

Die Glocken verstummten.

Dafür hörte er jetzt die Schreie wieder.

«Wir sind verloren, das Jüngste Gericht öffnet seine Pforten, tut Buße!»

Und Weihrauchgeruch vermischte sich mit dem Angstschweiß, Bierdunst mit Achselnässe, Uringestank überall.

Dann drehte er ab, verließ seine Stadt, lag auf dem Boden mitten im Wald.

Er lachte mit der Donau und ihren Brücken.

Ein leises Lachen zuerst, dann immer lauter, dann wirklicher, dann über sich die Wipfel der Tannen, die hin- und herschaukelten, ein Windzug.

Er konnte sich nicht halten vor Lachen, weil er die Angst gesehen hatte, das sinnlose Rennen.

Das Gefühl in den Händen kam wieder.

Und in den Beinen.

Der Kopf ganz leer von Bildern, ein hohles Gebäude mit offenen Fenstern.

Er war nicht gestürzt, nur zu Boden gesunken.

Schmerzen. Krämpfe. Wie spitze Steine im Gedärm.

Lachen.

Ein Anfall.

Die Sonne schien, er lag im Schatten der Tannen.

Ein Gesicht, das er so nie gesehen hatte.

Er zog die Beine an, sie gehorchten seinen Nerven, kam in die Hocke, klammerte sich an den nächsten Stamm, um sich hochzuziehen. Mit Mühe gelang es ihm zu stehen. Die Hose verrutscht, das Hemd am Ärmel aufgerissen, ein Knopf lag am Boden.

Ich werde vorsichtig sein müssen, dachte Seidenschwarz, bevor er erschöpft den Heimweg antrat.

«Was ist aus uns geworden?» fragte Bernd Feineis. Er war gerade in Regensburg angelangt, hatte sich an Seidenschwarz erinnert, und nach einigem Umherfragen auch die richtige Adresse erhalten.

«Gut, ich glaube, es geht uns gut», antwortete Seidenschwarz und schob seine Hemdsärmel nach oben.

«Das ist schön zu hören.» Feineis' Miene verdüsterte sich.

Sie hatten zusammen Seminare besucht, waren gelegentlich auch zu einem Saufabend zusammengekommen, waren zur Zeit der Münchener Räteregierung unter roten Fahnen marschiert, wenn auch die Frage, was mit den Verrätern zu geschehen habe, sie entzweite. Bernd Feineis, ein forscher Redner, hatte immer darauf bestanden, daß die Konterrevolutionäre sofort verhaftet werden müßten und, wenn man sie ihrer Verbrechen überführen könnte, zu erschießen seien. Sie hatten beide am Umzug von der Theresienwiese teilgenommen, der mit dem Sturz des Königshauses endete. Feineis kannte sogar Toller persönlich. «Ein wunderbarer Wirrling», nannte er ihn.

«Da hast du es also gut getroffen», sagte Feineis und zog seine Pfeife aus der Tasche. «Doch», erwiderte der Privatdozent, «ich will nicht klagen jetzt.»

«Lehrst immer noch in Erlangen? Das war das letzte, was ich von dir hörte.»

«Nein, nimmer. Ich habe die Demission bekommen, muß mich nach etwas Neuem umsehen. Aber einstweilen hab ich zu tun.»

«Was denn?» fragte Feineis, der endlich das Geschäft des Pfeifenstopfens beendet hatte. Mindestens ebenso viele Tabakkrümel waren auf dem Boden gelandet wie in der Pfeife.

«Ich schreibe Reden. Im Moment zum Beispiel über den verehrten Johannes Kepler. Das zahlt sich aus.»

«Gut, wie bist du drauf gekommen?»

«Zufall.»

Jetzt erinnerte sich Seidenschwarz daran, daß Feineis auch früher schon diese Art hatte, inquisitorisch zu fragen.

«Was verdient man da so?»

«Es reicht gut zum Leben», sagte Seidenschwarz und erhob sich von seinem Stuhl, ging zum Fenster und sah hinaus.

«Verheiratet?» fragte Feineis. Sein blonder Backenbart sah ziemlich affektiert aus.

«Nein. Und du?»

«Seit drei Jahren. Eine Tochter, sehr süß. Und was in Aussicht?»

«Ich habe eine gute Bekannte.»

Der Privatdozent beugte sich über die Blätter, die er an diesem Morgen beschrieben hatte, es war ihm gut von der Hand gegangen. Diese eckige Brille, wie sie gerade modern war, mit ihrem Silberrand über den Augenbrauen, stand Feineis überhaupt nicht. Und wenn er auf dem Kopf die Geheimratsecken sah, die sich nach hinten ausdehnten, dann freute er sich über die eigene volle Haarpracht.

«Wirst du dich um eine neue Dozentur bewerben?»

«Noch in diesem Monat», antwortete Seidenschwarz. «Wo arbeitest du? Ich habe das gar nicht mehr verfolgt.»

Bernd Feineis zündete seine Pfeife zum zweiten Mal an.

«Ich sitze an einer Neuauflage des Verdeutschungswörterbuches von Sanders. Kennst du?»

Seidenschwarz schüttelte den Kopf.

«Stand in unserer Bibliothek damals. Haben wir drüber gelacht. Aber so ist es, wenn man am Bibliographischen Institut ist, dann mußt du anfertigen, was verlangt wird. Daniel Sanders, Schuldirektor, später Privatgelehrter, eigentlich so wie du, Arnold, dann promoviert, habilitiert, hat 1884 sein erstes Verdeutschungswörterbuch herausgegeben. War kein großer Erfolg auf dem Markt, aber immerhin, jetzt soll es eine Neuauflage geben.»

«Und was machst du da?»

«Ich überprüfe, welche Worte aus dem Fremdländischen welche Entsprechung im Deutschen haben. Wenn es sinnvoll erscheint, sie aufzunehmen, dann mache ich meinem Vorgesetzten einen entsprechenden Vorschlag. Also statt adieu heißt es bei uns lebewohl, statt Hotel weiträumiges Gebäude mit Übernachtungsmöglichkeiten, statt Moment schreiben wir etwas Bewegendes, Bewegung Wirkendes, Ausschlaggebendes, Bewegung Erzeugendes. Und so weiter. Eine fürchterliche Arbeit.»

Die großen, runden Augen, die hinter den eckigen Brillengläsern hervortraten, weiteten sich.

«Und warum machst du das, wenn es so fürchterlich ist?»

«Im Gegensatz zu dir habe ich meine Habilitation nicht fertiggebaut, so ist das, da muß man nehmen, was kommt.»

Bernd Feineis, der damals das Internationale betont hatte, der unbedingt sein Leben in der neu aufgebauten Sowjetunion verbringen wollte, der jedem, der es hören wollte, sagte, wie wichtig der Aufbruch sei, der davon sprach, daß nach dem großen Krieg jetzt die Zeit gekommen sei, wo die Arbeiter die Geschäfte selbst in die Hand nehmen würden, dieser Feineis, der Pathos in seinen Reden nie verschmähte, der benutzte jetzt das Wort Leidenschaftserregung dafür.

«Du kannst dir nicht vorstellen, wie langweilig das ist. Obendrein kommt mein Vorgesetzter, Doktor Hundmann, mir ständig in die Quere, hält mir Vorträge darüber, wie dringend unsere Arbeit gebraucht wird, wie sehr es gerade auf uns ankommt, daß die Reinheit der Sprache über alles zu stellen ist und so weiter. Die Einheitlichkeit des deutschen Stils, davon spricht er, die gutdeutschen, vollwertigen Ersatzwörter, die keine sprachlichen Verlegenheiten sind. Besonders toll wird es bei militärischen Ausdrükken, dann wächst Doktor Hundmann über sich hinaus. Taktik und Strategie übersetzt er mit Feldherrenkunst, Heerführungskunst oder Truppenordnungskunst – was jeder denkende Deutsche auf Anhieb versteht.» Dann verstummte seine nörgelnde Stimme. Obwohl es ein heißer Sommertag war, saß er im Anzug mit Weste vor ihm, nicht einmal die Krawatte war gelockert.

«Und die Politik?»

«Ach, das ist alles ruhiger geworden. Wenn ich mir die Zeitläufte ansehe, dann weiß ich wirklich nicht, worauf ich setzen soll. Gut, es gibt die starken linken Parteien, auch wenn sie im Streite liegen, da könnte ich mittun, mehr bei den Kommunisten, versteht sich, aber dann würde ich im Institut unmäßigen Ärger bekommen, weil dort alles stramm reaktionär ist. Also schweige ich lieber, denk mir mein Teil. Und so viel zu hoffen gibt es ja auch nicht, in der Krise.»

«Aber du gehst noch am ersten Mai auf die Straße? Zum Umzug?» Der Privatdozent geriet in die Rolle eines Beichtvaters, der Mann, der ihn besuchte, wollte gar nicht wissen, was Seidenschwarz tat, sondern wollte berichten, wie schlecht es ihm ging.

«Wollen wir den ganzen Nachmittag auf der Bude hocken, oder führst du mich aus?» Der blonde Backenbart wippte beim Sprechen.

«Ich kann dir die Stadt zeigen, wenn du möchtest.» Feineis stöhnte, es sei wohl dafür zu heiß, aber ein kühles Plätzchen, das wäre das richtige.

Eine halbe Stunde später saßen sie bei Radi und Brezen und tranken Bier im Keller, wie im Sommer der Biergarten genannt wurde.

Sie sprachen über die alten Zeiten. Feineis war immer in der ersten Reihe zu finden gewesen, Seidenschwarz eher hinten. Der Privatdozent war berühmt für seine guten Einfälle, die andere dann ausführten.

Sie sprachen über die Hoffnungen der Rätebewegung. Welche Fehler der Eisner und die anderen gemacht hätten. immer radikaler wurden Feineis' Reden. «Was hätte aus mir werden können, wenn der Krieg mir nicht die besten Jahre geraubt hätte?» klagte Feineis. Immerhin war Seidenschwarz davon verschont geblieben, aufgrund seiner schwächlichen Konstitution war er von der Dienstpflicht entbunden worden. Sie sprachen von den Frauen, die dem einen nur so zugeflogen und dem anderen nur spärlich ins Haus gekommen waren.

Sie sprachen davon, was sie alles hätten aus sich machen können. Seidenschwarz gab zu, daß er längst Extraordinarius sein müßte.

Feineis hatte auf eine Habilitation verzichtet, weil er damals nach Rußland wollte, da hätte niemand nach so einem Titel gefragt.

Erst spät, als die anderen Gäste den Keller schon verlassen hatten, rafften sie sich zu einer Stadtwanderung auf, die Seidenschwarz mit lallender Intonation durchführte.

«Apropos», begann er jede neue Erklärung, und Feineis übersetzte jedesmal: «Bei Gelegenheit.»

Im Bücherregal wäre ein Versteck sinnlos gewesen, auch dann, wenn er das Buch in die zweite Reihe legte, dazu lagen längst zu viele Bücher in der zweiten Reihe und in der dritten, dazu ging er zu oft im Laufe eines Tages an das Regal, nahm ein Buch in die Hand, las, wenn auch nur ein paar Zeilen oder Abschnitte. Das Bücherregal war kein geeigneter Platz.

Die Bücher waren es immer gewesen, diese dickleibigen, gut riechenden Ungetüme, die schon im Dutzend ein beträchtliches Gewicht hatten, so daß man meinte, sie wären zum Hausbau ebensogut geeignet wie Ziegelsteine.

Und doch würde «Keplers Traum vom Mond» auffallen, da brauchte er nur einen unbedachten Griff ins Regal zu tun, und schon wäre das unliebsame Werk wieder zum Vorschein gekommen.

Unter den Teppich kann ich es auch nicht legen, dachte er, das wird eine Erhöhung geben, ein Buch des Anstoßes, tagtäglich, das ist gerade das Gegenteil von einem Versteck.

Im Bett, unter der Matratze, wie machte sich das eher schmale Buch mit herausragenden Manuskriptseiten dort? Seidenschwarz schob die unbrauchbar gewordene Sache auf die Sprungfedern und klemmte es mit der Matratze ein. Dann legte er sich aufs Bett. Er spürte sofort, wo das Buch lag.

Als Frau Professor Röhrl ihm vor Monaten das Buch brachte, hatte er es kaum beachtet, es war nur ein weiteres Werk des Vielschreibers Kepler, und keineswegs das wichtigste, in ihm standen nicht die Planetengesetze, nicht die Berechnungen der Dioptrien, aber als er dann die Nase hineinsteckte, war er gleich vernarrt in diesen Text, hineingezogen in das Denkspiel, erfreut von dem Reichtum der Bilder. Und nun wollte er das Buch samt seiner Rede verstecken. Wollte beides schützen, nicht der Gefahr aussetzen, abgelehnt zu werden. Er konnte Frau Röhrl das Buch auch nicht wieder zurückgeben, dann hätte er über seine Zwickmühle reden müssen, er wollte auch das Manuskript seiner Rede nicht vernichten.

Wenn ich es in den Küchenschrank stecke, dachte er, dann wird mir das Buch schon am Morgen in die Hände fallen, da wäre die Besenkammer besser. Auch das kleine Badezimmer bot nicht den richtigen Schutz.

Schon als Kind liebte er den Geruch der Druckerschwärze. Im Hause Seidenschwarz waren zwei Beschäftigungen heilig, und niemand durfte einen anderen dabei stören: der Schlaf und die Lektüre. Immer wenn Seidenschwarz ein neues Buch geschenkt bekam, ging er in sein Zimmer, schlug es auf und roch daran. Es gab Unterschiede, neue Bücher rochen anders als gebrauchte. Manchmal stellte er sich vor, in welchen Händen das Buch schon gewesen war. Sogar Spuren von Parfüm konnte er riechen.

Arnold Seidenschwarz gab es auf.

Er fand keinen Platz in seiner Wohnung, wo er das Buch verstecken konnte. Es gab kein Geheimfach in einem Sekretär, keinen ungenutzten Platz, der seinen Einblicken verschlossen war.

Und wenn ich es nun zu Raffel bringe? dachte er.

Er machte sich gleich auf den Weg. Schon zu lange hatte er sich mit dieser Angelegenheit befaßt.

Rafael Federl war erstaunt, als Seidenschwarz ihm das Buch mit den Worten brachte: «Versteck es gut, aber laß es nicht aus den Augen.»

Der Hutmacher legte es auf den Ladentisch, sah Seidenschwarz an.

«Du wirst es ja nicht hier liegenlassen, Raffel, nur für mich aufheben, bitte. Und nicht, wenn ich zum Knöterich da bin, daß es mir gleich wieder unter die Augen kommt. Verstehst du? Das

Buch ist tabu, verboten, zu entfernen. Und es muß geschützt werden, Raffel!»

Seidenschwarz wollte schon kehrtmachen, als er bemerkte, wie der Hutmacher eine hohe Pappschachtel vom obersten Brett nahm, sie öffnete und einen großartigen Zylinder hervorholte.

Er setzte ihn Seidenschwarz auf.

«Jesses, Raffel, das ist eine Eleganz! Da wächst man ja gleich um einen ganzen Meter.»

Federl legte das Buch samt den getippten Blättern in die Hutschachtel und stellte sie auf das Regal.

Buch gegen Hut, Hut gegen Buch.

«Lange genug haben wir uns versteckt, ein Rattendasein geführt und dabei könnten wir Opossums sein, im Schatten gelebt, und doch berichten wir vom strahlendsten Lichte, uns zurückgehalten, als gelte es im verborgenen Schätze zu bewahren, statt hinauszutreten und vor aller Augen zu sagen: Seht in den Himmel, dort leuchtet uns ein Morgen.»

Der Besucher aus Berlin, der mit gewaltiger Stimme dozierte, mit der Begeisterung, wie sie der Schöpfer für ein gerade im Entstehen begriffenes Werk empfindet, mißachtete den Ort, an dem er diese Eloge hielt. Er stand in Frau Professor Röhrls enger Wohnstube. Auch die Zuhörerschaft war seinem Vortrag nicht angemessen, denn außer der Gastgeberin war nur Seidenschwarz anwesend.

«Wenn uns die Astronomie am Herzen liegt, und ich meine, sie ist eine Herzenssache, dann müssen wir, die Vertreter dieser fast geheimen Wissenschaft, unser Herz sprechen lassen. Wir müssen es den Magistraten und Demokraten und Ministern und Kanzlern sagen: Gebt dem Volk den Blick auf die Sterne frei, das schafft innere Ruhe.»

Der Besucher aus Berlin war nun endlich gekommen. Schon einige Male hatte er sich per Telegramm angekündigt, doch er kam nicht, auch nicht nach der zweiten, dritten, vierten Ankündigung. Jetzt stand er im Wohnzimmer, eine massige Gestalt, voller Lobgesänge auf seinen Beruf.

«Was wir brauchen, ist die Sternenkunde für alle, für Laien, für jedermann, für Frau Nichts und Herrn Namenlos, damit sie endlich begreifen, in welch niedrigen Verhältnissen sie leben. Im Vergleich zum unendlichen Kosmos. Damit sie auch verstehen und erschauen, welche Gnade es ist, an diesen Schönheiten teilzuhaben. Wir, die Sternenforscher, müssen sie sehen lehren. Deshalb plädiere ich für eine Sternwarte großen Stils, eine Volkssternwarte, auch hier in Regensburg, wie an allen Orten, wo große Astronomen gewirkt haben.»

Professor Archenhold machte eine Pause, dann sagte er: «Na, wie klingt das in Ihren Ohren, meine Dame?»

Er sah Frau Röhrl an.

Seidenschwarz war überwältigt von seinem Getön. Ein breitschultriger Feuerkopf mit schneeweißem Haar und buschigen Augenbrauen.

«Wissen Sie denn schon, was eine solche Sternwarte kosten würde?» fragte sie zaghaft.

«Ach, an den Kosten kann doch ein so grandioses Vorhaben nicht scheitern. Das sind kleinmütige Gedanken. Aber ich sage ja, wir sind alle zu kleinmütig, weil wir immer im Schatten gelebt haben. Es muß doch den Ratsherren klarsein, daß eine Volkssternwarte eine wundervolle Attraktion für die Stadt sein kann, das investierte Geld macht sich schon nach ein paar Jahren bezahlt.»

«Wissen Sie das genau?» Die Leiterin der Regensburger Sternwarte war da nicht so sicher. «Ich glaube, das wird ein Zuschußunternehmen bleiben.»

«Keine Sorge, ich habe auch Zahlen parat.»

Professor Archenhold blickte erwartungsvoll auf Seidenschwarz, der sich nicht rührte. Ihm ging sein Kepler nicht aus dem Kopf, aber mit diesem Herrn wollte er nicht über ihn reden. Der hätte ihn nur noch mehr verwirrt.

«Sicher, in diesem Jahr wird gefeiert, unser großer Sohn, da schmücken die Ratsherren sich gerne mit seinem Namen, es gibt sogar schon eine Kepler-Münze zu erwerben. Aber dann, fürchte ich, wird er wieder in Vergessenheit geraten. Die hängen ihn ein paar Tage zum Fenster hinaus, und dann soll es wieder gut sein.»

«Aber liebe Kollegin, ich darf Sie so nennen», Professor Archenhold setzte sich in den schäbigen, dunkelgrünen Sessel, direkt neben sie, «es gilt die Gunst der Stunde zu nutzen. Bevor der ganze Rummel anfängt, will ich den Bürgermeister und die anderen Herren begeistern. Wenn die Feiern vorbei sind, ist es natürlich zu spät.»

Der Berliner Astronom hatte sich schwarzen Tee ausbedungen, Alkohol vernichte zu viele Gehirnzellen, und er brauche einen klaren, nüchternen Kopf. Er trank seinen Tee mit abgespreiztem Finger.

«Sehen Sie, wenn es uns gelingt, zu Ehren von Johannes Kepler eine solche Sternwarte zu errichten, dann werden andere Städte neidisch, dann werden sie nachziehen wollen, und so kommt die Sache ins Rollen.»

«Heißt das, Sie waren in Königsberg doch nicht erfolgreich, Herr Professor?» fragte Frau Röhrl und schlug die Beine übereinander. Bisher hatte sie geglaubt, daß Regensburg die zweite Gründung einer solchen Volkssternwarte würde, nach Königsberg, wo sie zu Ehren von Kopernikus gebaut werden sollte. Dann würden sie beim Oberbürgermeister leichteres Spiel haben.

«Nein, nein», wehrte Archenhold ab, «die wollen schon, aber es fehlt ein wenig das finanzielle Fundament, die Ratsherren sind sich einig soweit.»

«Also ein bißchen die Konkurrenz schüren», warf sie ein.

«Genau, liebe Kollegin! Wir werden auftreten und sagen, Regensburg hat die einmalige Chance, als erste Stadt im Reich eine solche Einrichtung zu erlangen. Die Volkssternwarte für jedermann, Sternenkunde für alle, das muß sie überzeugen. Für mich ist nur eine Frage eigentlich noch offen...»

Frau Röhrl nahm die Teekanne in die Hand. «Darf ich Ihnen nachschenken?»

Professor Archenhold blickte verstört drein.

«Nein, nein, danke sehr, zuviel Tee schadet der Nachtruhe, und ich brauche meine zehn Stunden Schlaf, sonst bin ich morgen ohne rechte Überzeugungskraft.»

Sie nahm den Faden auf, fragte, welches Problem noch offen sei.

«Ach wissen Sie, während der ganzen Fahrt von Königsberg hierher hab ich überlegt, ob es besser ist, die Sternwarten, und ich rechne, daß es im Laufe der Jahre so an die zehn davon geben sollte, ob es besser ist, sie Archenholdeum oder Archenholdinum zu nennen. Der Lateiner in mir sagt, daß beide Formen möglich sind, aber es fällt mir sehr schwer, eine Entscheidung zu treffen.»

Seidenschwarz lachte. Ganz offen. Mit einem Mal.

«Was lachen Sie, mein Herr? Den ganzen Abend sagen Sie kein einziges Wort, und nun lachen Sie albern! Es ist eine wirklich wichtige Frage. Schließlich hängt auch die Werbung für ein solches Unternehmen von dem Namen ab. Was meinen Sie, Kollegin?» Archenhold wandte sich an die Kollegin, sein Gesicht war gerötet vom Zorn.

«Wäre es nicht besser, der Stadt den Namen Kepler-Sternwarte vorzuschlagen, ich meine, es geht doch um die Ehrung eines großen Astronomen...»

«Sicher, sicher, aber die Idee dazu hatte nun mal ich und nicht der Herr Kepler, das muß auch bedacht sein. Ich will mir ein Copyright darauf geben lassen, schließlich wird ja mit berühmten Namen sehr viel Mißbrauch getrieben.»

Frau Röhrl kniff Seidenschwarz unterm Tisch ins Knie.

«Herr Doktor, träumen Sie?» Ihre Stimme war heller geworden. «Wie sehen Sie als Philologe die Frage der Namengebung? Archenholdeum oder Archenholdinum, was sagt ihr großes Latinum?»

Seidenschwarz seufzte.

«Ich bin mir nicht ganz sicher, müßte erst mal nachsehen, bei der Endsilbe -deum denkt natürlich der Lateiner zunächst an die Gottheit, deus, dei usw., das könnte ein wenig gewagt sein. Die Endsilbe -dinum klingt dagegen mehr nach einem Mädchengymnasium. Für mich käme auch -dianum in Frage, also Archenholdianum. Hat ebenfalls einen sehr schönen Klang.»

Der Berliner Professor war erfreut: «Ja, ausgezeichnet, das soll es sein. Wunderbarer Einfall, und noch dazu in der Stadt, wo das erste... Archenholdianum sein wird.» Er probierte das gefundene Wort aus, wie der Feinschmecker einen Wein verkostet. «Ich muß mich bedanken. Es gibt immer wieder Menschen, die mit ihrer Bildung zu verblüffen wissen.»

So kehrte Seidenschwarz zu Kant zurück, zu seiner Himmelskunde, der er eine Untertänigkeitserklärung vorangestellt hatte, die eines großen Denkers unwürdig war: dem Allerdurchlauchtigsten Großmächtigsten Könige und Herrn und so weiter. Aber fast dreißig Jahre nach seiner Himmelskunde hatte Kant einen Aufsatz geschrieben, in dem er die Menschen aufforderte, die Aufklärung als einen Versuch zu beginnen, einen Ausgang aus der selbstverschuldeten Unmündigkeit zu nehmen, sapere aude, das sei der Wahlspruch der Aufklärung, habe Mut, dich deines eigenen Verstandes zu bedienen. Das schrieb einer, der zeitlebens Untertan war, der in seiner Himmelskunde den Kopf allzutief senkte: die Empfindung der eigenen Unwürdigkeit und der Glanz des Thrones können meine Blödigkeit nicht so kleinmütig machen, als die Gnade, die der allerhuldreichste Monarch über all seine Untertanen mit gleicher Großmut verbreitet, und dreißig Jahre später hatte er in seiner Schrift sich aufgerichtet: Faulheit und Feigheit sind die Ursachen, warum ein so großer Teil der Menschen unmündig bleibt, es ist so bequem, unmündig zu sein, ich habe es nicht nötig, selbständig zu denken, wenn ich nur bezahlen kann, und Seidenschwarz richtete sich an dieser Schrift auf, wollte selber den Blick aufheben.

Kaum waren sie in das Dunkel hineingefahren, fragte Seidenschwarz mit leiser Stimme, ob sie jemals wieder herauskommen würden. «Ich glaube nicht», beunruhigte sie ihn.

Je länger sie fuhren, desto feuchter und kühler wurden die Innenflächen seiner Hände.

Die Reise ging in eine andere Richtung.

Pünktlich mit der August-Rate des Fürsten war ein generöser Reisezuschuß im Briefumschlag, der wiederum ohne Gruß, und ohne daß sich der Überbringer zeigte, unter der Tür in der Kramgasse hindurchgeschoben wurde. Seidenschwarz sagte, er wolle nach Sagan fahren, um den Ort zu besichtigen, an dem Kepler die beiden letzten Jahre seines Lebens gearbeitet hatte; sie fragte, was er dort ansehen wolle, ein paar Gebäude, ein Schloß, eine Landschaft, vielleicht ein paar Ausstellungsstücke. «Da wirst du deinen Kepler nicht finden und schon gar nicht eine Lösung für deine Zwickmühle», sagte sie. Er hatte wenig Widerstand gegen ihre Ausführungen angebracht, hatte sich dirigieren lassen, als sie sagte, eine Woche könne sie sich frei nehmen, um ins Aosta-Tal zu fahren, wo ihre Eltern eine Wohnung hätten, es würde sich lohnen.

Wie lang ist denn dieser verdammte Gotthard-Tunnel, dachte er.

Er hatte für die Reise ein neues Würfelspiel erfunden. «Voraussage», nannte er es. Sie spielten ein paar Runden.

Es wird mit drei Würfeln gespielt. Vor dem ersten Wurf muß man voraussagen, ob die Summe der gewürfelten Augen gerade oder ungerade wird. Wenn die Prognose zutrifft, kommt die nächste, in der man bestimmen muß, ob die Summe unten, das heißt von 3 bis 6, in der Mitte, das heißt 7 bis 12, oder oben liegt, also 13 bis 18. Trifft beim zweiten Wurf diese Prognose wieder zu, darf der Spieler eine dritte Voraussage wagen. Es gilt, eine Zahl richtig zu bestimmen. Ist bei den drei Würfeln diese Zahl dabei, bekommt der Spieler einen Punkt. Wer eine Sequenz von drei Zahlen richtig voraussagt, erhält drei Punkte; wer einen Dreier-Pasch, also drei gleiche Zahlen voraussagt, gewinnt das Spiel auf einen Schlag. Sieger einer Runde ist, wer zuerst fünf Punkte erzielt hat.

Sie mußte lachen, als Seidenschwarz ihr ganz umständlich die Spielregeln erklärte, als weihe er sie in ein großes Geheimnis ein.

«Die Würfel sprechen für sich», hatte er geraunt, und: «Mal sehen, wer in die Zukunft schauen kann.» So oft sie auch spielten, stets gewann sie die Runden.

Warum baut man solche Tunnel, doch nur, um Leute wie mich in Angst und Schrecken zu versetzen, dachte Seidenschwarz. «Wenn ich gewußt hätte, daß wir hier unter hohen Gebirgen durchfahren, dann hätte ich auf die Reise verzichtet.» Er sagte das, und sie lachte nicht, denn sie spürte, wie seine Angst körperlich wurde, wie Schüttelfrost.

Erst am zweiten Tag in Courmayeur sprach sie den Privatdozenten auf seine Schwierigkeiten mit dem Fürsten an.

«Ich glaube, es ist das beste, wenn du ihm ganz offen sagst, daß du den Kepler nicht in ein politisches Kalkül einspannen willst – nicht weil du schon eine andere Rede geschrieben hast, nein, weil das deine Meinung ist. Und dann wirst du ja sehen, wie er antwortet.»

Sie stiegen hinauf zum Rifugio Torino, nachdem eine Seilbahn sie bis auf 2800 Meter gebracht hatte. Keine einzige Wolke am Himmel, es war sehr kalt. Sie hatte ihm einen Winterpullover von ihrem Vater eingepackt, den er jetzt trug, auch die Wanderschuhe stammten von ihm. Ein wenig zu groß, aber er hatte einen guten Halt darin.

«Er wird das nicht mögen. Seine Durchlaucht ist es nicht gewöhnt, daß man seine Anweisungen nicht erfüllt.»

«Hast du Angst vor ihm? Es kommt mir beinah so vor. Du bist Wissenschaftler, 45 Jahre alt, und nun stehst du einem Herrn gegenüber, mit dem du argumentieren sollst.»

«Es ist keine Angst», sagte er hastig, «es ist eine Frage der Taktik.»

Der Anstieg war trotz der Höhe nicht sehr steil, er verlief in Serpentinen, langgezogen am Berghang hin, ausgetreten von anderen Wanderern. Sie waren um vier Uhr aufgestanden, um wenigstens einen Teil des Aufstiegs zu machen. Wenn das Wetter nicht umschlug, konnten sie am Mittag den Punta Helbronner erreichen, sich dort ausruhen, um dann den Rückweg anzutreten.

«Ein Auftraggeber kann nicht alles verlangen, Arnold.»

Sie hatte einen gedrehten Wanderstock in der Hand, mit dem sie gelegentlich auf einzelne Berge zeigte und sie benannte. Immerhin war er zum ersten Mal in den Alpen. Ein Berg gefiel ihm am besten, der Dente del Gigante, ein Viertausender in der Form eines Fingers oder eines herausgerissenen Zahns. Ein spitzzulaufender Granitblock wie ein Ausrufezeichen vor dem gewaltigen Massiv des Monte Bianco.

«Lena, ich will nicht kuschen, darum brauchst du dich nicht zu sorgen, aber ich muß eine Form finden, wie ich mich widersetzen kann, eine Art und Weise, die ich selbst vertreten kann. Ich hab keinen Boden unter den Füßen, das ist es. Nun laß uns von anderen Dingen reden.» Er wollte sie nicht heraushalten aus seiner Entscheidung, aber er wollte auch nicht neuerlich unter Druck geraten, nur weil jemand anders sich für ihn Gedanken machte.

«Schaffst du es noch, Arnold?» fragte sie, den Blick zum Punta Helbronner gerichtet, «ich meine, es ist besser, wenn du sagst, du kannst nicht mehr. Wir müssen auch wieder herunter.»

«Keine Angst, ich bin nicht so schwach, wie ich aussehe», antwortete er.

Die Sonne brannte stark. Sie hielt inne, suchte in ihrer Tasche nach der Fettcreme, um sich und Seidenschwarz das Gesicht einzucremen. «Du keuchst ganz schön, was?» Sie lachte und küßte ihn auf die Stirn.

Es war die Ruhe, die ihn erregte.

Kein Flüstern, kein Schnattern, kein Laut eines Tiers, kein menschliches Geräusch und kein mechanisches, die Ruhe, die über dem Blickfeld lag.

«Lena, ich würd gern mit dir hier oben bleiben.»

Lena Röhrl schürzte die Lippen. «Wir können bleiben und werden morgen erfroren sein. Das ist ein langsamer, aber voraussehbarer Tod. Der könnte schön werden.»

VEREHRTE FESTVERSAMMLUNG,
die Geschichte ist die Geschichte der Feldherren, der Männer, die das Feld beherrschen, die Schlachten schlagen und sich in unsere Geschichtsbücher eintragen, als große Sieger oder wenigstens doch als ehrenvolle Verlierer, es ist die Geschichte der Männer mit harter Stirn, die so augenscheinlich die Zeitläufte vorantreiben.

Wallenstein war ein solcher. Vor dreihundert Jahren verwüstete er Landstriche, überzog im Auftrag des Kaisers unschuldige Felder mit dem Krieg, als dessen Herr er sich dann fühlen durfte.

Wer Schillers Briefe an Körner, Goethe und Cotta liest, in denen er über seinen Plan zu «Wallenstein» schreibt, der wird ermessen, wie sich dieser Nationaldichter abmühte mit einem «dramatisch großen Charakter», der an sich künstlerisch nichts hergibt. Und doch, eine gewaltige Leistung, eine einfache «Staatsaffäre» auf die Bühne zu bringen. In einem Brief aus dem Jahr 1796 schreibt Schiller: «Wallenstein hat nichts Edles, er erscheint in keinem einzelnen Lebensakte groß; er hat wenig Würde... seine Unternehmung ist moralisch schlecht und sie verunglückt physisch. Es erfordert Geschicklichkeit, ihn auf der gehörigen Höhe zu erhalten.»

Doch Schiller stellt sich dieser Aufgabe, er hat dazu die Geschicklichkeit. Und dabei hätte er einen lohnenderen «Charakter» aus der gleichen Zeit zur Hauptgestalt eines Dramas nehmen können: Johannes Kepler.

Verweilen wir noch einen Augenblick bei unserem Nationaldichter und seinem «Wallenstein», denn dieser steht mit Kepler in mehr als einer festen Beziehung.

Zum Beispiel, was die Astrologie angeht, bittet Schiller sich zunächst bei Gottfried Körner Material aus. Später diskutiert er mit Goethe darüber, ob er das astrologische Motiv im «Wallenstein» verwenden soll. Goethe rät ihm zu, was dazu führt, daß Seni, der auf den Giovanni Babtista Zeno (1600–1656) zurückgeht, an entscheidenden Stellen in der Tragödie letztem Teil auftritt. «Wallensteins Tod» beginnt mit nächtlicher Sternendeutung, die dem Feldherrn neuen Mut gibt; kurz vor seinem Tod erhält er eine deutliche Warnung seines Astrologen, und kurz nach der Ermordung ist es wieder der Astrologe, der als erster die Kunde bringt, daß Wallenstein eine Leiche ist.

Ein Machtmensch, dieser Feldherr, dieser Albrecht von Wallenstein, der sich anderer bediente, um den eigenen Ruhm zu mehren, oder, wie im Fall des Astronomen Kepler, seine Zukunft zu erfahren.

Zwei deutsche Männer waren es, die sich über Jahre hin nicht begegnet sind und die dennoch mehr als zwanzig Jahre lang in Verbindung standen, dem einen wurde die Ehre zuteil, Gegenstand eines der größten deutschen Schauspiele zu werden, dem anderen die Schmach, daß niemand weiß, wo er beerdigt liegt. Auch nicht in unserem Regensburg.

Und trotzdem möchte ich behaupten, besser wäre es umgekehrt.

Der Feldherr wollte wissen, was die Sterne ihm rieten, weil er von früher Jugend an dem Schicksal seinen Lauf ablauschen wollte, er schickte Gerhard von Taxis, der seinerseits den Arzt Stromayr beauftragte, bei Kepler eine Nativität zu erfragen. Die beiden kannten sich, und Stromayr legte großen Wert darauf zu sagen, daß er im Auftrag eines ungenannten adligen Herren komme. Das war im Jahre 1608. Kepler war schon ein berühmter, wenn nicht der berühmteste Astrologe, und es gefiel ihm gar nicht, daß er eine Arbeit anonym leisten sollte, weil er nur solchen Männern Horoskope stellte, «welche die Philosophiam verstehen und mit keinem Aberglauben behaftet sind». So wird er wohl aus seinem Arztfreund herausgeforscht haben, daß Wallenstein der Auftraggeber war – denn in das Horoskop schrieb er in seiner Geheimschrift den Namen «Wallenstein».

Doch hören wir ihn selbst, was er 1608 über den mächtigen Feldherren aus den Sternen liest:

«Solchergestalt mag ich von diesem Herrn in Wahrheit schreiben, daß er ein waches, aufgemuntertes, emsiges, unruhiges Gemüt habe, allerhand Neuerungen begierig, dem gemeines menschliches Wesen und Händel nicht gefallen, sondern der nach neuen, unversuchten, oder doch sonst seltsamen Mitteln trachtet, doch viel mehr Gedanken hat, als er äußerlich sehen und spüren läßt. Denn Saturnus im Aufgang macht tiefsinnige, melancholische, allzeit wachende Gedanken, bringt Neigung zu Alchymiam, Magiam, Zauberei, Gemeinschaft zu den Geistern, Verachtung und Nichtachtung menschlicher Gebote und Sitten. Er wird auch sein: unbarmherzig, ohne brüderliche oder eheliche Lieb, niemand achtend, nur sich und seinen Wollüsten ergeben, hart über die Untertanen, an sich ziehend, geizig, betrüglich, ungleich im Verhalten, meist stillschweigend, oft ungestüm, auch streitbar, unverzagt, weil Sonne und Mars beisammen, wiewohl Saturnus die Einbildungen verderbt, so daß er oft vergeblich Furcht hat.»

Sieht man die Widersprüche als gering an, die Kepler hier in der Charakteranalyse seines anonymen Auftraggebers zeichnet, dann fällt auf, daß er ihm nicht nur schmeichelt, wenn er auch die im zweiten Teil erwähnten schlechten Eigenschaften als vorübergehende beschreibt: «mit reifem Alter werden sich die meisten Untugenden abwetzen», und dennoch wird Wallenstein dies Gutachten verschlungen haben, aufgesogen, wann immer er es las. Denn darüber streiten sich die Historiker, ob er es gleich oder erst nach Jahren zugestellt bekam. Da im konkreten Teil, wann welche Krankheiten eintraten, sich kleine Differenzen ergaben, ließ Wallenstein nach sechzehn Jahren noch einmal Kepler die Nativität befragen: die Geburt müßte schon eine Viertelstunde früher gewesen sein.

Der Johannes Kepler murrt, das ändere kaum etwas am ursprünglichen Horoskop, außer daß der Mond ins elfte Haus komme anstatt ins letzte und so die Manier in der Gesellschaft wohl ein wenig milder sei. Aber Wallenstein wollte Prognosen, Genaues, er wollte in die Zukunft schauen durch Keplers Fähigkeiten: Ob er an Schlagfluß sterbe? Ob er ex patriam Würden und Güter erlange? Ob er im Kriegswesen fortfahren solle, wenn ja, in welchen Landen und mit welchem Glück?

Und wieder ließ der Feldherr seinen Gerhard von Taxis die Korrespondenz vermitteln, der sollte ausrichten, daß Herr von Wallenstein nicht geschmeichelt werden wolle, sondern die Wahrheit erfahren, wie immer diese auch sei.

Johannes Kepler belehrt seinen Auftraggeber, wer solches «bloß allein aus dem Himmel haben wolle, der ist wahrlich noch nie recht in die Schul gegangen und hat das Licht der Vernunft, das Gott ihm angezündet, noch nie recht geputzet». Solche konkreten Fragen, wie Wallenstein sie stellt, ließen sich durch die Astrologie nicht beantworten. Dies zeigt den Weg, den Kepler in jenen zwanzig Jahren genommen hat: Am Anfang war er ein gläubiger Schüler der Prognostiker, die allen und jedem die Zukunft voraussagten, später besann er sich, ohne die Astrologie völlig zu verdammen, schränkte er ihren Wirkungsgrad ein und teilte selbst den Auftraggebern mit, daß sie von diesem Unfug ablassen sollten.

Und dennoch nimmt Wallenstein 1628 den Astronomen auf. Der Feldherr im höchsten Glanze einer steilen Karriere, von einem fast mittellosen böhmischen Landadeligen zu einem Magnaten aufgestiegen, Feldherr des Kaisers Matthias, Herzog von Friedland und Sagan, Herr der beiden Mecklenburg, «General-Obristen Feldhauptmann» und «General des baltischen und ozeanischen Meeres», zwei silbrig und gülden klingende Titel. Im Alter von 45 Jahren hält er hof in seinem Palast zu Füßen des Hradschin in Prag. Hinter ihm liegen die erfolgreichen Schlachten an der Dessauer Brücke, die Dänen sind besiegt, der Aufstand der oberösterreichischen Bauern ist niedergeschlagen. Was für ein Glanz um diesen Feldherrn!

Und wie stand Kepler da, der andere Deutsche?

Er hatte 1628 seine «Rudolphinischen Tafeln» beendet, die Widmung der Erben Tycho de Brahes hatte ihn um den eigentlichen Triumph gebracht, er überreichte dem Kaiser einige Exemplare, und plötzlich, so schien es, war der Hofmathematikus ohne neue Aufgabe. Außerdem die Geldforderungen Keplers an den

Kaiser Ferdinand II.: wieder mußte der Astronom vorstellig werden, denn immerhin 11 817 Gulden standen noch aus.

Da kam dem Kaiser der Feldherr gerade recht, der sich den Astronomen ausgesucht hatte, mit ganz bestimmten Hintergedanken, der bereitwillig auch die Forderungen an die Hofkasse übernahm, die der Kaiser weiterreichen ließ, und Wallenstein hat diese nie beglichen, nota bene.

«Ich erlangte seine Gunst», berichtet Kepler einem Freund, «die ich vorher argwöhnisch angesehen hatte. Er wies mir gnädigst einen ruhigen Platz in Sagan an, setzte mir ein seinem sonstigen Auftreten entsprechendes Jahresgehalt aus und versprach mir auch eine Druckpresse, unter voller Zustimmung kaiserlicher Umgebung.»

Jetzt, zwanzig Jahre nach dem ersten Horoskop, trafen sich diese beiden Deutschen, der eine im Siegestaumel und Erfolgsrausch, der andere ängstlich besorgt in seine und seiner Familie Zukunft blickend. Kepler stürzte sich in Arbeit, verschwand zwischen Tabellen und Berechnungen, nahm die «Ephemeriden» in Angriff und schrieb an seinem Mondtraum weiter, dem Buch, das posthum erst erschien und von dem vielleicht am meisten zu sagen wäre.

Er war nicht mal verbittert, und hätte doch jeden Grund dazu gehabt.

Warum leistete Wallenstein sich einen Mathematicus? Dem Feldherrn ging es um astrologische Dienste. Mehr als einmal wurde Kepler aus seinen Studien gerissen, damit er dem Feldherrn aus den Sternen erklärte, wann er welche Schlacht zu schlagen habe, wie dieser oder jener Gegner einzuschätzen sei, denn natürlich interessierten den Feldherrn auch deren Nativitäten. Und so oft sich Kepler weigerte, dies Begehren zu erfüllen, er war der Abhängige, der Eingekaufte, der Auftragnehmer. So schrieb er im April 1630 ganz lapidar, unverhohlen: «Jüngst aus Gitschin zurückgekehrt, wo mich mein Gönner durch drei Wochen zu seinem und meinem großen Zeitverlust hinhielt!»

Der Feldherr war verblendet, daran läßt auch Schiller keinen Zweifel. Und auch, wenn er die Warnungen des Astrologen kurz vor seinem Tod in den Wind schlug, im allgemeinen befolgte er den Rat der Sterne und entschied mit seinem Hofastrologen Zeno, welche Völker wann zu sterben hatten. Astrologie galt als ein zusätzliches Wissen. Die Gegner, mit denen Wallenstein zu tun hatte, die Schweden und Spanier, sah er niemals mit eigenen Augen. Die Geschwindigkeit der Kommunikation war gering, Botschaften waren so geheim wie langsam. Darum standen die Astrologen hoch im Kurs, die mit der Sicherheit der Hellseher behaupteten, daß dies oder jenes ganz bestimmt eintreffen werde. Nachrichtendienst und wissenschaftliche Berechnung in einem, so konnte die Astrologie Wallenstein nützlich werden. Er ließ sich von Kepler Daten und Sternörter für seinen Astrologen Zeno liefern.

Die Menschen, die der Astrologie ergeben sind, berufen sich auf Kepler als auf einen Ahnherrn, nicht zuletzt, weil er dem Wallenstein das Todesjahr vorausgesagt haben soll. In Wirklichkeit verhält es sich anders. Das Horoskop, das Kepler dem Feldherrn stellte, bricht im Jahre 1634 ab. Doch für das 51. Lebensjahr, Wallensteins Todesjahr, hatte Kepler ihm ganz anderes prophezeit: Gewinn an Gütern, Autorität und Ansehen, im übrigen Gicht an der großen Zehe.

Der Feldherr hatte noch eine weitere Absicht, als er den Astronomen in Sagan aufnahm. Er dachte an die Gründung einer Elite-Universität, und dafür wäre mit Kepler schon eine Säule gewonnen gewesen. Der Astronom als Schmuckstück der neuen Besitzung Sagan.

Es waren zwei Adler, die sich jahrelang umkreist haben, bis sie aufeinander stießen, zwei Deutsche, von denen einer sich zum Herren aufschwang und der andere zum Diener nicht werden wollte. Der Mann, der uns sehen und nachdenken lehrte, der seinen Teil an Niederlagen arbeitend ertragen hat, der sich in kühnen Träumen bis an die Sterne erhob, mußte auf einen letzten Ritt, der seiner gewiß nicht würdig war.

Erst kam die bestürzende Nachricht von der Absetzung Wallensteins. Ende Juni hatten sich die Kurfürsten in unserer Stadt Regensburg versammelt, die katholischen waren persönlich erschienen, die protestantischen ließen sich durch Bevollmächtigte vertreten.

Der Kaiser hielt hof. Wallenstein wartete im Quartier in Memmingen. Er kannte seine Widersacher.

Zur gleichen Zeit landete Gustav Adolf, der Schwedenkönig, in Pommern. In einer völlig unübersichtlichen Lage nutzten die Kurfürsten die Gunst der Stunde, um den zu mächtig gewordenen Wallenstein absetzen zu lassen. Der Kaiser gab nach und verlangte nur, daß Wallenstein in vollen Ehren entlassen werde.

Da war es um Kepler geschehen. Er hatte gerade den zweiten Band der «Ephemeriden», jener Tabellen, aus denen die genauen Standorte der Planeten für jeden beliebigen Tag entnommen werden können, beendet, als er von dieser Schreckensnachricht überrascht wurde.

Wallenstein hatte ihn nicht bezahlt, und nach dessen Entlassung war auch nicht mehr damit zu rechnen. Kepler mußte bei der kaiserlichen Hofkasse vorstellig werden, um wenigstens die Zinsen auf sein riesiges Guthaben zu bekommen.

In seinen letzten Briefen erfahren wir von seiner Todesahnung, er verabschiedet sich von Frau und Kindern, als wisse er, daß er die letzte Reise antreten müsse.

Von Leipzig kommend, reitet er auf der «Steinernen Brücke» ein, von Krankheit gezeichnet. Drei Tage später kommen die Fieberanfälle, man holt Medikamente aus der Elefantenapotheke, dann bekommt er einen Aderlaß. Trotz seiner Krankheit macht er sich auf, den Kaiser zu sprechen. Wartet einen ganzen Tag vor dessen Tür, auf der harten Holzbank vor dem Immerwährenden Reichstag.

Als dann der Kaiser, der schon das Boot bestiegen hat, das ihn die Donau abwärts bringen soll, erfährt, daß sein Hofmathematicus schwer erkrankt ist, läßt er ihm 25 ungarische Golddukaten für die medizinische Versorgung zukommen.

Am 15. November 1630 stirbt Kepler, keine 59 Jahre alt.

In dem Inventarium, das seinen Nachlaß aufzeichnet, wird Rechenschaft gegeben über seine Kleider, seine Rüstung, seine Bücher, die Anweisungsbriefe, die ihn berechtigten, Geld einzutreiben, und die brieflichen Urkunden sowie über die Barschaft. Dort heißt es:

«22 ganze Reichstaler. Mehr 11 Gulden wegen verkauftem Roß. 1 goldener Pfennig, wiegt 4 ½ Dukaten. 1 goldener Pfennig, wiegt 8 Dukaten. 2 Rosenobel. 1 Schiffsnobel. 55 einfache Dukaten. 1 falsche Zechine. 1 goldener Gnadenpfennig mit des Herzogs von Friedland Bildnis.» Er hatte ihn in der Tasche, seinen Feldherrn von Wallenstein, seinen Gönner und Ausnützer, den Mann, der zum Lebensende sein Verhängnis wurde, der Adler, der im Fluge stärker war als er, und dessen Hilfe er gebraucht hätte.

So sehen wir Johannes Kepler als einen unabhängigen Wissenschaftler, der nicht vor Fürstenthronen kniete, als einen Forscher, dem die Erfahrung mehr galt als das Dogma.

Was hätte Friedrich Schiller aus dieser historischen Figur für eine große Tragödie schaffen können.

Ich danke Ihnen für Ihre Aufmerksamkeit, die nicht mir gelten sollte, sondern dem zu ehrenden Johannes Kepler.

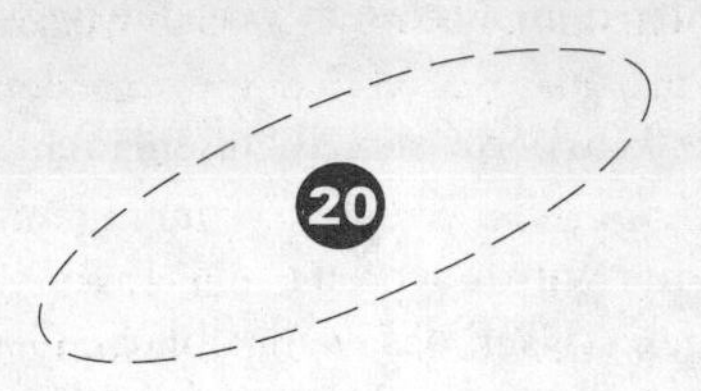

Die Hausflagge war an der höchsten Zinne gehißt, bei Windstille hing sie schlaff am Mast.

Seidenschwarz brauchte nicht lange zu warten, bis er zum Sekretär vorgelassen wurde. Dann dauerte es allerdings fast eine Stunde, bevor er in den blauen Salon geführt wurde.

«Nicht vergessen, Durchlaucht», erinnerte ihn der grauhaarige Sekretär an die richtige Anrede.

Der Fürst braungebrannt, zurück von seinen Besitzungen in Österreich. Er stellte ihm den Pianisten Krenz vor, der am Abend ein kleines Hauskonzert geben sollte. «Ich hoffe, Sie können bleiben.»

Seidenschwarz nickte. Er nahm einen Platz auf einer der Chaiselongues ein, wartete ab. Der Fürst unterhielt sich mit dem Pianisten. Seidenschwarz hörte nicht zu. Er wußte, welches Gefecht bevorstand.

«Ich habe Sie noch gar nicht mit einem Getränk versorgt, bitte um Vergebung. Was darf es sein?»

Seidenschwarz lehnte sich zurück.

«Warten Sie», sagte der Fürst, «ich glaube, ich weiß, was uns jetzt guttut. Ein bißchen Mineralwasser mit Geschmack. Elf Uhr, die richtige Stunde dafür.»

Er läutete die kleine Tischglocke.

Kurz darauf erschien ein Diener.

«Es ist elf Uhr, drei Gläser bitte.»

Leise wurde die hohe Tür wieder zugezogen.

Ich soll also bis zum Abend bleiben, dachte Seidenschwarz, gespannt, wann Seine Durchlaucht auf die Rede zu sprechen käme.

Der Fürst erzählte dem Pianisten von der beginnenden Jagdsaison.

Seidenschwarz räusperte sich. «Durchlaucht, gehen Sie gerne auf die Jagd?»

Der Champagner wurde serviert.

Die langstieligen Gläser, das weißgelbliche Gesöff.

Die drei Herren erhoben sich, um anzustoßen.

«Wir trinken, um zu genießen», sagte der Fürst und leerte sein Glas.

Seidenschwarz trank einen Schluck. Auf keinen Fall wollte er dem Alkohol zusprechen, wollte einen klaren Kopf haben, wenn Seine Durchlaucht zur Attacke überging.

Der blaue Salon kam ihm verändert vor, als seien die Möbel umgestellt, Seidenschwarz versuchte herauszubekommen, warum der Salon ihm beim letzten Mal so außergewöhnlich vorgekommen war, so exquisit zusammengestellt. Auch die besondere Harmonie der Farben konnte er nicht mehr bemerken.

Der Fürst unterhielt sich mit Krenz über sein Programm für das abendliche Konzert.

Seidenschwarz spielte mit dem Gedanken, von sich aus auf die Rede zu sprechen zu kommen. Warum soll ich warten, dachte er, bis der Fürst den ersten Streich führt.

Sie saßen an einem dreieckigen Tisch, der mit Intarsien geschmückt war, Elfenbein und Mahagoni, das Bild zeigte eine Brunftjagd. Der Hirsch, in höchster Erregung, röhrt, im Gebüsch ein Jäger, der ihn im nächsten Augenblick erledigen wird. Die hochpolierte Oberfläche spiegelte das Licht, das von den Fenstern hereinkam.

Seidenschwarz nahm sein Glas in die Hand, sagte: «Durchlaucht, wir sollten Zeit finden...»

Weiter kam er nicht, denn der Fürst schnitt ihm das Wort ab: «Wir haben genügend Zeit, Herr Doktor, dafür trage ich Sorge.»

Dann wandte sich der Fürst wieder dem Pianisten zu.

Also hat er die Rede gelesen, dachte Seidenschwarz.

Das Mittagessen wurde im Garten serviert. Unter gelbweißen

Sonnenschirmen saß die kleine Gesellschaft von Gästen, die an diesem Tag die fürstliche Familie besuchten und wohl bis zum abendlichen Konzert blieben. Ein Porträtist war anwesend, der während der Suppe ein paar Skizzen vom fürstlichen Paar anfertigte. Seidenschwarz hatte den Regensburger Bischof entdeckt, der für das Eingangsgebet und den Segen zuständig war. Er wird sich nicht an mich erinnern, dachte Seidenschwarz. Er behielt recht.

Seidenschwarz bewunderte die Riege der Bediensteten, die am Rand des kurzgeschnittenen Rasens wartete, bis sie auf ein kleines Zeichen der Fürstin auftragen durfte. Sie standen in Reih und Glied, die Hände auf dem Rücken verschränkt. Der Größe nach, wie Orgelpfeifen.

Der Fürst sprach zwischen Suppe und Wildgericht über das wunderschöne Österreich und welchen Genüssen man dort nachgehen konnte, zwischen Wildgericht und Dessert über die geplante Fahrt nach Südamerika, die er zusammen mit einem berühmten Dirigenten unternehmen wollte, zwischen Dessert und Käse über die Jagd im eigenen Forst, die in diesem Herbst anstand und die wohl wieder ein gesellschaftlicher Höhepunkt des Jahres werden würde. «Nach der Wahl wissen wir ja, wen wir alles dazu einladen werden», bei dieser Bemerkung blickte er zu Seidenschwarz hin. Das einzige Mal während des zweistündigen Essens.

Nach dem gemeinsamen «Gesegnete Mahlzeit» kam der grauhaarige Sekretär zu Seidenschwarz, bat ihn, er möge ihm folgen. Unterwegs klärte die rechte Hand des Fürsten ihn auf, es sei jetzt die Zeit der Ruhe im Schloß, am Nachmittag habe Seine Durchlaucht einige geschäftliche Dinge zu regeln: «Sie werden vor dem Konzert keine Gelegenheit haben, mit ihm zu sprechen. Was möchten Sie also tun?»

«Ich, meinen Sie...», Seidenschwarz geriet ins Stottern, «ich hatte gehofft...»

«Haben Sie denn Seine Durchlaucht gar nicht auf die Rede angesprochen?»

Der Sekretär reckte den Hals.

Sie standen am präzis geschnittenen Rand der weiträumigen Rasenfläche.

Die kleine Gesellschaft verstreute sich in verschiedene Richtungen. «Nein, es war noch keine Gelegenheit», antwortete Seidenschwarz.

«Das ist schade, aber nun nicht zu ändern. Wir werden sehen, was wir am Abend arrangieren können. Vielleicht während des Konzertes. Ich werde es mir vormerken.»

«Am besten wird sein, ich warte so lange, es wird sich ein Plätzchen im Schloß finden lassen, und wenn der Fürst dann Zeit hat...»

Der grauhaarige Sekretär, dessen Anzug genau die gleiche Farbe wie sein Haarschopf hatte, meinte, das sei gewiß kein amüsanter Nachmittag, nur zu warten. «Es wird gegen drei Uhr eine Partie Krocket aufgelegt, da könnten Sie teilnehmen.»

Arnold Seidenschwarz kannte das Spiel nur vom Zuschauen.

«Ich werde das für Sie arrangieren. Wir bringen Ihnen nachher die passende Kleidung aufs Zimmer. Sagen wir in einer Stunde, d'accord?» Seidenschwarz fühlte sich überrumpelt, hatte aber keinen anderen Vorschlag. Also Krocket, na gut!

«Herr Doktor Seidenschwarz, warum haben Sie eigentlich nicht von der Möglichkeit Gebrauch gemacht, im Schloß zu wohnen. Seine Durchlaucht hatte es Ihnen angeboten, ich möchte sogar sagen, Sie in aller Form dazu eingeladen. So eine Gelegenheit ungenutzt verstreichen zu lassen, ich weiß nicht?»

Seidenschwarz schwieg lange, bevor er antwortete, er hätte zu viele Bücher aufs Schloß schaffen müssen, das wäre alles sehr umständlich gewesen.

«Aber das hätte ich für Sie besorgen lassen können, Herr Doktor, das kann doch kein Grund sein.»

«Ist der Fürst darüber enttäuscht?» fragte Seidenschwarz.

Sie betraten den Korridor, den er wiedererkannte, hier lag das Zimmer, das er nie benutzt hatte.

«Er hat darüber nichts verlauten lassen, aber ich kenne Seine Durchlaucht lange genug, um zu wissen, daß ihn ausgeschlagene Einladungen kränken.»

Der Sekretär öffnete die Tür.

«Bitte, dann ist die Suite wenigstens für heute Ihr Zuhause!»

Er verabschiedete sich.

Als Seidenschwarz allein im Zimmer war, stellte er sich ans Fenster und sah über die Stadt. Man hatte ihm Mittagsruhe verordnet, obwohl er keinerlei Müdigkeit verspürte. Der Champagner und das Glas Weißwein beim Essen hatten ihn ein wenig beschwipst gemacht. Aber das Warten auf die fürstliche Reaktion hielt ihn in Aufregung.

Der September war angebrochen, und pünktlich hatte er seine Zahlung erhalten. Diesmal sprach Berthold Müller ein paar Minuten mit ihm, aber nur, um sehr freundlich daran zu erinnern, daß in drei Wochen der Anlaß für die Rede gekommen sei und dann natürlich auch ein Manuskript vorliegen müsse. Die Frage, warum man ihm verschwiegen habe, wer der Auftraggeber sei, beantwortete Müller mit einem leichten Lächeln. «Wissen Sie, das ist bei uns so üblich. Seine Durchlaucht möchte keinesfalls als Geldgeber erscheinen. Wir müssen jeden Tag so viele Bittsteller abfertigen, daß unser Haus solche Aktivitäten lieber unbeobachtet vorantreibt.»

Seidenschwarz fragte nach: «Aber Sie hätten mir doch wenigstens einen Hinweis geben können?»

«Sie sollten auf keinen Fall das Gefühl bekommen», Berthold Müller wurde etwas leiser, «Seine Durchlaucht sei nicht selbst in der Lage, passende Worte zu Ehren Keplers zu finden, aber er muß in so vielen Dingen tätig werden, daß er seine Mitarbeiter braucht. Ich hoffe, Sie werden ein Einsehen haben und nicht Ihrerseits Kapital aus der Tatsache ziehen, daß Seine Durchlaucht Ihre Rede vortragen wird.» Seidenschwarz hatte das nicht verstanden.

«Um es ganz deutlich zu sagen: Mit der Zahlung des Honorars gehen Sie auch die Verpflichtung ein, zu niemandem darüber zu sprechen, daß Sie den Auftrag ausgeführt haben.»

Der Privatdozent wies darauf hin, daß man ihm diese Bedingung zu Beginn hätte mitteilen müssen.

«Dann wissen Sie es eben jetzt.»

Danach war Berthold Müller gegangen. Seidenschwarz besah sich die druckfrischen Scheine. Dann schrieb er die Rede in fünf Tagen. Eine Kampfrede eigener Art.

Der Blick über die Stadt war großartig. Nicht daß Regensburg dem Schloß zu Füßen lag. Das Schloß war nur ein besonderer Teil der Stadt, ein abgegrenzter Bereich, der mit dem übrigen nicht sehr eng verbunden war.

Seidenschwarz nahm ein Bad. Er ließ aus den verschiedenen Hähnen Wasser einlaufen, schüttete Badesalz hinein und aalte sich. Einmal mit Lena in einer solchen Wanne.

Sein Geschlecht regte sich.

Als Seidenschwarz sich ausführlich abgetrocknet hatte, fand er im Ankleidezimmer die bereitgelegten Krocket-Utensilien vor. Weiße Shorts, weiße Lederschuhe, weiße Handschuhe, die die Finger frei ließen, einen dünnen weißen Pullover und eine englische Schiebermütze mit rot-weißen Streifen. Dazu einen hölzernen Schläger mit den gleichen Streifen.

Die Sachen paßten ihm.

Er sah im Spiegel, wie seine schmächtige Figur durch das viele Weiß noch dürrer wirkte. Der Pullover verdeckte zwar seine Rippen, aber Seidenschwarz hatte das Gefühl, man könne sie sehen.

Vor der Tür wartete ein Bediensteter, der ihn abholen sollte.

«Wird der Fürst auch mitspielen?» fragte Seidenschwarz.

«Das entzieht sich meiner Kenntnis», antwortete der junge Mann.

Nach einem weiteren Gang durch lange Korridore, die drei Stockwerke hinunter, am Ende die Reitertreppe benutzend, gelangten sie zu dem Rasen, auf dem schon die verschiedenfarbigen Tore aufgebaut waren.

«Also für alle, die die Regeln nicht kennen, mal hergehört!» Der Enkel des Fürsten, den Seidenschwarz bei seinem ersten Besuch kennengelernt hatte, führte das Wort.

«Das Schönste am Krocket ist das Krockieren. Dabei wird die Kugel des Gegners aus dem Feld geschlagen. Man legt die eigene Kugel an die des Gegners, blockiert sie durch festes Auftreten mit dem Fuß und schlägt dann mit dem Hammer kräftig dagegen. Ich werde das am besten einmal vormachen. Also aufgepaßt!»

Der Enkel hatte zu dieser Demonstration schon zwei Kugeln nebeneinander gelegt, hob den hölzernen Hammer, schwang ihn über dem Kopf und hieb mit voller Wucht auf die Kugel ein. Durch den Schwung platzte die zweite Holzkugel davon, mehrere Meter weit.

Sofort erhoben sich Bravo-Rufe. Insbesondere die jungen Damen klatschten laut Beifall.

Das Klavierspiel des Pianisten Krenz geriet immer mehr zu einem Operettenabend. «Ich habe in musikalischen Dingen nicht den gleichen Geschmack wie die Fürstin», sagte der Fürst. «Sie mag keine zu schwere Kost. Kein Beethoven, mehr Mozart, schon gar kein Brahms, mehr Strauß-Walzer. Am liebsten hat sie den ‹Postillon von Lonjumeau›.»

Sie standen in der Bibliothek.

«Waren Sie eigentlich in Sagan?» begann der Fürst. Er wies ihm einen Platz auf einem der großen Polstersessel an.

Seidenschwarz zögerte einen Augenblick, dann sagte er mit fester Stimme: «Ja.»

«Schön. Ich hoffe, es hat Ihnen dort gefallen.»

Am liebsten hätte Seidenschwarz sofort seine Lüge korrigiert, aber es war schon zu spät.

«Es war interessant.»

«Gut.»

Der Fürst lehnte an das Bücherregal. «Nun zu Ihrer Rede. Ich will es kurz machen. Ich werde sie natürlich nicht halten. Aber das haben Sie wohl auch nicht erwartet.»

Seidenschwarz schoß das Blut in den Kopf.

«Das wird Sie nicht überraschen, oder sollte ich mich so täuschen?»

Der Fürst sprach leise.

Aus dem kleinen Saal am Ende des Korridors erklangen Melodien aus den «Lustigen Weibern». Das Publikum johlte und sang mit.

«Durchlaucht, ich verstehe nicht ganz, was Sie damit sagen wollen?»

Der Fürst kaute, seine Lippen bewegten sich stumm, er schob sein Gebiß im Mund hin und her.

«Das verstehen Sie genau, Herr Seidenschwarz! Sie haben diese Rede geschrieben, um mich zu provozieren. Anders kann ich mir dieses Manuskript nicht erklären. Sie haben sich gesagt, dem alten Herrn zeige ich mal, was eine intellektuelle Finte ist, nicht wahr? Ich will Ihnen sagen, daß ich im ersten Moment fasziniert war von Ihren Formulierungen, ganz ausgezeichnet, großes Kompliment! Dann habe ich tatsächlich mit dem Gedanken gespielt, diese Rede zu halten. Das hätte sogar die fortschrittlichsten unter den Zuhörern schockiert. Ein Fürst, der seinen eigenen Stand beschmutzt. Aber haben Sie das von mir erwartet, Herr Doktor?»

Seidenschwarz parierte diesen Angriff: «Durchlaucht, Sie haben mir freie Hand gelassen, das waren Ihre Worte, und jetzt wollen Sie Vorschriften machen. So empfinde ich es.»

«Herr Seidenschwarz, Sie können sich die Spitzfindigkeiten sparen und mir ebenfalls, Sie brauchen mich nicht an meine Worte zu erinnern. Ich pflege zu wissen, was ich in Auftrag gegeben habe. Meine Anweisungen waren in Ihrem Fall vielleicht nicht detailliert genug, aber ich rechnete mit ihrem geschulten Ohr. Das ist der einzige Punkt, an dem ich mir etwas vorzuwerfen habe. Ich habe mich getäuscht.»

Der Pianist Krenz spielte Militärmärsche, das Publikum klatschte im Takt.

Seidenschwarz richtete sich in seinem Sessel auf.

«Sie wollten eine Rede, um den Deutschen Kepler herauszukehren: Besinnung auf deutsche Größe, mit einstimmen in die nationalistischen Töne unserer Zeit. Eine solche Rede wollte ich nicht verfassen.»

«Statt dessen verfassen Sie mit geschliffenen Worten ein Pamphlet gegen den dummen Fürsten Wallenstein, der das arme Genie Kepler unterdrückt. Wissen Sie, wie ich so was nenne? Ein erbärmliches Vorurteil, das Sie da geleitet hat.»

Arnold Seidenschwarz erhob sich.

«Gut, kommen wir zu den Fakten. Was habe ich unrichtig dargestellt?»

Der Fürst machte eine Handbewegung, als wolle er einen lästigen Hund verscheuchen.

«Die Fakten, das können Sie, ja, die Fakten! Soll ich das jetzt überprüfen? Sie halten sich mit Details auf. Es kommt aber auf die Linie an, und die ist schief. Wenn Wallenstein so ein Ungeheuer war, wie Sie ihn schildern, so ein überheblicher Machtmensch, warum hat er dann überhaupt die Verpflichtung übernommen, Kepler in Sagan zu beherbergen, ihn und seine Familie zu schützen und mit einem Dach über dem Kopf zu versorgen? Sie sehen das durch Ihre sozialdemokratische Brille.»

Die Worte des Fürsten kamen mit einer solchen Präzision, festgelegt, schneidend, daß Seidenschwarz der Atem stockte. Wie sein Enkel Krocket spielte, so krockierte ihn Seine Durchlaucht.

«Und meine Überzeugung ist, daß Sie keine Kritik an Angehörigen Ihres Standes ertragen können. Nur weil Wallenstein einer der Ihren ist, muß er noch kein edler Mensch gewesen sein!»

Der Fürst, der die ganze Zeit leise gesprochen hatte, so daß die Operettenmusik aus dem kleinen Saal noch zu verfolgen war, erhöhte die Lautstärke.

«Sie können nicht anders denken, ich weiß. Das ist meine Klasse, also bin ich ein Feudalherr, und weil die Feudalherren immer zusammenhalten, deswegen wehre ich die Kritik an Wallenstein ab. Keineswegs. Bei anderer Gelegenheit würde ich sogar viel schärfer an diesen Mann herantreten, aber warum denn gerade, wenn es um Kepler geht? Wenn es um Wissenschaft geht? Wenn das alles ganz und gar nichts mit der Politik zu tun hat? *Sie* politisieren das Thema zu Unrecht. Deswegen werde ich die Rede nicht halten!»

Seidenschwarz spürte, daß der dunkle Anzug, den er im Ankleidezimmer vorfand, am Bauch kniff. Beim letzten Mal hatte er gepaßt, er erkannte den Anzug am Etikett wieder. Englische Spitzenware.

«Durchlaucht, wir können natürlich über Änderungen sprechen, schließlich wollen Sie eine Rede halten.»

Der Privatdozent sah keine andere Möglichkeit, als einzulenken.

«Was soll ich an einem lahmen Pferd ändern? Ihm vielleicht ein glänzendes Zaumzeug umhängen? Das hat keinen Zweck, nicht bei diesem Sujet. Sie wissen genau, dazu haben Sie studiert, was ich wollte. Sie haben genau zugehört und sich ganz offensichtlich dagegen gestellt. Das ist nicht mehr zu ändern.»

Der Fürst sprach von Vertrauensbruch, von einem besonderen Verhältnis zwischen Auftraggeber und Auftragnehmer, von einer ungewöhnlichen Honorargestaltung, schließlich habe man dem Privatdozenten schon eine ordentliche Summe im voraus gezahlt, im gewöhnlichen Fall werde diese Summe erst fällig, wenn der Auftraggeber mit der geleisteten Arbeit zufriedengestellt sei. Er sprach auch davon, daß er mit dieser Rede Ehre einlegen wollte für seinen guten Namen und seine Familie.

«Sie müssen wissen, daß niemand aus unserem Haus sich auf dem Erbe ausruhen kann, jeder muß sich neu den Namen verdienen. Das ist manchmal auch eine Last. Wenn man berühmte Vorfahren hat, ist das eine Verpflichtung, eine andauernde Aufgabe, aber auch eine wunderbare Sache, sich den Namen zu verdienen, damit man, wenn man dereinst abtritt, sagen kann, ich bin meines Namens würdig gewesen. Aber das wird Sie nicht interessieren, Herr Seidenschwarz. Wie sollen wir verbleiben?»

Der Privatdozent schüttelte den Kopf.

Im Dämmerlicht konnte er sehen, wie Gäste das Schloß verließen, ein Maybach wurde gestartet, dann ein Horch, einige der Herrschaften umarmten sich.

«Was meinen Sie, Herr Seidenschwarz?» Die Stimme des Fürsten wurde dringender.

«Wenn Sie mir sagen, was ich ändern soll, nicht allgemein, sondern am Text meiner Rede entlang, dann könnten wir es noch bis zum Datum der Feierlichkeiten ins reine bringen.»

Er wandte den Kopf und sah den Fürsten an, der dicht neben ihm Stellung bezogen hatte.

«Ich sagte doch schon, da gibt es nichts zu ändern. Die Optik ist verrutscht, da muß jeder Satz gerade gerückt werden. Ich sehe darin keinen Sinn, will Sie auch nicht quälen. Also», er klatschte in die Hände, «wir machen es so: Sie behalten das Geld, ganz ohne Frage, ich behalte die Rede. Das wird das Beste sein. Und dann sagen wir Gott behüt, und das wars.»

Arnold Seidenschwarz wußte, daß Seine Durchlaucht keineswegs zum Scherzen aufgelegt war, dennoch wagte er eine Ironie: «Sie können sich alles leisten, Herr Fürst, das ist Ihr Nachteil.»

«Oho», antwortete der Angesprochene, «ich dachte, Sie wollen lieber in Ihrem Versteck bleiben. Ich habe Ihnen ein faires Angebot unterbreitet, bei dem Sie nicht schlecht wegkommen. Sie haben ohne Zweifel für mich gearbeitet, das habe ich honoriert, nun gehen wir auseinander. Aber wenn Sie wollen, können Sie auch das Geld zurückzahlen.»

Auf diesen Augenblick hatte Seidenschwarz spekuliert. «Das habe ich nicht gemeint. Ich wollte sagen, Sie brauchen sich mit Leuten wie mir nicht abzugeben. Sie zahlen aus! Wäre eine Disputation über das Thema nicht interessanter? Oder möchten Sie sich nicht zu sehr vorwagen?»

Der Fürst rückte ab. Er ging durch die ganze Bibliothek, und obwohl keine Musik aus dem kleinen Saal mehr zu vernehmen war, schloß er die leicht angelehnte Tür.

Das metallene Schloß schnappte ein.

«Herr Seidenschwarz, damit Sie mich verstehen», Seine Durchlaucht hob die Stimme, «ich habe jede Möglichkeit, Ihnen den Weg an welche Universität auch immer zu versperren. Das können Sie mir glauben. Wo immer Sie sich auch bewerben werden, kann ich einen Riegel vorschieben lassen. Wenn Sie einen Disput wollen, ich bin dazu bereit.»

Die Drohung war gradlinig, so ohne Schnörkel, daß Seidenschwarz zusammenzuckte.

«Jetzt spricht die Macht!» sagte er laut.

«Sie können es nennen, wie Sie wollen, Herr Seidenschwarz«, zum ersten Mal betonte der Fürst die Anrede, «ich lasse mich von niemand fintieren, auch nicht von einem Akademiker. Ich sage es noch mal: Für mich ist diese Rede eine gezielte Finte, fein formuliert, darauf aus, daß ich mich in der Öffentlichkeit bloßstelle, daß ich am Beifall merke, besser am Gelächter, wer mich da hinters Licht geführt hat. Unterschätzen Sie mich nicht.»

Seidenschwarz wischte sich einen Krümel vom Ärmel der teuren Jacke.

«Sie wollen eine Rede über jemand halten, der für Sie im besten Falle ein Mitarbeiter gewesen wäre. Einer, den man beschäftigt und dann auszahlt, wenn einem seine Arbeit nicht paßt. Sie geringschätzen Kepler und verstehen nicht, wie dieser Mann unter seiner Abhängigkeit gelitten hat.»

«Ich dachte, es sei ein Disput, den wir führen», der Fürst zündete sich eine Zigarre an, hielt Seidenschwarz die offene Holzschachtel hin.

Aus Höflichkeit griff Seidenschwarz zu. Er hatte nie in seinem Leben geraucht.

Zwei Stunden stritten sie, ungeachtet des Klopfens an der Bibliothekstür. Auch das Rütteln an der Klinke bemerkten sie nicht.

Der Fürst wollte seinen Wallenstein retten.

Seidenschwarz seinen geliebten Kepler.

Immer wieder gingen die Wellen hoch, wenn Seidenschwarz ironisch wurde oder wenn der Fürst unverhohlen drohte.

Am Ende waren sie beide erschöpft, hatten trockene Kehlen. Aber der Fürst offerierte kein Getränk mehr.

Er blieb bei seiner Entscheidung.

Seidenschwarz wurde in die Suite geführt, in der sein Anzug hing, diesmal wollte er ihn nicht vergessen. Er wußte, daß er nicht ins Schloß zurückkehren würde.

Der Fürst begleitete ihn durch die langen Gänge.

Sie sprachen nicht miteinander.

Wie sein eigener Bediensteter wartete der Fürst vor der Tür, bis Seidenschwarz den Anzug gewechselt hatte.

Die Suite hättest du haben können, dachte Seidenschwarz, vielleicht für immer. Was soll diese Starrköpfigkeit?

Der Fürst führte ihn an das hohe Holzportal.

«Eigentlich schade. So einen Menschen wie Sie könnte ich gut gebrauchen. Und wenn auch nur zum Streiten.»

Arnold Seidenschwarz wurde wütend.

«Sie können alles gebrauchen, oder sollte ich besser sagen, verbrauchen. Ich bin dazu nicht geeignet.»

Der Fürst schüttelte den Kopf.

«Sie wollen mich mißverstehen, Herr Doktor Seidenschwarz.»

Dann schob er das Portal zu.

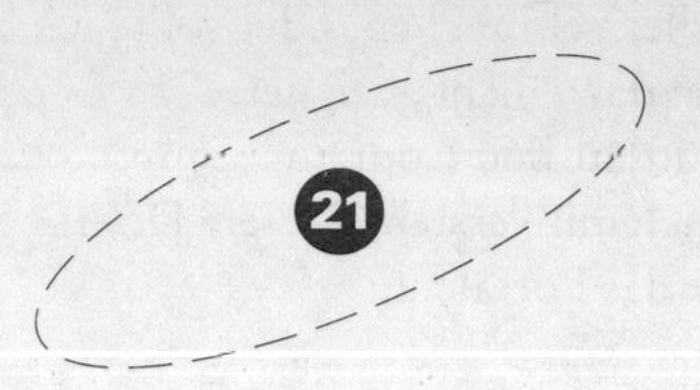

«Ich mußte sehr vorsichtig sein, Arnold, sonst hätte es mich meine Stellung gekostet. Dieser Archenhold ist ein Archenunhold. Hinter meinem Rücken hat er versucht, die Stelle als Direktor der neuen Sternwarte zu ergattern. Sozusagen ein fliegender Leiter, der nicht nur in Treptow dirigiert, sondern in allen seinen Volkssternwarten. Die Ratsherren waren natürlich von ihm fasziniert. Was für ein großartiger Sternengucker, sieht ja wirklich aus, als sei er einem Grimmschen Märchen entsprungen. Ich mußte taktieren. Glücklicherweise ist der Stadtsäckel leer, sonst hätte es böse für mich ausgehen können. Arnold, hörst du mir überhaupt zu?»

Lena Röhrl sah Seidenschwarz an, dessen Gesicht mit roten Flecken übersät war, als hätte er nach einer durchzechten Nacht die Übelkeit nur durch mehrmaliges Kotzen loswerden können.

Er hatte den Kopf auf die Brust gesenkt, die Hände zwischen den Knien gefaltet.

«Doch, ich höre zu. Red nur weiter.» Er sagte das abwesend, fast bittend, damit keine Pause entstand.

«Du kommst hierher, setzt dich in den Sessel und schweigst. Nicht mal einen Kuß hab ich abbekommen. Was ist mir dir?»

Das konnte er nicht vertragen, daß Lena auch noch fragte und, was schlimmer war, daß er antworten mußte. Er nahm sich zusammen, verkrampfte seine Hände und preßte die Knie dagegen.

«Der Fürst, die Rede, er wird sie nicht halten.»

«Wieso?»

«Er wird meine Rede nicht halten.»

In diesem Augenblick wurde Seidenschwarz bewußt, daß er Lena nichts über seinem letzten Versuch erzählt hatte, er hatte die

Rede geschrieben, allein, ohne mit ihr oder dem Rabbi darüber zu sprechen.

Seidenschwarz erklärte ihr stockend, um was es in der neuen Rede ging, welche Linien er verfolgte, wie er Wallenstein sah, den großen Feldherrn, von dem alle Welt sprach, und wie dagegen Kepler, den nur wenige kannten. «Es sind zwei Gestalten unserer Geschichte, das sollte das Thema sein. Ich finde es eine gute Idee für eine Festrede.»

«Und die Rede vom Mond? Warum hast du ihm die nicht gegeben?»

Seidenschwarz antwortete nicht. Er hatte ihre Frage verstanden, wußte aber nichts darauf zu sagen.

«Arnold, du bist ein Kindskopf. Da hast du dein Thema gefunden, ich weiß noch, wie du jubiliert hast, glücklich über den Fund, und dann verbirgst du ihn. Was soll das?»

Es war schon nach Mitternacht gewesen, als er Lena weckte. Mehrere Stunden war er durch die Stadt geirrt, hatte vor dem Kepler-Denkmal gestanden, ruhelos, erschöpft, sich an den steinernen Kopf geklammert, damit er nicht stürzte, war durch die Gassen gerannt, dann wieder verharrend, ohne den Blick in den Nachthimmel zu heben. Er konnte die Sterne nicht ertragen, war zu schwach, um diesen Wirbel auszuhalten.

Lena Röhrl hatte ihn im Nachthemd empfangen, war keineswegs böse, daß er so spät kam, wollte ihn überreden, sich zu ihr ins Bett zu legen, aber Seidenschwarz zog den Sessel im Wohnzimmer vor, in dem er jetzt schweigend saß. Die Leiterin der Sternwarte mußte die Konversation bestreiten.

«Arnold, morgen, wenn du ausgeschlafen hast, gehst du zum Schloß und bringst dem Fürsten Deine Mond-Rede.»

«Ich gehe nicht hin, nie mehr.»

«Du gehst.»

«Nein, Lena. Der Mann hat mich beleidigt, ich bin für ihn ein Winzling, ein Nichts, jemand, den er auszahlen kann. Ich gehe nicht.»

«Dann bringe ich sie hin. Gleich morgen. Er wird erstaunt sein, aber...»

«Lena, bitte, versteh das. Ich will es nicht. Ich will es nicht. Bitte!» Dann versagte seine Stimme.

Lena Röhrl setzte sich auf den niedrigen Tisch, zog seine verkrampften Hände zwischen den Knien hervor, streichelte sie.

«Es wird eine Lösung geben», sagte sie leise, «wir werden die Rede vom Mondtraum veröffentlichen, ich könnte sie ans Astronomische Jahrbuch schicken. Oder, ja, das ist es, wir werden am gleichen Tag eine Feier abhalten, zu Ehren Keplers, und du trägst deine Rede vor. Ich lade Interessierte ein, in die Sternwarte. Es gibt genügend Sternenfreunde, die nicht zum Festakt in die Walhalla eingelassen werden. Das machen wir. Bist du einverstanden?»

Arnold Seidenschwarz zuckte mit den Mundwinkeln. Er konnte nicht antworten, weil in seinem Kopf die Bilderflut einsetzte, die durchlaufenden Projektionen, mal schwarz, mal hell, Muster ohne Ordnung.

«Ich werde das für dich organisieren, Arnold, du mußt reden. Dann hab ich einen Grund, der offiziellen Feierei fernzubleiben. Die hätten mich entlassen, wenn genügend Geld für die Volkssternwarte vorhanden gewesen wäre. Arnold, das wird unser Fest. Ja?» Seidenschwarz war ohnmächtig geworden.

Zwei Tage später war die Reichstagswahl. Die Wahllokale waren von 8 Uhr morgens bis 5 Uhr nachmittags geöffnet. Bei schönem Wetter stellten sich die Bürger geduldig an, um ihr Kreuz zu machen. Die SPD gab eine Erklärung zur Wahl heraus, in der es hieß: «NSDAP und KPD verdanken ihren Zulauf der skrupellosen demagogischen Ausnutzung einer aus der Not erwachsenen Verzweiflungsstimmung. Beide Parteien sind für brutale Gewalt. Ihr Programm heißt Katastrophenpolitik. Wählt SPD!»

Die Genossen waren gespannt. In den letzten Tagen hatten sie noch einmal alle Kräfte aufgeboten, um Plakate zu kleben, Flugblätter zu verteilen. Ein Lautsprecherwagen fuhr durch die Stadt. Als die Wahllokale schlossen, trafen sich die Sozialdemokraten im Karmelitensaal. Die Stimmung war ausgezeichnet, wenn auch die meisten Mitglieder erschöpft waren.

Seidenschwarz hatte Lena gebeten, mit ihm zu kommen, weil er sich nicht gut auf den Beinen fühlte. Sie war seinem Wunsch gefolgt, berichtete ihm unterwegs von ihren Vorbereitungen für die eigene Kepler-Feier. Sie hatte das Vorhaben bei der Stadt schon angemeldet. «Du wirst es nicht glauben, die waren hocherfreut über meine neue Aktivität, sahen sogar ein, daß ich dann selbstverständlich nicht in der Walhalla anwesend sein kann, aber dort herrscht sowieso schon Überfüllung. Die 200 Plätze sind längst verteilt, und da immer mehr Ehrengäste ankommen, sind sie froh um jeden Platz, der frei wird. Ich habe gesagt, daß du die kleine Ansprache halten wirst, auch das hat sie erstaunt. Einer der Herren meinte, wir wußten gar nicht, daß wir solche Koryphäen in der Stadt haben. Leider können sie dir kein Honorar geben. Es wird also für die Ehre sein. Macht das was?»

«Nein, nein», antwortete Seidenschwarz, der nicht wußte, woher er die Kräfte nehmen sollte, um seine Rede vorzutragen. Aber es waren noch einige Tage bis dahin, in denen er sich zu erholen hoffte.

«Ich will versuchen, daß der Bund der Sternenfreunde einen Korrespondenten schickt, denn die tagen gleich nach den Kepler-Feiern, vielleicht kommt sogar Henseling, dem liegen diese offiziellen Sachen sowieso nicht. Mit Archenhold wird nicht zu rechnen sein, denn nach der Ablehnung seines Planes wird er wohl nie mehr nach Regensburg kommen.»

Lena Röhrl sprach unaufhörlich, fing neue Geschichten an, erinnerte an Vergangenes, ließ keine Pausen entstehen. In den Pausen wäre deutlich geworden, daß Seidenschwarz schwieg.

«Genossinnen und Genossen, wir haben allen Grund zu feiern. Auch wenn das Ergebnis noch nicht vorliegt. Wir haben, mit wenigen Ausnahmen, einen sehr aktiven Wahlkampf geführt, und dafür möchte ich euch im Namen des Wahlausschusses danken. Ich weiß, wie jeder von seiner eigenen Zeit abgeben muß, damit die Partei größer wird und mehr Zulauf erhält, aber das gehört nun mal zu den Aufgaben eines Mitglieds.» Der Ehrensperger Ludwig hatte sich auf einen Tisch gestellt, denn es gab kein Rednerpult an diesem Abend, nur zwei Fahnen der Sozialdemokratie waren aufgehängt.

Es gab keine Kapelle, und deshalb klang das anschließende «Brüder-zur-Sonne» etwas dürftig. Wie immer hatten einige den Text vergessen.

«Willst du noch lange hierbleiben?» fragte Lena und tippte Seidenschwarz auf die Schulter.

«Ja, schon, ein wenig noch», antwortete er.

Seidenschwarz hoffte darauf, daß Ehrensperger ihn begrüßen würde, aber der hatte sich wieder an seinen Tisch gesetzt und stemmte ein Bierseidel.

Sie pafften gedrehte Stumpen, die gerade in Mode gekommen waren, dicke Zigarren und die unvermeidlichen langstieligen Pfeifen, deren Qualm in kurzer Zeit auch die größten Säle trübe werden ließ. Seidenschwarz trank Weinschorle, stark verdünnt, mehr konnte er nicht vertragen.

«Ich hoffe, daß wir an dem Abend, wenn du deine Rede hältst, einen klaren Himmel haben, denn nach der Diskussion wird es bestimmt dunkel sein, und dann wollen wir den Besuchern noch das Himmelsschauspiel bieten. Ich werde ein paar besonders schöne Objekte aussuchen, die wir präsentieren können. Dann sind die meisten Zuhörer beeindruckt. Das gibt bestimmt einen schönen Abend, Arnold. Ist doch etwas anderes, als wenn so ein fremder Mensch, und sei es auch der Fürst persönlich, deine Rede hält. Die hätten dich bestimmt nicht in die Walhalla eingeladen, ganz bestimmt nicht. Da sitzen nur die Honoratioren.»

Seidenschwarz scharrte mit den Füßen, als müßte er zu einem Lauf antreten. Als müßte er Schritt halten. Wegrennen. Er stemmte sich gegen den Boden.

«Lena, ich will nicht getröstet werden. Dankeschön», soviel bekam er heraus.

Lena rückte neben ihn, hielt ihn fest.

Am nächsten Morgen war die Niederlage deutlich. Zwar hatten die Sozialdemokraten ein paar hundert Stimmen in Regensburg hinzugewonnen, seit der letzten Wahl im Jahre 1928, aber die Nationalsozialisten hatten ihren Stimmenanteil mehr als vervierfacht. Im Reich war der Anstieg sogar noch stärker.

Seidenschwarz legte die «Volkswacht» weg. Deprimiert über die Ergebnisse. Er wollte den dazugehörigen Artikel und den bestimmt sehr klugen Kommentar des Herausgebers gar nicht erst lesen. Was hat es genützt, dachte er, was hat es genützt, daß wir angetreten sind, was ist das für ein Erfolg, wenn wir die Nazis nicht aufhalten können?

Die Augen verschwammen ihm.

Er saß an seinem Schreibtisch, neben sich die morgendliche Tasse Kaffee, essen wollte er nichts.

Der Blick glasig.

Die Zeitung, die ihm jeden Morgen zum Wachwerden diente, aufgeschlagen, er las jedoch nicht weiter.

Starre.

In seinem Kopf Satzungetüme, eine Auseinandersetzung, die so nie stattgefunden hatte, ein Streit, der ausuferte, eine Konfrontation, die gewalttätig wurde.

Der Fürst und er.

Zwei gleiche Gegner.

Angetreten, um vor einem Schiedsrichter zu bestehen.

Einem Mann in kurzem schwarzem Wams, eine Kette um den Hals, auf dem Kopf eine schiefe Mütze. Mürrisch das Gesicht.

Der geliebte Johannes.

Sie standen sich gegenüber.

Der Fürst breitbrüstig, Seidenschwarz schmächtig.

Sie beschimpften sich.

Lautstark.

«Sie wissen doch nicht, woran Kepler zerbrochen ist, Sie Ignorant!»

«Und Sie wissen nicht, wofür er gelebt hat, Sie Lackel!»

Es klopfte an der Tür.

Seidenschwarz drehte sich um.

Der Ehrensperger Ludwig betrat seine Wohnung.

«Komm nur rein», sagte Seidenschwarz, «gestern hattest du nicht mal einen Gruß für mich. Schön...»

«Ach, du liest die Zeitung, dann weißt du Bescheid, Arnold.» Ehrensperger krempelte seine Ärmel hoch.

«Ja, habs gelesen.»

Der Parteifreund nahm seine Kaffeetasse und trank daraus.

«Eine Niederlage, gewiß», sagte er, «aber wir wissen auch, wem wir sie zu verdanken haben.»

«Wem?»

«Arnold, es sind solche Schlingel wie du, ihr habt uns im Stich gelassen. Wenn ihr mehr Einsatz gezeigt hättet, dann stünden wir besser da.»

«Luggi, das ist nicht dein Ernst?» Seidenschwarz konnte es nicht fassen. Sein Puls raste.

«Ich weiß, was ich sage. Und ich sage es nicht gern. Du hast gefordert, daß wir verstärkt gegen die Nazis angehen sollten, und dann hast du dich still und leise zurückgezogen. Was hast du denn schon getan? Einmal eine Rede verfaßt. Ich dachte, du seist einer von uns?»

Seidenschwarz hätte Ehrensperger am liebsten eine Ohrfeige gegeben, aber er war so aufgeregt, zitterte am ganzen Leib.

«Ich bin länger in der Partei als du, Luggi. Ich konnte nicht mehr, ich hab dir das erklärt...

«Weil du deine Arbeit über die Partei gestellt hast, das ist der Grund, sonst nichts!» Der Ehrensperger hatte einen hochroten Kopf, sein gelocktes Haar stand aufrecht.

Seidenschwarz konnte sich nicht wehren. Unfähig sich zu bewegen, saß er an seinem Schreibtisch.

Ioh. Keppleri Mathematici olim imperatorii

Somnium seu opus posthumum de astronomia lunari

Cum anno 1608 ferverent diffidia inter fratres Imp: Rudolphum et Matthiam Archiducem; eorumque actiones vulgo ad exempla referrent, ex historia Bohemica petita; ego publica vulgi curiositate excitus ad Bohemia legenda animum appuli.

Er kehrte zurück zum Traum, zu Keplers Traum, der seiner geworden war, und las im Original, das er in einem Buchladen entdeckt hatte, wie die kaiserlichen Brüder in Streitereien gerieten, die in der böhmischen Geschichte begründet waren, wie Kepler seinen Traum aus Neugier begann, aus Neugier und Zufälligkeiten, wie er auf das Märchen von der heldischen Zauberin Libussa stieß und durch vorherige Betrachtung der Sterne und des Mondes für Höheres empfänglich wurde, wie er einschlief, wobei ihm so war, als läse er in einem auf der Messe gekauften Buche.

Seidenschwarz buchstabierte jede Zeile, jedes Wort, dachte über diese und jene Bedeutung nach, die er in der Übersetzung nicht bemerkt hatte, ließ sich einhüllen von Keplers Worten, bezaubern von seinen Phantasien, entrücken zum Mond, ganz gleich, ob es Tag oder Nacht oder gar eine Mondfinsternis war, die zu dieser Reise vonnöten war.

Er hatte nur noch einen Wunsch, von dem er wußte, daß er nicht in Erfüllung gehen konnte: In der Walhalla vor all den hochgelehrten Herren *seine* Rede zu halten. Das hätte ich anstreben sollen, dachte er. Mit einem eigenen Werk hervortreten und nicht der namenlose Mitarbeiter eines reichen Herrn sein.

«Im Traum wird Freiheit des Denkens gefordert, zuweilen auch dafür, was in Wirklichkeit wohl nicht besteht.»

Er schrieb sich die Zeile in Latein auf ein langes Stück Papier, das er über seinem Schreibtisch aufhängte, das Bild seines Vaters sowie das eigene damit überdeckend.

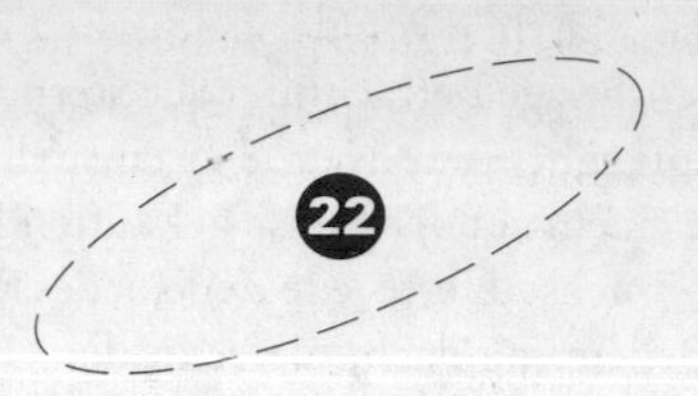

In der folgenden Nacht hatte er Fieber, was ihn nicht daran hinderte, sich an seinen Schreibtisch zu setzen, sich Arrest zu verordnen, um eine weitere Rede zu schreiben, einen letzten Versuch, dem Fürsten wenigstens ein Stück entgegenzukommen, die ganze Nacht kritzelte er Sätze aufs Papier, hockte gebückt bei trübem Licht und schrieb, schrieb alles heraus, was er über Kepler wußte, formulierte um, ließ ganze Passagen aus seinen früheren Reden einfließen, zerschnitt die Manuskripte und stückelte sie zusammen, warf die Reste in den Papierkorb, begann jeden Absatz mit den gleichen Worten: «Verehrte Festgäste, Spektabilitäten, Magnifizenzen, Hoheiten...», hockte in immer gleicher Stellung, spürte nicht mehr, wie der Rücken schmerzte, die Arme lahm wurden, die Finger erstarrten, er schrieb Seite um Seite, gelegentlich sogar den Italiener abwertend, Galilei, den Seine Durchlaucht meucheln wollte, dann aber wieder den Gedanken verwerfend, durchgestrichen die Passagen, die nur aus Untertanengeist, aus Willfährigkeit geschrieben wurden, zerrissen die Papiere, auf denen stand, was Seine Durchlaucht begrüßen würde, es war eine Rede, die nur aus Splittern bestand, aus kleinsten Einfällen, aus halbfertigen Gedanken, eine Rede, die kürzer sein konnte als eine Minute und länger als eine Stunde, Seidenschwarz bemühte sich, preßte hervor wie eine Gebärende, mit letzter Kraft.

Am nächsten Morgen wusch er sich gründlich, rasierte sich, er zitterte, zog seinen einzigen dunklen Anzug an, die Ränder unter den Augen hatten gewaltige Ausmaße, packte seine Papiere zusammen, die ansehnliche Menge, die er beschrieben hatte, und auch das lateinische Exemplar von Keplers Traum steckte er vorsorglich ein, wollte dem Fürsten daraus zitieren, wenn er auch seine Rede dazu nicht preisgeben wollte, die lag gut geborgen in Federls Hutschachtel, er wollte seinen Auftraggeber überzeugen, ihm beweisen, daß er nicht zurücksteckte, die Anerkennung seiner Arbeit fordern, die ihm bisher verweigert wurde, jetzt soll er Stellung nehmen, soll sagen, wie er meine Gedanken über Kepler findet.

Erst als er im Wartezimmer hinter der Portiersloge saß, sein Manuskript fest auf die Oberschenkel gepreßt, fiel ihm ein, daß er seit mehr als vierundzwanzig Stunden nichts gegessen hatte, daß sein Magen zusammengefallen war wie ein hohler Kürbis, er verspürte fürchterlichen Hunger, dachte an Schweinsbraten mit Knödel, die er sich gönnen wollte, wenn er mit Seiner Durchlaucht gesprochen hätte, an ein großes Bier oder sogar zwei, ganz gleich, ob er es vertrug oder nicht, er mußte die Gedanken an Essen und Trinken wieder verscheuchen, weil ihm sonst übel wurde.

Der grauhaarige Sekretär empfing ihn mit einer förmlichen Begrüßung und fügte hinzu, was er denn jetzt noch wolle, Seine Durchlaucht sei erbost über die miserable Arbeit, die Seidenschwarz geliefert habe.

«Ich möchte gern mit ihm disputieren», erwiderte Seidenschwarz und biß sich auf die Lippe.

«Zu welchem Ende, Herr Doktor?»

«Das würde ich dem Fürsten selber sagen», antwortete Seidenschwarz.

«Das wird nicht möglich sein, Sie werden mir schon sagen müssen, was das Ziel der Unterredung ist, damit ich Seine Durchlaucht informieren kann.»

«Sagen Sie ihm nur, ich stehe zur Verfügung und habe einige Gedanken ausgearbeitet.»

Wie zum Beweis hob Seidenschwarz sein Manuskript-Paket hoch, schaukelte es in der Luft.

«Das muß er lesen.»

«Seine Durchlaucht ist nicht im Schloß», sagte der Sekretär, «Sie können die Unterlagen bei mir lassen, ich werde sie prüfen und gegebenenfalls weiterleiten.»

«Kommt nicht in Frage», schrie Seidenschwarz. «Ich sehe die

Fahne auf dem Mast, also ist der Herr Fürst auch im Schloß. Sie wollen mich nicht vorlassen, oder irre ich mich da?»

«Das können Sie sehen, wie es Ihnen beliebt.»

Der Sekretär blieb ruhig.

Berthold Müller kam hinzu. Es wurde eng im kleinen Wartezimmer.

«Sie haben mich ganz schön in Verdrückung gebracht», begann er, seine Stimme war voller Zorn, angehoben und spitz, «ich war es schließlich, der Sie empfohlen hat. Und bilden Sie sich nichts darauf ein. Der Fürst wollte nicht, daß ein Sozialdemokrat für ihn arbeitet...»

«So, er wußte von Anfang an über mich Bescheid...», warf Seidenschwarz ein, der sich vorstellte, mit welchen Bedenken der Fürst an seine Rede gegangen war.

«Wir sind informiert, das müssen wir sein. Ich habe mich für Sie verwendet», brauste Müller auf, «habe gesagt, das ist der beste Mann, den wir in Regensburg finden können. Und was ist Ihr Dank? Wenn ich das gewußt hätte... unser Haus hätte jeden Professor bekommen können, von jeder Universität, es wäre für jeden eine große Ehre gewesen für den Fürsten zu arbeiten, aber Sie...»

Der Portier kam herein und bat, die Herren möchten sich ein bißchen mäßigen, die Besucher, die draußen warteten, bekämen den ganzen Streit zu hören.

«Wir sind gleich zu Ende», der Sekretär schob den Portier hinaus, «ich wiederhole mein Angebot, Herr Doktor, Sie lassen uns die Unterlagen da, und wir prüfen sie. Gegebenenfalls, wie gesagt, werden Sie von uns hören.»

«Sie stehen ja immer noch unter Vertrag», ergänzte Müller, «zumindest den ganzen September, den wir bezahlt haben. Aber Sie müssen Wahlkampf machen, anstatt sich um unseren Auftrag zu kümmern. Das hat den Fürsten am meisten erzürnt.»

Arnold Seidenschwarz wußte nicht, was er tun sollte. Es hätte keinen Zweck, über den Hof zum Schloß zu laufen, man würde ihn einfangen, oder sich vor das Gebäude zu stellen und nach Seiner Durchlaucht zu rufen, oder unter falschem Namen um eine Audienz zu bitten und dann verkleidet zu erscheinen.

«Was wollen Sie nun?» fragte der Sekretär und streckte seine Hand nach den Papieren aus.

«Ich gehe», sagte Seidenschwarz barsch, «es hat keinen Zweck, mit Ihnen zu streiten. Ich muß den Fürsten persönlich sprechen.»

«Unmöglich», sagte Müller.

Seidenschwarz wandte sich ab, ging zwischen den beiden Bediensteten zur Tür, grüßte den Portier und verließ das fürstliche Gelände.

Kaum war er wieder zu Hause angekommen, die Kramgasse im vollen Sonnenlicht, warf er die Papiere weg, die er in der Nacht bekritzelt hatte, und suchte den Zylinder.

Ich werde Raffel um einen Gefallen bitten, dachte er, wenn jemand mir helfen kann, dann er.

Der Boden schwankte.

Einige Male mußte sich Seidenschwarz am Arbeitsstuhl festhalten, um nicht zu stürzen.

Der Zylinder war angestaubt.

Er hatte ihn nie getragen, sondern gleich nach seinem Erhalt auf den Bauernschrank gelegt, der in der Diele stand.

Mit einem Küchenhandtuch wischte er vorsichtig über das elegante Stück, setzte es auf, besah sich im Spiegel. Das wäre die richtige Kopfbedeckung für die Walhalla, dachte er.

Nicht so ein grauer Filzinger, nein, der feinste Beerdigungszylinder mußte es sein.

Er trank in der Küche hastig aus dem Wasserhahn. Das Wasser kam ihm rötlich vor. Angeekelt spuckte er es aus.

Raffel muß mir helfen, dachte er, wenn er ein Freund ist, wird er mir helfen.

Wieviel Uhr ist es?

Er sah die Zeiger, die in verschiedene Richtungen zeigten. Konnte die Uhrzeit nicht erkennen. Mit schnellen Schritten lief er die Stiege hinunter.

Auf die Straße.

Mit schiefem Zylinder.

Kinder lachten hinter ihm her.

«Raffel, du wirst es nicht glauben, sie haben mich rausgeschmissen, vor die Tür gesetzt, weggeschoben, grad wie einen Bettler, einen Mißliebigen, dem man noch einen Fußtritt hinterher gibt, aber die sollen mich kennenlernen!»

Rafael Federl streifte seine Hände an der grauen Schürze ab, der Staub vom Bimsen hinterließ breite Spuren. Dann reichte er Seidenschwarz die Rechte.

Er hielt sie lange fest.

«Das sind ganz verrückte Kerle da im Schloß, ganz wilde Burschen, hätte nie gedacht, daß die mich so abfertigen, hätt ich nie gedacht, ohne Benimm und ohne Stil und schon gar nicht mit fürstlicher Großzügigkeit, gar nicht generös, haben mich wie einen Hund bei Regenwetter vor die Tür geschickt. Weißt du, wie weit die Sonne weg ist?»

Federl sah seinen Freund an, der ihm den Zylinder reichte.

«Du weißt, was das bedeutet, nicht wahr?»

Der Hutmacher nahm die feine Bedeckung und ging zum Regal, stellte die Leiter an, erklomm das oberste Bord und holte die Hutschachtel herunter. «Keplers Traum» und das Redemanuskript kamen zum Vorschein.

Er hielt beides Seidenschwarz hin.

«Raffel, ich weiß, das ist jetzt sehr viel verlangt, und ich würd es nicht tun, wenn du nicht mein bester Freund wärst, es ist ein wichtiger Dienst, um den ich bitte, das kannst du mir glauben, ich würds nicht verlangen, wenns nicht so wichtig wär, verstehst du?»

Seidenschwarz sah den Hutmacher, wie er das Buch mitsamt den Papieren hielt, ein kleiner Junge, der sich nichts zutraute.

«Also Raffel, lehne meine Bitte nicht ab, es ist so selten, daß ich bitte, aber dies mußt du für mich tun. Du mußt zum Schloß und sagen, daß ich den Fürsten in meiner Wohnung erwarte, daß ich dort eine Rede für ihn hab, die Rede, die er halten soll, aber er muß ganz allein kommen, ohne den grauen Esel und ohne den vorlauten Müller. Er soll kommen und bei mir lesen. Das mußt du ihm sagen. Wirst du das tun, Raffel? Wirst du das für mich tun?»

Der Hutmacher stand hinter der Ladentheke, ruhig. Er legte das

Buch mit den getippten Seiten auf die Hutschachtel und verschwand in seiner Werkstatt. Seidenschwarz lehnte sich an die eiserne Kasse.

Er sah auf das verbotene Buch.

Dann erst bemerkte er, daß sein Freund ihn verlassen hatte, eben noch war er dagewesen. Hatte sich die Erde weggedreht und ihn mit sich genommen?

«Raffel, was ist los? Wo bist du hin? Komm her, ich warte hier, Raffel, reich mir deine Hand!»

Seidenschwarz setzte sich erneut den Zylinder auf und trat vor den Spiegel.

Er konnte sich nicht erkennen. Als sparte der Spiegel ihn aus.

Der Hutmacher kam zurück, brachte Schnaps und schenkte zwei Wassergläser voll.

«Die Realität ist eine Illusion, die eintritt, wenn wir nüchtern sind, Prosit», sagte Seidenschwarz und kippte das scharfe Zeug in sich hinein.

Sofort schenkte Federl nach.

«Was ist nun, Raffel, wirst du es für mich tun? Du mußt es machen. Der Fürst wartet auf eine Nachricht. Er will wissen, wie ich dazu stehe. Ihm ist das wichtig, du mußt ihn überzeugen, daß er in die Kramgasse kommt. Es geht um viel mehr als die Rede, ich muß ihm die Welt erklären, muß ihm sagen, was auf uns zukommt.»

Der Hutmacher drückte ihm das Glas in die Hand.

«Die Illusion ist eine Realität, die eintritt, wenn wir nüchtern sind, Prosit.» Seidenschwarz stürzte auch den zweiten Schnaps. Er schmeckte nicht mehr, aus welcher Frucht er gebrannt war, er schmeckte nur noch ein bitteres Brennen in der Gurgel, ein blaues Brennen, das in seinem Hals züngelte.

«Raffel, wirst du gehen?»

Federl machte einen Schritt zurück, schüttelte den Kopf.

«Gut, das ist deutlich. Dann geh ich selbst. Den Zylinder behalt ich auf dem Kopf, der wird mich schützen. Es ist mein Schutzschild, da kann der Fürst noch so viele Schwerthiebe gegen mich führen. Der Zylinder wird mich schützen. Prosit.»

Seidenschwarz setzte das Wasserglas an und trank, obwohl sich kein Tropfen mehr darin befand.

«Brennt schlimmer als Wasser», sagte er, «Raffel, machs gut. Du bist ein Freund, ich weiß es.»

Er verließ die Schwibbögen und ging hinunter zur Donau, bis ihm einfiel, daß das Schloß in der anderen Richtung lag.

Er kehrte um.

Nahm den direkten Weg zum Schloß. Die Bäume, die ihm begegneten, neigten sich zu ihm herunter, die Häuser lachten aus ihren Fenstern.

Die grobgesichtigen Wesen, die vor ihm erschienen, diese geröteten Nasen der Säufer, die verschorften Ohren der Obsthändlerinnen, diese elephantitischen Hände, die nach ihm griffen.

Der schwarze Zylinder schwankte, Schwarz war die Farbe dieses Tages, auch wenn das Wasser der Donau ihm rot erschien.

So ging Seidenschwarz durch die Gassen, erlebte die Stadt in anderem Licht und anderer Gestalt, lief im Labyrinth der Häuser umher und hatte schon bald sein Ziel vergessen.

Er schwitzte trocken.

Ich muß etwas essen, dachte er, und kehrte im nächsten Gasthaus ein. Bestellte den Schweinsbraten mit Knödel, der eigentlich die Belohnung für den gewonnenen Disput mit dem Fürsten sein sollte, bestellte Weichser Radi, der fächrig geschnitten und gesalzen wurde, damit er weinte, bestellte Kipferl und aß alles mit großem Heißhunger auf. Zum Schluß verschlang er zwei Paar Knackwürste.

Derart gestärkt machte er sich auf den Weg zur Walhalla.

Warum zum Fürsten laufen, wenn er seine Rede in der deutschen Ehrenhalle selbst aufsagen konnte?

Das machte keinen Sinn, es wär ein Umweg gewesen.

Nur ein Umweg.

Vielleicht redet er mir drein, dachte er, der Fürst, der immer dreinredet, weil er eine große Gabe dazu hat.

Er überquerte die Donau.

Die steinerne Brücke trug ihn fort, wie auf einem Band, quer zum rötlichen Donaustrom. Das Brückenmännchen sprang von seinem Sockel, flüsterte ihm sein Geheimnis ins Ohr und tanzte für ihn. Jetzt waren Landsknechte mit Hellebarden auf der Brücke und erhoben Zölle. Das Brückenmännchen half Seidenschwarz, ungesehen durch die baumlangen Schranken zu kommen. Als er sich umdrehte, war die steinerne Figur schon wieder auf dem Sockel. Er ging durch Stadtamhof, wo er sich als jungem Mann begegnete, er grüßte höflich, ein frisches Gesicht mit funkelnden Augen, und fragte sich, wie er am besten hinaufkäme zum Pantheon vom König Ludwig I. Und er antwortete sich mit lauter Fragezeichen, denn der junge Seidenschwarz war niemals dort gewesen.

Hier irgendwo muß ich gewohnt haben, dachte er, jetzt ist alles unter Wasser.

Ich brauche den Anstieg, um alldem zu entkommen, muß Höhe gewinnen, um nicht im roten Wasser zu ersaufen.

Er passierte Weichs und lief dann einfach am Strom entlang, ihn ängstlich beobachtend, weil er nach den Passanten schnappte. So ein gefährlicher Strom!

Er fühlte nach seinem Manuskript und dem Buch, er hatte beides in die Jacke gesteckt.

Ich werde zu spät kommen, warum hab ich keine Droschke genommen oder ein Automobil, ich werde nicht pünktlich sein können. Verzeiht mir, Ihr Eminenzen, Spektabilitäten, verzeiht mir, daß ich so verschwitzt bin und auch noch zu spät komme. Aber ich renne ja schon.

In Schnabelweis verließ er den Fluß und marschierte in Richtung Tegernheim.

Zwei Bäume zeigten ihm den Weg.

«Immer bergan, dann können'S nicht verfehlen» sagte die Erle.

«So, hinauf zum Luggi wollt Ihr, gnädger Herr, müßt ganz brav Euch ranhalten», meinte die Kiefer.

Seidenschwarz bedankte sich höflich.

Da unten lag die Donauaue, dort winkte Lena ihm zu, mit einem weißen Tuch, in weißem Kleid mit weißen Haaren, wenn er die Hände ausstreckte, konnte er ihr Gesicht berühren, das war seine Lena, die jetzt stolz sein würde auf ihn, wenn er vor all diesen Exzellenzen seine Rede hielt. Da würde auch auf sie Lob abfallen, wenn sie nach den Feiern das Aufgebot bestellten. Denn Lena wollte unbedingt katholisch heiraten, ihm war es gleich.

Lena lächelte, die Lippen geschürzt.

Sie winkte, dann stieg sie aufs Rad und fuhr nach Hause. Sie hatte einen weiten Weg.

Es dauerte noch zwei Stunden, bis er nach Griechenland kam. Die Walhalla im letzten Abendlicht, die Ruhmeshalle.

«Gegrüßt seist du, Akropolis!» rief er aus.

So laut, daß der Kustos auf ihn zutrat.

«Wir schließen bald», sagte er, «wirklich, Sie müssen sich schon beeilen, wenn sie noch einen Rundgang machen wollen.»

«Bin ich zu spät?» fragte Seidenschwarz.

«Ja, schon. Aber wenn Sie die ganze Strecke gelaufen sind, wie ich sehe, dann will ich eine Ausnahme machen. Nur für Sie.»

Der Kustos war eine Tanne mit spitzem Wipfel, schwer sein Alter zu schätzen.

Dann stand er in dem hohen Saal.

Im bläulichen Licht.

Mit grellen Punkten.

Die weißen Büsten unterhielten sich. Ganz angenehm.

Da schwatzte Beethoven mit Kopernikus, Schiller fluchte über Goethe, der seinerseits mit Invektiven nicht sparte, da quasselten Henlein und Schickart, und auch die Könige und Kaiser, die aber meist zuhörten.

«Wo ist denn unser Kepler?» fragte Seidenschwarz.

«Ach, den suchen Sie! Dort, wenn sie dorthin schauen wollen.»

«Grüß Gott, geliebter Johannes, jetzt bin ich endlich angekommen, ich weiß, ein bißchen spät, aber hier bin ich.»

Der Kustos bat ihn, nicht zu laut zu reden.

«Aber die reden doch auch alle miteinander. Die Künstler, die Wissenschaftler sprechen unaufhörlich, die Musiker und Maler erklären sich gegenseitig die Kunst. Hören Sie das denn nicht?»

«Doch, ich höre es auch», beschwichtigte ihn der Kustos.

Seidenschwarz griff in die Jackentasche und fühlte einen Zettel.

Ein Stück Papier, zerknittert.

Er zog es heraus.

Entsetzt, was von seiner Rede übriggeblieben war.
Nur dieser kleine Zettel.
Darauf stand: «Mach mir Sorgen um dich, dein Raffel!!!»
Wann hat er mir den gegeben, dachte er, ich war in seinem Laden, diesem Hutpalast, dem Haus der tausend Hüte, mit dem spiegelblanken Boden, der vornehme Raffel, der seinen Kunden immer ein Getränk anbietet, sich höflich vor ihnen verneigt, um hinter ihnen zu grimassieren, dieser überfreundliche Geschäftsmann, der den unliebsamen Kunden Dornenkronen verpaßt und sagt, wie wunderbar sie ihnen stehen, auch wenn das Blut schon auf den Anzug tropft, der hat mir diesen Zettel zugesteckt?
Er konnte sich nicht erinnern.
Sorgen macht er sich, der Raffel, der gute Raffel, ich wußte, der ist ein wirklicher Freund. Bleib ruhig Raffel, ganz ruhig, es gibt keinen, der sich Sorgen machen müßte um mich, außer meinem geliebten Johannes.
Nur der macht sich Sorgen.
Ich sehs ihm an.
Keplers Gesicht war gedunsen.
Sein Bart in Wellen gekämmt.
Die Augen groß und rund.
Der Haaransatz voll.
«Ich will Ihnen was verraten.» Der Kustos sprach Tannenzapfen, «das ist gar nicht Kepler, das ist ein ganz anderer.»
Seidenschwarz drehte sich um.
«Das ist die Büste vom Schöpf, die hat das bayerische Kultusministerium bestellt, weil es die erste Büste für unecht hielt. Der Schöpf hat sie gefertigt nach einem Bilde, das in Regensburg aufgefunden wurde. Und alle glaubten, das zeigt den Kepler.»
Der Kustos lachte. Der Wipfel schwankte.
«Die Regensburger haben dem König Ludwig das Bildnis vorgelegt und behauptet, das ist der Kepler, was zum Erfolg hatte, daß seine Majestät nach diesem Bilde eine Büste für die Walhalla entschied. Die Büste wurde gefertigt und hier aufgestellt, und seither glauben alle, nun den großen Mann zu ehren. Jedoch zeigt diese Büste einen anderen, nämlich den Herzog Ludwig X. von Bayern-

Landshut. Der Kepler war ja klein, zierlich, schmächtig von Statur und gelenkig und sieht dem da oben nicht im mindesten ähnlich.»

Seidenschwarz nahm seinen Blick von der Büste. Der Kustos sprach weiter: «Ich habs ein paarmal schon erwähnt, weil diese Falschheit eingeweihten Kreisen auch bekannt ist, und wenn nächstens hier die Feiern stattfinden, dann...»

Der Kustos scheuchte eine Schwalbe auf, die sich in der Walhalla niedergelassen hatte.

Ein wundervoller, großer Vogel mit mächtigen Schwingen, der von Kopf zu Kopf flog und mit lauter Stimme all die Namen der Berühmtheiten rief.

«Aber sie hören nicht auf mich, keiner, der sich darum schert, sie werden vor einem Bildnis eines Bayernherzogs ein Gedenken halten, nicht vor einer Büste Keplers. Ich hab meine Besorgnis schon schriftlich eingereicht, aber bis zum heutigen Tag keine Antwort nicht erhalten.»

Da bin ich völlig umsonst gekommen, dachte Seidenschwarz niedergeschlagen, was soll ich vor einer Herzogsbüste meine Rede halten, das hat keinen Sinn.

Das Licht, das durch die hohen Fenster fiel, mit bläulichen Gasen vermischt, Qualm aus tausend Pfeifen, ein sprudelndes Blauweiß.

Jetzt waren alle Köpfe still. Die Denker schwiegen. Die Musiker dachten. Die Uhrmacher hielten die Zeit an.

Nicht einer lachte.

Wie es sich bei einer Totenfeier gehörte.

Nur Kopernikus quatschte dazwischen: «Ich weeß nich, ich weeß nich, verehrter Herr Kolleje, da steht eener uff Ihrem anjestammten Platze.»

Seidenschwarz dankte dem Kustos und verließ sein Mausoleum.

Die Nacht war gekommen.

Sturzbachtal. Weltsturznacht. Sonnensturz. Wie eine alte Steintür schabt auf steinigem Grund, auf schleimigem Sand, auf stillen Graten. Wie ein lichtes Grau aufschießt und ins Blauschwarze taumelt. Wie ein Händedruck zum Erwürgen führt. Wie aus dem süßesten Süßpudding stinkender Urin spritzt.

Er nimmt Bewegung auf.

Sie nimmt Bewegung auf.

Es nimmt Bewegung auf.

Und dreht sich an und schiebt sich los und rell-rollt sich rum mit kreiselnder Kraft sich drehend, Kreiselweis kreiselwärts.

Geschwindig

aufkommt der Sturm, der Orkan bricht auf und dreht sich rasend, bis irgendwann der Faden reißt, die Fuge bricht, die Faser platzt, die Ader knackt

und dreht sich in rasenderem Rasen, bis irdendwann die
Schnalle springt die Schnüre reißen
und irdend
die Erde
entfleucht.

Herr Einstein, die Erde ist aus ihrer Bahn!

Er gähnt.

Herr Einstein, die Erde hat ihr System verlassen!

Er gönnt sich was.

Herr Einstein, wir fliegen davon!

Er: Hab ein kleines Nickerchen gemacht, rufen Sie in
einer halben Stunde an. Legt auf.

Mit rasendem Moment die Ellipse verlassen, das lächerliche Gesetz der Gravitation der Planetenbahn, der festgefügten mit zwei Brennpunkten, die Bahn der Bahnen der Bahnen Bahn, und schießt hinaus ins Weltall.

Zur Sonne hin, die heller strahlt mit jeder Millisekunde und heller und größer wird und heißer und heller und größer und heißer und heller und heller und ihren Rachen aufreißt mit Millionen Grad und heißer und heller und weiß

bis

Die Köpfe verschwinden im Sieb der Kanalisation, dem unterirdischen System der Städte, der glitschigen Bahn des Morasts, die Abwässer nehmen die Köpfe auf und wässern sie gut und spülen sie weiter und weiter, bis sie in Straßendeckeln stecken. Die Straße hat Augen. Die Nase gewalzt. Und Köpfe rollen rallen rollen rillen. In den Sand Dreck Schlamm Schleim, verstopft und verbittert.

> Ich stehe der Lehrmeinung nahe, das ganze All sei beseelt von ein und demselben Geist, der fortwährend gestaltet, der um des Schöneren und Besseren willen tätig ist, und weiß, was aus jeder überschüssigen Materie am besten zu machen ist. So verwandelt er den Schweiß der Frauen und Hunde in Flöhe und Läuse, den Tau in Heuschrecken und Raupen, die Erde in Pflanzen, das Aas in Würmer, den Kot in Käfer, überall könnt Ihr was Feuchtes beobachten, das Samengut besitzt und die Mannigfaltigkeit der Arten hervorbringt, da aber fast nichts im ganzen Körper ist, was nicht dereinst gelebt hat, was nicht bis zu einem gewissen Grad schlammig ist, so gibt es nichts, was nicht in ein Lebewesen überginge, teils schneller, teils langsamer, wie bei alten Bäumen, je nachdem die von der Herkunft der Seele noch übrigbleibende Wärme lang oder kurz in dem betreffenden Stoff herrscht.

Herr Einstein, sind Sie jetzt wach?
Er gähnt ein wenig.
Herr Einstein, wir brauchen Sie dringend!
Er läßt sich eine Minute Zeit.

Herr Einstein, wo bleiben die Berechnungen?
Er sagt: Auf welcher Grundlage?
und schläft noch eine Portion.

Warum soll man es aufhalten, warum aufhalten denn nur, warum denn überhaupt aufhalten, und wer?

Er lag auf dem Boden, die Augen ganz starr und stirr, die Sterne über ihm und im Kopf
den Sonnensturz.
Jetzt holten ihn die Geschwindigkeiten ein, nicht die trödelnden Zugfahrten, das gemütliche Bergsteigen, sanfte Radeln, die Geschwindigkeiten seiner Zellen und die Drehungen, Kehrungen, Kreisungen auf der Ellipse im Ritt die tatsächlichen Geschwindigkeiten, die er nicht mehr bremsen konnte, mit einem Mal war es schneller im Kreis herumgerast,
hatte ihn stolpern lassen,
ein, zwei Meter,
die Augen ganz starr und storr, und im Kopf
den Sonnensturz.
Über allen Wipfeln
spürest du ein Gebraus
hindurch zwischen Riesenplaneten, die eine schmale Schlucht lassen, die langsamer drehend, viel langsamer langsamst durch die Schlucht
und Augen zu
im Dunkel einer Achterbahn Zwölferbahn Hunderterbahn Neunzehnhundertdreißigerbahn
und Augen zu
Gegenlicht die Blitze
die fernen Hügel zeigen, die graublaue Planetennacht, und schießen hindurch mit Donnern von vier Schlägen ins nächste Universum.

Herr Einstein, was ist nun, wie sehn sie die Lage?
Er lacht ein wenig: sehr spannend!

Herr Einstein, ist das jetzt das Ende unseres Planeten?
Er lacht heftiger: Schon möglich!
Ja, was denn?
Er zeigt seine Zunge.

Hinein in ein helles Universum, wo alles glitzert und strahlt und spitzt und alles ganz grell ist und glitzt, ein weißes Universum, leichtes Weiß, leicht hörbar, leicht lesbares Weiß, das ist das nächste was dahinterliegt, was niemand wußte, daß das dunkle Universum nur der schmale Schatten ist des weißen Universums.

Und ohne Angst, fast wie geweißt.

Er flog. Endlich die Zeit gekommen, daß er hinaufflog, befreit, sanfte Passagen im Wind, tänzelnd im Sog.

Auf einer Wasserfontäne hernauf wie ein Korbball, wie ein All, ein Korb für die Erde, wo ist jetzt ein Korb? der sie auffängt und bremst in ihrem Sturze urze gepurze. Ein Glühwind ohne Angst, ein Glüh.

So rollt jetzt und rast sich und blast fort und skanst off,
was sich noch angezurret hatte.
Wenn man denn fragt,
ob das Licht des Mondes
die Humores vermehren könnte,
da gibt es nur eine Antwort:
Die sind ein Wunderwerk.
Deshalb sagt man,
es ist ein Fehler
wenn es heißt,
die Humores vermehren sich mit dem Licht des Mondes,
sondern man muß
das Leben darzu setzen.
Denn auch ein Faß, das bei Neumond mit Wasser gefüllt wird,
läuft bei Vollmond nicht über.

Eine Mondfinsternis ward hernach zum Zeichen, wer da gegangen war, wer entschlafen und niemals nicht schlief, ein Zeichen der Sterne, die lachten und knurzten, das ist ein Mann, der uns beachtete, jajaja, ein Sternenmann, der soll nicht sterben, der uns beobachtete, der Sternenmann Kepler, der steige auf, wenn andere seine Büste feiern, und ihn scharren in heimischen Grund, der steige auf, komm herauf zu den Sternen, die du mehr geliebet hast als deine törichten Herren, denen du allweil deine Unterwürfigkeit bezeigt hast,

der Sternenmann ist verloren, rufen diese,
nein, er ist gerettet,
und deswegen die Mondfinsternis,
damits keiner sah.

Sie rasten hinein
ins Welt-Allmetall
des zweiten Universums,
ins Weltmetall
im Staub sich verfestigt
im All
der Staub vom grünen Universum, roten,
dann Ocker
der sich verhärtet und fräst eine Rinne hinein
und schrammt
und rammt
und ra–
Der eigentliche Mittelpunkt
heißt einfach Mitte.
Rechts vom Zentrum.
Ein Atemzug, dann zerbricht er,
die Knochen gebrochen verkocht,
fliegt federnd hinweg,
der Faktenmelker,
hinüber ins Licht
der Modelllandmann
frei ins Melodieren
der Mondträumling
und Keplerianer
Ahner.

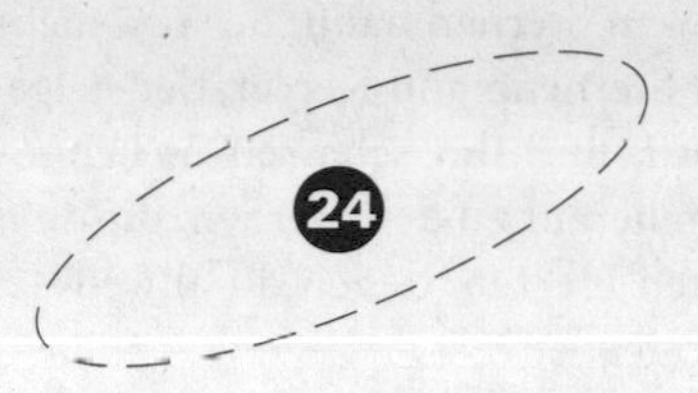

Die Generalversammlung des Naturwissenschaftlichen Vereins zu Regensburg beschloß, die Erinnerung an Keplers Hinscheiden vor 300 Jahren feierlich zu begehen. In Aussicht genommen wurde: Ein Huldigungsakt vor der Kepler-Büste in der Walhalla.

Um 15 Uhr begann der Festakt mit einem Solo-Quartett, es sangen die Herren Buchner, Distler, Scheidig und Schleer: «Fahr wohl, du gold'ne Sonne», von Ludwig van Beethoven.

Im rechteckigen Altarraum der Walhalla standen die Gäste, in schweren Talaren mit Goldbrokat und goldenen Ketten, Barett auf dem Kopf, lauschten andächtig den Gesängen, nach drei Festmahlzeiten, nach Huldigung und Hosiannah, denn schon am Vormittag gab es einen Festakt im Reichssaal, dem Ort des Immerwährenden Reichtstages, danach Mittagessen im Ratskeller.

Als erster sprach Dr. Hoppel, der Bürgermeister. Der Kustos sah ängstlich hinauf, zu der obersten Reihe der Büsten, weil dort eine Schwalbe die Jungen fütterte, er hoffte inbrünstig, daß sie sich während des Festaktes ruhig verhielte. Dr. Hoppel holte weit aus, obwohl er dem Präsidium versprochen hatte, sich kurz zu fassen. Er hatte sich ins Festprogramm hineingedrängt, indem er die Vergabe von Zuschüssen an die Bedingung eines eigenen Redebeitrags knüpfte. Da hatte der Naturwissenschaftliche Verein zustimmen müssen. Der Bürgermeister variierte die Gedanken, die er bei Seidenschwarz' Besuch erfahren hatte. Der Bischof schlief.

Es folgte eine Aria von Bach-Reger, gespielt vom Kammer-Orchester des neuen Gymnasiums, Leitung Herr Amende.

Dann trat Seine Durchlaucht, der Fürst, vor die Versammelten: «Meine Damen und Herren! Sie haben sich in Regensburg, wo der große Mathematiker und Astronom Johannes Kepler am 15. November 1630 verschieden ist, zur ehrenden Erinnerung an die demnächst bevorstehende 300. Wiederkehr seines Todestages versammelt. Lassen Sie uns – einer wohlbegründeten, durch den Wechsel der politischen Verhältnisse unberührt gebliebenen Übung folgend – in diesem Raume mit innigem Danke und aufrichtiger Verehrung seines hochherzigen Stifters gedenken, König Ludwigs I. von Bayern, der schon als Kronprinz diese Ehrenhalle geplant, als König sie aus eigenen privaten Mitteln auch ausgeführt und diesen Ehrentempel bestimmt hat für die Aufnahme der Büsten nur der bedeutendsten deutschen Männer, Heroen im Kriege und Rate, in der Kunst und Wissenschaft, die Deutschlands hohen Ruhm in der Kultur- und Weltgeschichte begründet haben.»

Der Bischof wurde unsanft angestoßen von Seiner Magnifizenz, dem Rektor der Universität Erlangen, dem das leise Schnarchen des Kirchenmannes mißfiel.

«In dieser, dem deutschen Volke geweihten Stätte sollte nach Ansicht des Stifters jeder Deutsche in andachtsvoller Ergriffenheit, in warmer Bewunderung und stiller Ehrfurcht, mit berechtigtem Stolze und voll Hochgefühls sein Auge ruhen lassen auf der Gesamtheit der hier verherrlichten Großen, damit sie alsdann sich vor seiner Seele zu voller Erscheinung verkörpern und damit alles Große, was sie getan, was sie erstrebt und erreicht, lebendig durch sein Gemüt ziehe, ihr großes Beispiel und Vorbild seinen Geist erhebe, seinen Willen stähle und ihn die Weihe zu einem höheren, besseren, dem deutschen Vaterlande gewidmeten Leben erfülle! So liegt es im Sinne des Stifters, der dies selbst ausgedrückt hat mit den Worten: «Rühmlich ausgezeichneten Teutschen steht als Denkmal und darum die Walhalla, auf dass teutscher der Teutsche aus ihr trete, besser als er gekommen.»

In diesem Augenblick unterbrach der Fürst seine Ansprache. Eine Schwalbe segelte dicht über seinen Kopf, hinauf in die oberste Reihe der Marmorbüsten.

Der Kustos war verzweifelt, denn ihm würde man später die Schuld für diese unziemliche Störung geben.

Ängstlich sah er den Kultusminister an, den Mann, von dem

noch immer eine Antwort ausstand. In Sachen: Kepler-Büste. Wie konnte der Herr Minister nur seine Eingaben übersehen und die Feier unter der falschen Büste begehen lassen?

Der Marmorkopf war angestrahlt, umrahmt von drei ewigen Lichtern, Kerzen in rotem Glas, der volle Schopf mit Lorbeer umkränzt. Im Licht von unten warf er einen fetten Schatten.

Seine Durchlaucht setzte erneut an.

Die Geistesgröße. Der Scharfsinn. Das unermüdliche Schaffen. Die außergewöhnliche philosophische Begabung. Welch eine gigantische Leistung der Erkenntnis! Was für ein Rüstzeug für die kommende Wissenschaft!

Der Bischof war wieder eingenickt und träumte von einem schönen Auftritt vor all diesen gelehrten Männern, nur hatte er den Text seiner Rede vergessen.

Seine Durchlaucht blickte in das Rund, zu den Köpfen aus Marmor auf den Galerien, den Köpfen aus Fleisch und Blut unter den schwarzsamtenen Baretts. Er sprach über Galilei, den Scharlatan. Den verwöhnten Herrn, der niemals erleiden mußte, was Kepler ertragen hatte. Dem sein Wohlleben mehr war als seine Erkenntnis. Der durch Feigheit glänzte und den Ruhm einheimste, den andere ihm bescheiden zureichten. Der abschwor und in Ruhe weiterlebte, obwohl ein anderer vor ihm schon für die gleiche Ansicht auf dem Scheiterhaufen des Campo dei Fiori enden mußte, Giordano Bruno. Galilei, der hochgerühmte und doch so zaghafte Geistesheroe, der dem Kepler nicht gewachsen war.

Es kam Unruhe auf im Publikum, ein leichtes Bewegen der Talare, ein Zusammenstecken der Köpfe, einer runzelte die Stirn, ein Hüsteln, ein Naseschneuzen, ein Füßescharren. Die Schwalbe regte sich in ihrem Nest. Noch war es zu früh, zu einem weiteren Flug anzusetzen.

Der Kustos freute sich über die Unruhe, denn so würde niemand mehr an den unglückseligen Schwalbenflug zurückdenken, sondern nur an diesen Fauxpas Seiner Durchlaucht.

«Keplers Tod fiel in die für unser deutsches Vaterland so schlimme Zeit des Dreißigjährigen Krieges. Die 300. Wiederkehr seines Todestages fällt in die Zeit nach dem für Deutschland verlorenen Weltkriege mit all seinen täglich hervortretenden Folgen vorzüglich für die deutsche Staatsfinanz- und Volkswirtschaft. Schon mehr als einmal schien das deutsche Volk schwerstens, ja tödlich getroffen, und seine Freiheit war vernichtet. Jedesmal aber erhoben sich wieder deutscher Geist und deutsche Kraft aus den Fesseln. Und auch wir hoffen auf eine Erlösung und sohin auf eine Befreiung, die das deutsche Leben wieder lebenswert macht.

In solchen drückendsten Zeiten regt sich die Sehnsucht nach aufrechten Führerpersönlichkeiten und, mehr wie sonst, das Bedürfnis, führender Geister vergangener Zeiten in Dankbarkeit und Verehrung zu gedenken.

Ich danke ihnen!»

Erst zögernd, dann stärker werdend, setzte Beifall ein, dann Hochrufe, dann die Nationalhymne, die nicht geplant war.

Die Schwalbe flog auf die gegenüberliegende Seite.

Der Kustos sang kräftig mit.

Der Bischof erwachte.

Den Abschluß bildete der Festgesang von Gluck für gemischten Chor, es sangen Schüler des Alten Gymnasiums, Leitung Herr Studienrat Röser.

Der kleine Zug, der sich hinter dem Sarg versammelt hatte, geriet ins Stocken.

> Ja, du bist, DU, meine Bergung!
> Du hast den Höchsten zum Hag dir gemacht.

Die Münchener Verwandten erschienen in Schwarz. Die Regensburger Freunde, in Grau und Dunkelblau, sprachen den 91. Psalm nicht mit.

> Ja, er hat sich an mich gehangen
> und so lasse ich ihn entrinnen,
> steilhin entrücke ich ihn,
> denn er kennt meinen Namen.

Immer wieder hielt der Trauerzug an, die Mühen des letzten Weges, langsam dahinschreitend, stehend. Lena Röhrl hatte sich bei Rafael Federl eingehakt, der an diesem sonnigen Nachmittag seltsam blaß war. Er trug einen Homburger auf dem Kopf, sein Anzug zusammengestückelt, die Jacke heller als die gestreifte Hose.

An Länge der Tage sättige ich ihn,
ansehn lasse ich ihn mein Befreien.

Der Ehrensperger Ludwig, der einen Strauß roter Nelken im Arm trug, führte eine kleine Gruppe von Genossen an. Er hatte Seidenschwarz gefunden, am Abhang unter dem klassizistischen Tempel.

Rabbi Blum sah die Mutter an, die sich auf den Bruder stützte, der von seiner Familie begleitet wurde, sah die vier Damen, die zu jeder Beerdigung erschienen, treue Mitglieder der jüdischen Gemeinde.

Dann stimmte er das Kaddisch an.

Daß gehöht
und daß geweiht
Sein Name sei
im All, erschaffen, wies Ihm fromm'
und Sein Reich, walt' er's komm',
solang euch Leben
und Tag gegeben
und beim Leben von ganz Haus Israel,
daß das bald so
und in naher Zeit.
Drauf sprecht AMEN
sei Sein Nam' erhoben
Welt auf Welt auf Ewigkeit
Preis und Dank.

Die Stimme des Rabbi war fast zu leise für diese gemischte Gemeinde, die hier zusammentraf und sich nie wiedersehen würde.

«Ich hätte es wissen müssen, daß Arnold aus der Bahn kommt», hatte er gesagt, als Lena Röhrl anfragte, was nun zu geschehen habe, sie kenne sich mit jüdischen Gebräuchen nicht aus. Zunächst erkundigte sich der Rabbi, auf welche Art Seidenschwarz zu Tode gekommen sei. Lena hatte erwidert: «Er ist tot.» Als Lena Röhrl die kleine Wohnung neben der Synagoge verließ, warf sich der Rabbi auf den Boden.

Sein großer Friede komm' von oben
und Leben herab uns
und ganz Israel
Drauf sprecht: Amen.

Rabbi Blum rief dreimal laut:

«Jitgadal wejitkadasch sch'me rabba!»

Die Familie und die vier Damen wiederholten die Preisung des Gottesnamens.

Der Sarg wurde in das Grab gelassen.

Ehrensperger trat hastig aus der kleinen Gruppe hervor, warf die roten Nelken auf den dunklen Sarg.

Er rief: «Verzeihs mir, bitte!»

Ohne ein Gebet zu sprechen, wandte er sich ab.

Die Familienmitglieder sahen sich an. Seidenschwarz' Mutter wurde gestützt, dann schritt sie allein zum Sarg. Sie nahm das Schäufelchen in die Hand, warf dreimal Erde auf den Sarg, ließ sich vom Rabbi die Hand schütteln.

Staub bist du
und zum Staub kehrst du zurück.
Dein Staub geht in die Erde ein,
von der er kommt.
Der Geist aber kehret zu Gott zurück,
Der ihn gegeben.

Rabbi Blum sah in den blauen Himmel, sein Blick wanderte über die Stadt, die vom jüdischen Friedhof aus gesehen wie ein Hinterhof wirkte. Nur die spitzen Türme des Domes ragten wie Fremdkörper empor.

Als die vier jüdischen Damen ihre Trauerbezeigung beendet hatten, begann die Waschung der Hände.

> Verschlingen läßt er den Tod in die Dauer.
> Abwischen wird mein Herr, ER,
> von alljedem Anlitz die Träne,
> und die Schmach seines Volkes abtun
> von allem Erdland.
> Ja, geredet hat's ER.

Nun sahen sich die nichtjüdischen Teilnehmer an, weil die Verwandten schon das Grab verließen.

Lena Röhrl beeilte sich, nahm das Schippchen, warf Erde hinein. «Ich werde für dich reden, Arnold», sagte sie halblaut. «Heute abend trage ich deinen Traum vor.»

Sie wandte sich ab, trat zurück zu den anderen.

Rafael Federl löste sich aus der Gruppe, machte zwei Schritte nach vorne, warf Erde und sagte.

Nachwort

Für diejenigen Leser, die Lust bekommen haben, mehr von Kepler zu lesen oder auch über ihn, möchte ich ein paar Hinweise geben. Die in Flattersatz gedruckten Zitate stammen aus Keplers Werken «Strena seu de Nive Sexangula» (Über den hexagonalen Schnee, 1611), «Mysterium cosmographicum» (Das Weltgeheimnis, 1596), «Harmonices mundi» (Weltharmonik, 1619), «Tertius interveniens» (Warnung an die Gegner der Astrologie, 1610), «Somnium seu Opus posthumum de Astronomia Lunari» (Der Traum vom Mond, 1634, in der Übersetzung von Ludwig Günther 1898). Einen guten Überblick über Kepler gibt die 1983 erschienene Biografie von Günter Doebel. Nach wie vor sehr lesenswert ist Arthur Koestlers Darstellung «Die Nachtwandler» (1959).

Die Rede, die der Fürst im letzten Kapitel hält, stammt nicht von ihm, sondern diese Rede hielt der bayerische Staatsminister Dr. Goldenberger anläßlich der Kepler-Feiern in der Walhalla im Jahre 1930.

Gerne möchte ich einigen Dank sagen: dem Archiv der Stadt Regensburg, der Bibliothekarin Elisabeth Mair, dem Bibliothekar Panos Voglis an der Universität Bremen für ihre Unterstützung bei den Recherchen; meiner Frau Marita, meinem Bruder Hans, Henner Reichel für die Lektüre der ersten Fassung, und nicht zuletzt meinem Lektor Wolfgang Krege, der mit Kritik und Einfällen viel zu diesem Roman hinzugetan hat.

Jürgen Alberts